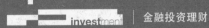

金融投资理财

THE
PARTNERSHIP

THE MAKING OF GOLDMAN SACHS

高盛帝国

上

［美］查尔斯·埃利斯◎著

卢青　张玲　束宇◎译

中信出版社
CHINA CITIC PRESS

图书在版编目（CIP）数据

高盛帝国（上）／（美）埃利斯著；卢青，张玲，束宇译．—北京：中信出版社，2010.1

书名原文：The Partnership: The Making of Goldman Sachs

ISBN 978–7–5086–1811–1

I. 高…　II. ①埃…　②卢…　③张…　④束…　III. 投资银行－企业管理－经验－美国　IV. F837.123

中国版本图书馆 CIP 数据核字（2009）第 212445 号

高盛帝国（上）

GAOSHENG DIGUO（SHANG）

著　　者：	[美] 查尔斯·埃利斯
译　　者：	卢青　张玲　束宇
策划推广：	中信出版社（China CITIC Press）
出版发行：	中信出版集团股份有限公司（北京市朝阳区和平街十三区 35 号煤炭大厦　邮编　100013）
	（CITIC Publishing Group）
承 印 者：	北京牛山世兴印刷厂

开　　本：787mm×1092mm　1/16　　**印　　张**：21.25　　**字　　数**：320 千字

版　　次：2010 年 1 月第 1 版　　**印　　次**：2010 年 6 月第 6 次印刷

京权图字：01–2009–0359

书　　号：ISBN 978–7–5086–1811–1/F · 1835

定　　价：42.00 元

高盛

——即便是在巨鳄遍地的华尔街，它也是最耀眼的"明珠"！本书为你展现的就是有着钢铁般意志的高盛帝国最恢弘的篇章……

献给我的孙子、孙女们——杰德、摩根、查尔斯和雷

目 录
CONTENTS

1   白手起家   1

在高盛的历史上，特定的收益或损失总是能引导合伙人作出新的战略决策。既然被排挤在主要铁路债市场之外，亨利·戈德曼选择了开展当时并不被看好的工业融资业务。

2   深陷泥潭：高盛交易公司的失败   17

沃尔特·萨克斯接任了高盛交易公司的总裁一职，毋庸置疑，他不得不面对一群又一群愤怒的股东，还得伤精费神地在法庭上应对股东的起诉。卡钦斯得到了一笔25万美元的买断费，他的资金账户亏空由其他所有合伙人一起填平。

3   回归路漫漫   31

温伯格早年被人称为"天才少年"，到了晚年的时候被人们尊称为"华尔街先生"（Mr. Wall Street）。他曾经很不在意地说："我只不过是一个来自公立十三小学的辍学者而恰好又结识了很多生意人。"

中文版序

中信证券股份有限公司董事长　王东明

2008年是金融危机席卷全球的一年，先是贝尔斯登倒闭，随后雷曼兄弟破产，大批金融机构陷入流动性危机，高盛也在当年转型为银行控股金融公司。当时，从美国来的朋友给我带了一本书，这就是在华尔街刚一问世就十分抢手的《The Partnership》。我拿起书随手一翻，就被里面的内容深深吸引，欲罢不能。

当听说公司的几个年轻人决定把这本书翻译成中文时，我非常高兴，也非常支持他们的决定。在该书中文版出版之前，他们邀请我为这本中文名为《高盛帝国》的翻译版写序，我很愿意谈谈自己的看法。

投行业务是一项非常复杂的业务。与我国的投资银行不同，国外的投资银行现在面对着比较宽松的监管和激烈的市场竞争，其对赢利点的关注也从传统的经纪业务逐渐淡出，商品交易、房地产、衍生品交易、大宗交易、并购咨询、资产管理等创新产品和业务逐渐成为投行赢利的主业。华尔街独立投资银行业发展的历程并不算很长，但其发展的速度在全球是首屈一指的，而近几十年来，华尔街的投资银行在全球一直处于霸主地位。研究全球的投资银行业，其中最重要的部分就是研究华尔街的投资银行。华尔街五大投行中最引人注目的可以说是将合伙人制度的优势发挥到极致并坚持到最后才上市的高盛。

在我国的经济建设过程中，上市融资往往被各企业，包括投行当做最终的目标。但是，我们应该认识到，企业存在的各种组织形式在其发展的历史时期都有其合理性，而这些形态各异的组织形式对于各种企业发展的促进效果不见得就比上市运作要差。即使是在现代，欧美发达国家中仍然存在不少家族式公司，不论是全球闻名的咨询公司麦肯锡还是法律行业神奇圈（Magic Circle）的几大律所（富而德、高伟绅等）都仍然采用合伙制。而作为投行的领军者，高盛的合伙人制度也同样对该公司的发展起到了极大的促进作用。

本书是继《高盛文化》一书之后对高盛的合伙人历程进行细致描写的又一部佳作。作为金融业知名咨询公司——格林尼治公司的创始合伙人，作者埃利斯对于高盛的发展可谓了如指掌，而他的叙述也使得高盛的合伙人形象跃然纸上：精明而又积极进取的萨克斯家族成员、圆滑而又左右逢源的约翰·温伯格、态度强硬和狂热并且不知疲倦地工作的格斯·利维、谦逊随和而又按照既定计划坚持前进的乔恩·科尔津……而埃利斯通过对高盛不同业务线发展历程的梳理，使我们非常清楚地看出其发展的脉络：为公司带来大量赢利的私人服务、为公司带来大量客户和良好声誉的并购业务、让公司陷入困境的研究业务等。

精通投资银行业务的埃利斯凭借其敏锐的洞察力，以深入浅出的方式娓娓道来，使得书中提及的投资银行专业业务不再枯燥，复杂的项目运作变得简单易懂。本书中讲述了多个具体的事例，例如高盛在收购商品交易商杰润的过程中涉及的各国储备的金条借用业务、牵涉诸多参与方的并购抵御业务等。这对我国投资银行的高管、前台人员、后台人员都有很好的借鉴作用。作者由于具有丰富的实践经验和与高盛数十年的合作往来，写出来的故事个个都引人入胜，从管理角度、业务操作角度翔实地记录了高盛由一个小票据商行发展成为投行巨擘的过程。书中也穿插描述了合伙人之间的冲突、斗争、家庭故事，甚至牵涉到了谋杀、情报机构等，增强了本书的可读性。对与同行业的竞争、与监管机构的磨合、与客户的周旋等的描述，都使我们能够感受到这个投行巨人在其发展过程中所经历的点点滴滴。

需要指出的是，在20世纪70年代，高盛仍然是以经营美国本土业务为主的投行，但是在合伙人的正确决策和带领之下，高盛抓住了英国大变革的契机，在欧洲建立了坚实的业务基础，并且在与老牌投行，例如摩根士丹利、所罗门兄弟以及华宝的斗法中屡占上风。同时，随着其国际化业务的发展，高盛在商品业务、并购业务、资产管理等各项投行业务中都独领风骚，在短短的数十年间就发展成为全球金融行业的领军者。这对于我国尚处于成长阶段的投资银行而言具有很强的现实借鉴意义。

合伙人制度究竟对高盛意味着什么？是合伙人制度与生俱来的一荣俱荣、一损俱损的集体凝聚力？还是个人利益与集体利益融合之后带来的强大动力？抑或是合伙体制带来的灵活应变及低调务实的态度？读完这本书之后，相信每个人对于这些问题都会有自己的答案。

尽管华尔街独立投行已经不复存在，但这并不能说明投资银行这个行业走到了末路。我认为这只能被看做华尔街投行或者美国式监管制度的自我调适和自我纠正。高盛的转型的确发人深省。不过，应当看到，高盛的发家史中也有过多次大起大落，它一次次地度过了诸如滥用研究报告、马克斯韦尔危机、宾州中铁破产等令人心惊胆战的阶段，越战越强，越战越勇，这都为这家百年公司积淀了丰富的经验和强大的自我修复能力，也磨炼出高盛强大的自我提升能力。谁能预言今天的高盛经过自身的调整之后不会再站上投行业务的制高点，甚至将其模式进行复制并在金融控股集团占有重要的一席之地？

当然，在领会高盛成功秘诀的同时也一定要对其经验去芜存菁。高盛的合伙人制度在其发展过程中也走过一些弯路，而且由于不同时期的董事合伙人对于业务的兴趣点不同、对风险的理解和承受能力不同，以及个人素质和魅力存在差异，都直接对公司的发展起到了相当大的影响，而合伙人制度的局限性对于高盛是否上市的争议，在本书的描述中也显露无遗。

总的说来，本书既是一本关于国际投行业发展的生动教科书，也是华尔街投行和不少国际金融机构发展的缩影。里面的种种情形看起来距离我们非常遥远，这主要是因为我们的投行还没有发展到那个阶段。因此，对于中国的投行人士而言，高盛过去经历过的东西很可能就是我们将要经历的。因此，不论是对于投行从业人员还是监管者，甚至仅仅是希望对投行这个行业有简单了解的人，这本书都值得一读。

专家推荐

易凯资本有限公司创始人、首席执行官　王冉

记得十五六年前的一个早晨，我6点钟就从酒店出门，打车到位于香港中环的花旗广场。大厦里空无一人。走出电梯，我发现我要去的公司大门紧闭。于是我虽然穿着西服，也顾不了那么多，干脆就在走廊找个地方坐了下来。大约40分钟后，随着电梯的一声响，一位头发斑白的长者出现在我面前。他主动和我握手，问："你是新来的？"简单寒暄后，他用卡刷了一下，门自动打开。那是我去高盛上班的第一天，那位长者就是当时高盛亚洲的董事长曾国泰，那也是我关于高盛最早的一段记忆。

我拿这本书给员工作培训

大约半年前，我召集我们易凯资本的全体同事作了一次特殊的"内部培训"。其实所谓"培训"，就是讲了一晚上关于高盛的段子。这些故事绝大多数并非我自己的亲身经历，而是来自您现在手里的这本书。时至今日，我仍然认为那是我给同事们作过的最重要的一次"培训"。

后来，我又在新浪博客上专门推荐过这本书。推荐的方式也很简单，仍然是把其中的一些我认为比较有意思并且对我自己很有启发的故事讲出来。因为我始终认为，故事本身的力量和魅力会远远大于任何对它们的归纳与总结。

今天，如果再去问我的同事们是否还记得那天晚上我讲的那些故事，恐怕绝大多数人只能回忆起一两个，顶多两三个来。不过没关系，因为中信出版社的中文译本出来后，我会让公司的全体员工人手一册。以前我一直觉得滥用职权把任何一本书变成"人手一册"都很"事儿"、很"做作"，但这一次我愿意这么"事儿"一次。

我希望，这本书能给我们这个日趋浮躁的行业里的每个人带来一点点沉淀。哪怕只有一点点。

就我个人而言，读完这本书，给我留下印象最深的其实也就那么几件事。譬如（下面提到的故事只有读完这本书的读者才能明白）：

故事一："我们来买单，把好客户变成更好的客户"

沉淀：把客户的利益放在第一位不是嘴皮一动随便说说的。能否把这一点融化在自己的血液和基因里，决定了一家服务性公司是否有机会走向伟大。

故事二："晚上打车去买第二天的《纽约时报》"

沉淀：很多时候，平庸和卓越的差距就是那么一点点，魔鬼全在细节中。

故事三："当然是去斯坦福了"

沉淀：正像高盛的"14条原则"说的那样，投资银行最重要的资产是自己的声誉；而声誉是靠每个同事在那些或大或小的困难和挑战面前用他们的行动一点一点、一分一分建立起来的。因此，对一个投行的CEO来说，最重要的工作只有一个：人。

就在我写这篇推荐序的时候，高盛又一次成为媒体瞩目的焦点。这一次，是因为在无数人遭遇财富缩水、很多人丢掉工作、那场差一点儿摧毁了全球经济的华尔街风暴刚刚接近平息的时候，高盛竟然在2009年前9个月预提了167亿美元作为公司员工该年度的待发奖金。

无论是否有金融风暴，高盛恐怕都会一直生活在风口浪尖上。不过，它对此似乎已经习以为常了。虽然在这个节骨眼儿上公布巨额奖金的消息有点冒天下之大不韪，不过我们也别忘了，正是高盛独特的基因与力量让它在经历了一次又一次的风暴之后反而越来越坚不可摧，越来越鹤立鸡群。

不打破IPO审批制，中国就出不了高盛

随着中国经济总量超过日本并且很可能在未来20年间超越美国成为全球第一大经济实体，中国的资本市场一定会水涨船高地成为全球最主流的资本市场，对此，我毫不怀疑。

但是，中国证券市场成为全球主流资本市场并不意味着中国就能自动顺势产生一批具有全球影响力和竞争力的投资银行，更不用说马上在中国再造一个高盛了。其中最主要的问题就是由于监管方面的原因，中国投行在最为重要的本土资本市场一直没有足够多的机会在金融技术与金融产品上得到高度市场化的历练；它们太多的精力没有花在研究企业、产品、市场和机构投资人身上，而是花在了北京西城区那条著名的金融街上。只有在中国现行的IPO审批制度和轨道制度被彻底打破之后，中国的投资银行才有可能在博弈供需关系的市场风雨中茁壮成长。

我们期待着这一天早日到来。但是，直到那一天真的来临，我们这些中国投资银行业的从业者们仍然可以继续向高盛这个并不完美的老师学习。这也正是我推荐这本书的原因。从字面上读懂这本书很容易，但是要真正读懂高盛的故事并且在中国今天的环境中把这些故事的指向用一种近乎迂腐和执拗的方式付诸行动，则需要超乎寻常的定力和坚如磐石的价值观。

前言

在写这本书的过程中，我曾多次想过放弃。1963年冬天，即将从哈佛商学院毕业的我和所有其他同学一样正在找工作。贝克图书馆布告栏上的黄色平面广告吸引了我的注意。广告的左上角印着"沟通机会"，右边则是"高盛"的名字。作为一名波士顿证券业的律师，我父亲对这家公司非常敬重，因此我开始阅读对这个工作的具体描述，但是当我看到年薪只有5 800美元时，我就没有再继续读下去了。

后来成为我妻子的"她"当时刚从韦尔斯利女子学院^①毕业，她是Phi Beta Kappa^②的成员、女高音独唱歌手，上学期间申请了助学贷款。我必须帮她偿还银行贷款，所以我想我的收入不能低于6 000美元。由于当时未曾考虑过还有分红和加薪，我太过天真地"知道"我每年赚的钱不会超过5 800美元，所以高盛不太适合我。如果当时像其他人一样在高盛发展自己的事业，那么我肯定不会写这本关于内部人士如何看待高盛的书了。

20世纪70年代初，在向潜在合伙人承诺我们会将羽翼未丰的咨询事务所——格林尼治（Greenwich Associates）发展成为超级专业的事务所时，我就自嘲地说："你是个傻瓜。作了承诺，连你自己都不知道这个超级专业的

---

① 韦尔斯利女子学院是美国最有名的女子学院之一，希拉里、宋美龄等皆毕业于此。——译者注
② Phi Beta Kappa是美国高等学府里面优秀学生组成的团体。——译者注

事务所到底该是什么样的，也不知道怎么才能达到那个目标。你甚至从来没有为一家那样的事务所工作过。你最好快点学。"从那时起，一有机会我就向我在法律、咨询、投资、投行等行业工作的朋友和熟人咨询他们认为哪家公司在其所在行业做得最好，以及它做得最好的原因是什么。我一次又一次坚持探索同样的问题，很自然，雏形出来了。

一家真正的专业大型公司有某些特质：那些最能干的专业人士认同这是他们最想加入的公司，同时该公司招募并留住那些最好的人才；那些最挑剔的大客户则认可该公司能够持续地提供最好的服务；这家公司在以前和今后的很长一段时间里被其竞争对手看做行业的领军者；有些挑战者可能偶尔通过一两次杰出服务暂时超越，但是它们都无法长期维持卓越水准。

各个行业保持其卓越水准的因素是多种多样的，但是有些特定的因素对于每家伟大的公司都是重要的，即：长期服务和投入的"仆人式领导"，精英的报酬机制和权威性，不计得失的客户服务，高度专业和杰出的道德水准，持续强化专业水准的企业文化，拥有长远的价值、政策、观念和行为以持续保证其抓住短期"机会"。每个伟大的组织都是具有持续多年跨地域和跨业务实现价值、实务和文化一致性的"One-Firm公司"①。所有伟大的企业都是"偏执狂"——对竞争对手总是保持高度的警惕和忧虑。但是，它们很少向竞争者学习，因为它们认为自己独一无二。不过，就像在各项比赛中表现突出的奥运选手一样，这些公司很大程度上都是一样的。

基于格林尼治公司深入的资产管理研究，以及作为战略咨询顾问与各大主要证券公司密切合作的工作经验，我能够从独特的角度来比较相互竞争的公司，并从多个客户评价的标准来进行对比，包括在不同市场、不同年份，特别是持续跟踪一段时间的对比。在过去这些年里，我相信我的研究成果启迪了一部分人士，特别是那些渴望取得卓越成就的人士，那些提供最好服务的专业人士，以及那些愿意为专业公司奉献毕生职业生涯的人士。有一个

---

① One-Firm企业文化概念是1985年戴维·梅斯特发表于《斯隆管理评论》的名为"The One-Firm"的文章中提出的观点。One-Firm企业文化是一种被大家认可的在机构内部创造忠诚度和团队精神的战略（http://davidmaister.com/articles/1/101/）。——译者注

发现让我很吃惊：在每个行业中，都有某一家公司被业界人士公认为"最佳公司"——如投资行业中的资本集团公司，咨询业中的麦肯锡公司，法律界的克维斯律所（后来被达维律所及世达律所超越），医药行业中的美国梅育医学院（后来被约翰·霍普金斯医院超越）。而在证券行业也有这样一家公司，那就是——高盛公司。

10年或20年前，也许还有人认为证券行业中有其他公司比高盛更优秀，但是现在不会了。（更早之前，几乎没有人认为高盛是行业的领军者。）多年以来，我一直很清楚高盛具有无可比拟的优势：与竞争对手相比，高盛员工更为公司着想；他们拥有共同的信念，或者其"文化"意识更强烈；高盛的每一级领导者都更认真，更深谋远虑，更注重从长期的角度来改善公司的点点滴滴；他们放眼长远利益，同时注重细节；他们更了解员工，更关心员工；他们加倍努力工作，而且非常谦逊；他们知识渊博，又求知若渴；他们总是致力于寻找改善的方法，并改善良多；他们的抱负不是想成为什么，而是要做成什么。

60年前，高盛还只是一家三流的美国东部商业票据交易商，拥有不到300名员工，它从依赖信用度低的小客户投资银行业务起家，发展成为全球投资银行界的主宰者，先后经历了从小代理商到大代理商再到重要合作伙伴这一系列发展过程，最后将自己成功地塑造成为金融领域最重要的投资者。它拥有的优势是其他公司无法超越的：它在投资的任何金融市场中，可以自由决定条款、选择合适的规模、挑选有利时机、选择感兴趣的合作伙伴，完全没有任何外部限制。

高盛现有3万名员工，而本书中提到的高盛员工的名字不到其总数的0.5%，但是高盛的伟大故事正是由这少数人创造出来的——是这些最初加入公司的前辈们，通过努力打造了今日的高盛。高盛采用的是合伙人制度，于成立100年后实现了公开上市，这一法律事实对律师和投资者的意义深远，但是实际上，高盛的合伙人制度已经渗透到每一个角落：公司员工的合作方式、员工对公司以及员工之间的了解，甚至已成为主宰员工信仰的强大的精神力量。

　　高盛现任及未来的领导者将会面临更加艰巨的挑战。作为行业领导者，特别是面对内部和外部追求卓越的永无休止的需求，高盛将始终站在竞争性创新的前沿。

　　有兴趣的读者会立刻提出三个重要的问题：为什么高盛在许多方面如此强大？公司如何取得现有的领导地位，并展示其卓越？高盛未来将怎样再续辉煌？

　　本书下面的章节将试图回答以上三个问题。

查尔斯·埃利斯

于康涅狄格州纽黑文

2008年6月

1

白手起家

1907年11月16日，年仅16岁的西德尼·温伯格（Sidney Weinberg） 为了求职而重返华尔街，这件本不起眼的小事却为高盛日后的崛起埋下了重要的伏笔。这片地界对他而言并不算陌生。更小的时候，温伯格曾经在这里每周为商家运送女士花边帽，一周能赚到两美元。曾有一段时间，他同时为三家零售券商做信使——直到每家券商都意识到他同时在为其他两家券商做一模一样的工作时，才被三家雇主扫地出门。

1907年的早些时候，温伯格在往返于布鲁克林与曼哈顿的渡轮上听一位好友说起华尔街正在发生恐慌。后来回忆起这个小插曲的时候，温伯格承认"当时这样的消息对我而言没有任何意义"。那一场恐慌引发了针对美国信托公司（Trust Company of America）的挤兑，但同时也给温伯格创造了更多赚钱的机会——每天最多可以赚到5美元——他所要做的就是在前来取钱的焦躁不安的储户中排队。等他排到银行门口的时候，就可以把这个位置卖给后来的急着取钱的人。然后，他又回到队伍的最后，重复做着这个买卖位置的小生意。为了赚钱，他干脆也不去上学了，就这样要了一个星期的小聪明之后，学校也把他扫地出门了。这时他才意识到真的需要找一份像样的工作来养活自己。

他的父亲平卡斯·温伯格是一名生活在社会底层的波兰裔酒水批发商，有时候还干些见不得人的走私勾当。作为11个孩子的单身父亲，在西德尼从学校辍学的这个时候他又给孩子们找了了继母。但是他的新妻子不愿意抚养家里排行老三的孩子——这个孩子在她的眼中太放肆无礼——于是西德尼只好自己出去打拼。作为从七年级中途辍学的孩子，他比同龄人只多了一点优势——一封由他的一位老师签名的言辞模糊的介绍信。信中说："相关负责人：我很乐意为持信人西德尼·温伯格的经商能力提供证明。他只有在忙得脚不点地的时候最开心，并且他也总是愿意按照您的指令行事。我们相信任何雇用他的人都会对他能提供的服务感到满意。"

五短身材，口音浓重，而且布鲁克林区犹太人平卷舌音不分的毛病学了全套，温伯格就带着这些特征踏上了求职之路，当时任何一份正当的工作都能满足他。不过他还是决定从曼哈顿下城的金融区开始尝试，于是就有了他在各个高楼大厦中求职的身影。他后来也曾讲述过他在华尔街第一次取得成功的经历："当时为了找一份正当的工作，我在早上8点钟的时候走进了交易广场43号。选择这栋楼开始没有什么特殊的原因，只不过从外面看它是那么高大而光鲜。我坐电梯直达23层，从顶层开始，每个办公区我都走进去，用最谦卑的语调问：'你们还招人吗？'到下午6点，我已经走到了3层，但是仍然没有找到工作。高盛的办公区就在那一层，但是那天他们已经准备下班了。柜台上的一位员工告诉我没有什么职位可以给我的，但是我可以回来试试运气。第二天早上，我仍然在8点准时走进大楼，准备从昨天暂停的地方接着再来。"

温伯格当时坚定地说他是被请回来的。"柜员莫里西先生召来了大堂清洁工贾维斯，问他：'你需不需要一个助手？'贾维斯当然乐意多个帮手，于是我就以5美元一周的薪水被聘为清洁工贾维斯的助手。"他最初的工作是很被人看不起的清理痰盂之类的活儿。[①]虽然感觉这份工作卑贱，但好歹是个起步。

温伯格在这项工作上也没干太长时间。有一次，他被指派用购物小推车

---

① 直到1969年去世之前，温伯格一直把一个号称是他做第一份工作时替贾维斯清理的铜制痰盂保留在自己的办公室内。他保留的东西里还有一件，是他在尼亚加拉大瀑布旅游时被一个巧舌如簧的骗子诱骗而买下的小布口袋。当时那个人对他说："你看上去是一位非常有前途的年轻人。你知不知道这个瀑布底下蕴藏了丰富的钻石矿，迄今为止只有我一个人下去过，我这个小袋子里就装着一些钻石，我现在愿意出让给你。""那你要多少钱？"那人回答说："1美元。""我身上没那么多钱，我一共就有50美分。""你看起来是位前途无量的小伙子，50美分就50美分。"温伯格就这样用50美分买了一个小破口袋，里面装的不过是再平常不过的鹅卵石。他一生都保留着这些鹅卵石就是要提醒自己不要再当傻子。

送一根8英尺长的旗杆到曼哈顿上城去——"你用购物小车运过旗杆吗？那还真是一个不错的差使！"温伯格送货的地点是保罗·萨克斯（Paul Sachs）的家，给他开门的竟然不是管家而是萨克斯本人，保罗·萨克斯是高盛公司首位初级合伙人的儿子。温伯格充分发挥了他最擅长的与贵人交友的本事，他的活力与聪敏给萨克斯先生留下了不俗的印象，以至于萨克斯将他留在家中吃饭——不过当然只是和仆人们同桌。温伯格很快成了传达室的领班，并且他对传达室日常工作的重新规划引起了保罗·萨克斯的关注，这也许是保罗·萨克斯成为他日后在高盛的诸多合伙人中唯一的"教父"的最初原因。

萨克斯决定送温伯格到位于布鲁克林的布朗商学院（Browne's Business College）学习文案课程，同时还让他学习在华尔街工作必备的数学知识。萨克斯为他垫付了50美元的学费，指导他如何在高盛内部取得进步，并且一直关心呵护着他。"直到他把我当做自己的学生之前，我都是一个无可救药的孩子——粗野且倔犟。保罗·萨克斯多给了我25美元，让我到纽约大学去再学一门课。他并没有指定选哪门课。在那之前我根本就没有听说过纽约大学，但我还是把事情办成了。很多可选的课程都不能唤起我的兴趣，除了一门课叫做投资银行学。我知道雇我的公司做的就是投资银行业务，所以就选修了这一门。现在想来这门课真的让我获益良多。"

就温伯格的教育背景而言，他还上了另外一门课："加入公司一段时间之后，他们曾经考虑把我调到国外事务部门去。于是我到哥伦比亚大学学习了与外汇相关的知识。"与此同时，他也不断提升自己的办公技能。"那个年代，商业本票的单据都是用复写纸批量印制的。我后来在复写操作上练得非常纯熟，1911年纽约商业展会（New York Business Show）期间我还被评为最熟练的全美商业设备公司复写机操作员，获得了100美元的奖金。"

温伯格性格中一直有一种唯我独尊的特质，就算当年进入高盛后，他也花了一段时间来培养沉稳的性格："我当时野心勃勃，经常在老板们回家之后跑到他们那宽大的办公桌后面坐着，点上一支50美分的雪茄，当然拥有这些雪茄的人后来都成了我的合伙人。"当时在公司内谋求升职的艰难使他有一种非常大的挫败感，1917年温伯格离开公司加入了美国海军。由于近视眼、身材矮小、性格好斗，他哄骗着兵役官把他编制为舰上的助理厨师，虽然没过多久他就被调到弗吉尼亚州诺福克县的海军情报处，但这个厨师的头衔成了他日后津津乐道的光辉历史。

温伯格的一位好友透露了一次他作为 J·P·摩根的座上宾时发生的对话："温伯格先生，我听说您曾在上一次世界大战中服过役？"

"是的，您的消息很准——我在海军服过役。"

"您是什么兵种？"

"厨子，副的。"

摩根先生一下子就被逗乐了。

用当时华尔街的标准来衡量的话，温伯格于1907年加入的这家公司根本就无足轻重——虽然后来温伯格将其从金融灾难中挽救回来并将其打造成了华尔街一流的机构——但是这家公司当时也有40多年的经营历史了。这只金融巨鳄的起点其实只是一个没有雇员、几乎没有资本的欧洲移民的毫不起眼的个人生意。马库斯·戈德曼（Marcus Goldman）原本只是德国巴伐利亚施韦因富特镇上一个牧牛人的儿子，他于1848年欧洲保守派发动的反革命浪潮中离开家乡时年仅27岁。与其他下定决心背井离乡的欧洲人一样，他先教了几年书攒够了横渡大西洋所用的旅费，然后经历长达6周的海上航行，成为第一次犹太人移民美国大潮中的一员。

在美国工业化的进程中，库恩家族（the Kuhns）、雷曼家族（the Lehmans）、勒布家族（the Loebs）、塞利格曼家族（the Seligmans）以及其他欧洲移民都抱团儿并自称"我们这群人"，不断充实着德裔犹太银行业的实力并逐步壮大起来。但是戈德曼与这些家族没有什么联系，他自食其力从新泽西州开始启动了作为流动商贩的小生意。他在新泽西认识了伯莎·戈德曼（Bertha Goldman）并娶她为妻，虽然伯莎家也来自德国北部，但是两家人并无亲缘。他们在费城定居，并于1869年举家迁徙到了纽约。

美国南北战争之后银行信贷利率维持在一个很高的水平上，戈德曼在这一时期开发了一项小型的商业流通证券业务，其额度由2 500美元起。当时

Marcus. Goldman
Samuel ↓ Sachs → Sidney. Weinberg
Henry ↓ Goldman

的商业银行基本上没有什么分支机构，所以一般都是坐等客户找上门来，这个空间给戈德曼这类有商业头脑的人提供了结识更多商人并直接评估这些商人的信用程度的机会，同时也让他成了小额贷款人和机构放款人的中介。戈德曼的客户一般是曼哈顿下城仕女巷（Maiden Lane）上的珠宝批发商以及大量聚集在约翰大街上的皮革商。这两类商人都只依靠极少量的原始资本在经营，在他们中间放贷或开展"贴现票据"（note shaving）业务对于戈德曼这样兢兢业业的商人来说都是有利可图的。他要么以每年8%~9%的折扣利率从商人手上收购商业票据，要么收取0.5个百分点的手续费，如此一来，只要资金周转够快，他就能赚到很多钱。

"一开始的时候，（戈德曼）确实是以最不起眼的手段经营着最不起眼的生意，但是每单生意都做得精益求精。"[1]每天早上在小商贩中收完票据之后，戈德曼都会把它们集中收放在他那顶绅士帽里，然后搭上一辆马车来到位于钱伯斯大街与约翰大街交会处的商业银行会聚地，他可以在这里以很低的赢利将票据都出售给商业银行。虽然150多年后，在他这种商业精神的指引下，这个本不起眼的小公司将成长为世界领军的证券机构，但是1870年已经49岁的马库斯·戈德曼仍处在金融食物链的最末端。不过在1870年底，他的赢利状况已经可以允许他雇用一位兼职的财会人员和一名普通职员了。他自己则身着当时相当体面的长大衣，戴着绅士帽，自我介绍时总是高调地称自己为"银行家及经纪人马库斯·戈德曼"。

1882年是戈德曼独立经营的第十三个年头，这一年他的税前年收入已经达到了约5万美元。或许是觉得手头宽裕了，这一年他决定提升塞缪尔·萨克斯（Samuel Sachs），也就是他的小女儿路易莎·戈德曼的丈夫为公司的初级合伙人，并且把公司更名为戈德曼-萨克斯公司（M. Goldman and Sachs）。

马库斯·戈德曼夫妇与塞缪尔的父母约瑟夫和索菲娅·萨克斯（Joseph and Sophia Sachs）是亲密的朋友。萨克斯家的大儿子朱利叶斯（Julius）娶了戈德曼家的女儿罗莎（Rosa），这次联姻是两家的母亲都十分赞同的。由

---

① 此处为沃尔特·萨克斯的评论。

此两位亲家母认为再一次联姻能进一步加深感情，于是就有了塞缪尔和路易莎的婚姻。塞缪尔从15岁开始就在公司做财会工作，才能自然受到认同。

马库斯·戈德曼贷给塞缪尔·萨克斯1.5万美元用于清算他当时正在从事的干货生意，借此保证塞缪尔能够心无旁骛地参与到新公司的合伙经营中来。这项贷款分三年还清，三张本票的面额均为5 000美元。塞缪尔和路易莎的第三个儿子来到人世的时候，塞缪尔已经偿还了三张本票中的两张，马库斯借外孙到来的时机，用他传统的德国字体给女婿撰写了一封正式的信函，免除了塞缪尔最后一张本票的清偿义务。这一方面是为了肯定塞缪尔为公司发展投入的精力，同时也是为了肯定他作为公司合伙人的能力，当然也有小外孙沃尔特降生的影响。这个小插曲使得日后沃尔特·萨克斯（Walter Sachs）在回忆时能自豪地说："现在想起来，我出生的第一天就做成了我在高盛的第一笔生意。"[①]

路易莎·戈德曼·萨克斯是位多愁善感的女性，她父亲当年写的这封信、那张被免除债务的本票，同时还有小儿子的一缕金色卷发和一颗乳牙都被她稳妥地收藏在保险箱里。

1888年，公司更名为高盛（Goldman，Saches & Co.）。在之后的50年间，公司的合伙人几乎都是家族姻亲，所有的业务都是在取得合伙人一致同意之后才开展的。19世纪90年代，高盛已经成为全美最大的商业本票交易商。营业收入由1890年的3 100万美元倍增至1894年的6 700万美元，两年之后成为纽约证券交易所成员。为了将公司的业务拓展到纽约市之外的地区，亨利·戈德曼（Henry Goldman）开始定期拜访芝加哥、圣路易斯、圣保罗以及堪萨斯城等商业城市，同时也走访普罗维登斯、哈特福德、波士顿以及费城等金融中心。

1897年，塞缪尔·萨克斯为了扩大公司的经营范围而出访英国。他当时拿着英国咖啡业领军人物赫尔曼·西尔肯（Herman Sielcken）的介绍信来到了位于伦敦平地教堂街（Fenchurch Street）20号的克兰沃特父子公司

---

① 沃尔特于1908年开始正式大量参与公司的工作，一直任职到1980年去世，享年96岁。

(Kleinwort, Sons & Co.)。克兰沃特家族最早于1792年在古巴发家，随后在1830年将家族财富转移回伦敦并开始从事商业银行业务。当塞缪尔来拜访时，他们家族已经是本地有名的银行家，不仅接受支票以及世界范围内的各种汇票，同时由于其长期以来的良好资质，也享受着别人拿不到的最优利率。赫尔曼与亚历山大·克兰沃特（Alexander Kleinwort）正在寻找比现有的美国代理人①更富有进取精神的合作伙伴，塞缪尔·萨克斯便借此机会详细介绍了高盛在纽约的经营情况，并描绘了在纽约与伦敦两个不同市场之间进行诱人的外汇交易及套利业务的前景。

尽管萨克斯带来的业务十分诱人，克兰沃特家族仍本着英国式的保守传统，十分谨慎地对待与他们根本没有耳闻的美国公司开展联合经营一事。他们首先通过纽约的著名犹太银行家奥古斯·贝尔蒙（August Belmont）以及 N·M·罗斯柴尔德（N. M. Rothschild）在纽约的代理人调查了高盛的营业能力、诚信状况以及商业热情。在确认没有找到一星半点儿的问题之后，克兰沃特父子公司才接受了高盛关于成立合资公司的请求，这家合资公司成功经营了多年，而且合作双方一直没有订立过书面合同。

商务上的往来并不是总如一般社会交往一样简单。合作之后不久，克兰沃特一家就经常邀请萨克斯家的人到他们的乡间别墅做客。虽然他们也觉得这些不谙世故的美国人很有趣，但是他们也不得不学得很谨慎，只要是萨克斯家的人参加的场合，克兰沃特家必定要慎重决定邀请哪些富有而又有修养的英国人前来做客。沃尔特·萨克斯15岁那一年去拜访克兰沃特家，曾主动和克兰沃特家的管家握手并热情地问好。后来沃尔特在接受管理培训时也曾冒失地对亚历山大·克兰沃特说市场上有不少人正在担忧他们两家联合运作的本票的数量。克兰沃特当时听了这话脸色铁青，一言不发。直到几个星期之后，才有人私下指点萨克斯的言辞不当之处：作为违背商务礼仪的一种，萨克斯的话在克兰沃特听来是影射了别人对他的诚信度的质疑，而只要是在伦敦商界稍有头脸的人，都知道克兰沃特先生的信用记录是无可挑剔的。

---

① 　在接触高盛之前，他们的代理人是 Winter & Smillie 公司。

在与克兰沃特家族合作成功之后，高盛与欧洲大陆上的商业银行间的代理业务也逐步开展起来。高盛初期的业务局限在能迅速变现的交易上，借此达到控制资金风险的目的，同时他们的境外业务部门的收益也于1906年增长到50万美元。利润增长主要来自外汇套利，因为伦敦市场的货币利率远低于纽约市场，就算加上合资公司对90天本票收取的0.5%的佣金，投资者仍有利可图。在欧洲金融市场上的信誉建立之后，高盛小规模地将业务推向了南美及远东地区。

马库斯·戈德曼直到1909年去世之前都是高盛的合伙人之一。塞缪尔和哈里·萨克斯（Harry Sachs）继续经营着公司最重要的业务：商业本票。哈里·萨克斯曾告诫过他的儿子："永远不要忽视我们的专长。"与此同时，与塞缪尔·萨克斯一样具有扩张精神的亨利·戈德曼小心翼翼地开发着一项本土证券业务，也就是面对纽约及新英格兰各州的商业银行发行铁路债券。

19世纪90年代中期，高盛在松树街9号大楼的二层仅租用了两间办公室，大约20名员工每天早上8点半上班，下午5点下班，一周工作6天。1897年，公司迁到了拿骚街31号。为了推动商业本票业务的进一步开展，高盛于1900年在芝加哥设立了第一家分支机构，随后一个仅有一名员工的办公室也在波士顿运作起来。归功于商业本票业务的迅速扩张，1904年高盛的资本达到了100万美元，同年，公司搬到了更为宽敞的交易广场。

高盛的业务蒸蒸日上，公司的合伙人们在亨利·戈德曼的领导下树立了更远大的理想：投资银行业务。

高盛当时已经无法打入20世纪早期证券业的核心业务——铁路建设及运营的飞速增长注定了铁路行业对资金的巨大需求，承销铁路债及铁路行业股票是当时最赚钱的生意。摩根大通、库恩-勒布以及施派尔公司（Speyer & Company）已经形成了一个事实上的承销垄断集团，这些行业寡头垄断者们都对亨利·戈德曼发出警告，他们宣称绝对不会让这个后起的公司在这个利润丰厚的市场中分一杯羹。戈德曼并没有被吓倒，他只是感到非常愤怒并且坚持寻找市场的入口，但是这个入口确实无处可寻。他唯一的选择就是退出这个市场另谋生机。塞翁失马，焉知非福：如果当时这个垄断集团给他开了个口子，高盛可能要花多年的精力在这个当时已达巅峰的市场中来打拼出自己的地盘，然而当时的市场其实已经出现颓势，最终导致了多家企业的破产倒闭。

唯一一次打入铁路债承销业务的尝试在高盛自己的历史中被称做"那份不幸的埃尔顿合约"（Alton deal）。按照这一纸合约，高盛应承销一家美国中西部铁路公司发行的1 000万美元的债券。虽然最早预期能赚取0.5%的联合承销费，但是利率的突然暴增导致高盛和其他联合承销商根本来不及将自己的份额出售给投资者就损失了一大笔钱。

与此相类似，在高盛的历史上，特定的收益或损失总是能引导合伙人作出新的战略决策。既然被排挤在主要铁路债市场之外，亨利·戈德曼选择了开展当时并不被看好的工业融资业务。当时的很多工业生产厂商都还是小规模的独立经营者，只有极少数成规模的企业会寻求厂主和商业银行所能提供的资金之外的投资。高盛最早的业务从雪茄生产商开始做起。能和雪茄生产商做生意，后来还扩展到零售商领域，高盛至少得感谢宗教信仰的帮忙。因为当时领军的两家金融机构——摩根大通和乔治·F·贝克尔公司（George F. Baker，现在的花旗集团）是不与"犹太公司"做生意的，高盛这样的"犹太企业"由此获得了这些业务机会。

进入20世纪之后，这家家族企业的合伙人在亨利·戈德曼的领导下更加专注于保增长、促扩张。1906年，高盛捕捉到一次业务机会，三家中小规模的雪茄生产商合并成立了联合雪茄（United Cigarette，后更名为通用雪茄）。高盛曾与合并前的几家公司都有商业本票的业务往来，新成立公司的CEO杰克·沃特海姆（Jake Wertheim）与亨利·戈德曼是好友，两人都迫不及待地想做生意。但是当时要进入公开证券市场，不论是债券还是股票，都要基于融资企业的负债表和固定资产总值作出评价——这也正是铁路企业成为金融公司重要客户的主要原因。为了拓展生存空间，联合雪茄需要长期的注资。其财务特点如同一般的"商务"或交易公司——有着良好的赢利，但是却很难提供客观的资产证明。在与联合雪茄的六位大股东商谈之后，亨利·戈德曼再次施展了他在金融领域的卓越创新才能：他提出了一个全新的概念，即商务型公司，如批发商和零售商——只要能与普通融资过程一样，以合并后的资产作为抵押贷款的附属担保——理应按照他们的商业特质获得相应的融资，而这种特质指的就是这些公司的赢利能力。

很幸运，在业务扩张的同时由于私人朋友的关系，更多的良好资源也得到了更广泛的运用。在亨利·戈德曼的介绍下，当时仅仅是一家棉花及咖啡商的雷曼兄弟（Lehman Brothers）及其老板菲利普·雷曼（Philip Lehman）开始与联合雪茄商谈合作事宜。菲利普·雷曼是五位抱负远大的兄弟之一，很有才干而且富有竞争精神。他的家人谈起他时曾说："只要他做的事情，他必定要争取胜利。"菲利普·雷曼下定决心要让自己的公司进入纽约证券承销业务的圈子，并且经常和亨利·戈德曼讨论各种业务机会。塞缪尔·萨克斯在新泽西州埃尔伯龙（Elberon）的度假别墅和雷曼家的房子正好背靠背，他们要谈生意实在很方便，开会都可以不出家门，隔着后院的篱笆就谈成了。

富有的雷曼家族正在寻找投资机会，身为资本充裕的家族，他们完全有资格成为承销团里的一股重要力量。当时证券的承销与发行——从发行人手中买走证券再将其转手售卖给投资者——缺乏一套成型的业务模式，更谈不上日后形成的完善便捷的业务流程。出售一家不知名的公司的证券可能要花很长时间，拖上三个月也并非稀奇——因此承销商的名声及资金充裕程度对证券销售起着至关重要的支持作用。在这种公司与公司的合伙机制成长过程中，高盛带来客户，雷曼家族则提供资金支持。两家公司间的合作模式一直持续到1926年。

联合雪茄公司普通股的销售"势必长期进行"，但最终还是取得了成功。投资银行家们按约定购买了该公司4.5万股优先股，外加3万股普通股，总计450万美元。经过持续多月的营销，这些股票最终以560万美元的价格出售给了投资者，合计赚取了约24%的利润。除此之外，高盛保留了7 500股原始股作为补偿，这又为其增加了30万美元左右的收入。更为重要的是，这种创新的融资模式——以公司的赢利能力取代固定资产总值作为衡量标准，为高盛开创了新的业务机会。之后他们以同样的模式又成功地为沃辛顿泵业公司

固定资产房值估价 → 利润增长 (盈利能力)
→ 成长速度 → 市场占有率。 (各种估值法)

（Worthington Pump）进行了债券承销。

另一次重大的融资业务，同时也是一段重要人际关系的开端，是从承担传统家庭责任开始的。在进入20世纪之前，塞缪尔·萨克斯的妹妹埃米莉娅·哈默斯劳（Emelia Hammerslough）①和她的丈夫很不情愿地收留了一名宿客。虽然他们平时也不怎么理会他，但是他毕竟是来自德国的远亲，此人看上去就是粗鲁和没修养的典型代表。这位宿客的名字叫朱利叶斯·罗森瓦尔德（Julius Rosenwald），他很快就去了美国西部并认识了理查德·西尔斯，前者通过将自己的罗森瓦尔德–威尔公司（Rosenwald & Weil）与后者的邮购业务合并之后，掌握了西尔斯（Sears Roebuck）公司1/3的所有权。他们通力合作经营着邮购业务并最终将他们的公司打造成了全美知名的企业，但是在1897年，他们的资产总值仅为25万美元，他们急切需要资金来维持从纽约购来的存货。

显然罗森瓦尔德对他在萨克斯家不受欢迎的程度毫无知觉，但是他知道埃米莉娅的哥哥塞缪尔的公司就是专门帮人筹钱的，而且他们还在不断地寻找业务机会。罗森瓦尔德以公司财务官的身份向高盛出售商业本票。高盛为其安排了7 500万美元的本票融资，从此与这家爆发式增长的零售商挂上了钩，获得了一位几乎可以称为贪得无厌的融资客户。

之后还不到10年的时间，由于业务的增长和对未来成长的预期，西尔斯和罗森瓦尔德需要一笔500万美元的融资在芝加哥建立一个专门的邮购中心。罗森瓦尔德当然又找到塞缪尔·萨克斯的公司，他原本只打算筹一笔钱，但是亨利·戈德曼却提出一项更大更好的计划：公开发行价值1 000万美元的股票，由雷曼兄弟和高盛联合承销。

由于在此之前从来没有邮购公司的股票上市流通的先例，也就没有人能说清楚投资者对这样的公开发行会有怎样的反应。在此前提下进行股票发行不得不说是勇气可嘉。再一次，金融创新家亨利·戈德曼提出套用联合雪茄

---

① 她的丈夫是塞缪尔·哈默斯劳（Samuel Hammerslough），他是罗森瓦尔德的叔父，以经营男子服饰用品为生。传说，他的主顾中有一位来自伊利诺伊州的因身材高大而买不到合适裤子的人，此人就是亚伯拉罕·林肯。

"公式"：优先股将以有形资产作为支撑，而客户对西尔斯赢利能力，即公司的商业特质的认同，将作为发行普通股的基础。西尔斯的承销有大量股票是通过克兰沃特在欧洲发行，虽然最终还是取得了成功，但是此前艰难地进行了9个月——是完成联合雪茄承销所用的90天的整整3倍。

截至1910年，高盛已有三位高级合伙人和三位初级合伙人。西尔斯公司的股票市值已经翻倍，而且正处在下一次翻倍的过程当中。为了保护投资者的利益，同时也是因为在当时的情况下投资者对投资银行家的熟悉程度通常高于他们承销的公司，亨利·戈德曼和菲利普·雷曼共同加入了西尔斯及联合雪茄两家公司的董事会。这种作为公司监督人的角色使得沃尔特·萨克斯继亨利·戈德曼之后成了西尔斯的董事之一，也为日后西德尼·温伯格继承沃尔特的衣钵奠定了基础，这种继承制度后来成为高盛内部一种不成文的传统。

高盛与雷曼兄弟不仅从西尔斯的合作中得到了一个高速增长的客户，他们也从此联合开创了为零售商及新兴工业生产企业融资的全新业务模式。雷曼兄弟和高盛日后联合承销了多家企业首次公开发行的股票，其中包括五月百货公司（May Department Store）、安德伍德打字机公司（Underwood Typewriter）、斯蒂贝克汽车公司（Studebaker）、B·F·百路驰（B. F. Goodrich）、布朗鞋业（Brown Shoe）、克鲁特·皮博迪（Cluett Peabody）、大陆罐装公司（Continental Can）、珠宝茶具百货公司（Jewel Tea）、S·H·克雷斯百货（S. H. Kress）及F·W·伍尔沃斯超市连锁（F. W. Woolworth）等公司。1909年，西尔斯的市值已经增长了250%，高盛组织了出资900万美元的承销团收购了理查德·西尔斯个人在公司内的所有股份。

沃尔特·萨克斯在哈佛大学读书时曾与富兰克林·D·罗斯福共同担当《红刊》（*Crimson*）的编辑，1907年毕业之后他直接加入了公司——同年西德尼·温伯格成为公司的助理清洁工。萨克斯最早做的就是商业本票的销售，他的职责范围包括哈特福德和费城等地的客户。没过几年他就调任到芝加哥，为阿穆尔公司（Armour & Co.）的J·奥格登·阿穆尔（J. Ogden Armour）开立了一个账户。因为高盛能通过其与克兰沃特的联系获利于伦敦低成本的货币市场，所以阿穆尔最早开立的账户数额很大：50万美元。

亨利·戈德曼与菲利普·雷曼之间形成了一种与众不同的合作模式：雷曼兄弟与高盛各自继续从事自己的专长——雷曼兄弟经营商品交易，高盛从事商业本票交易——同时两家的合资公司从事证券承销，利润五五分成。发展到一定的阶段之后，他们的业务所需的资本终于超过了自己所能提供的范围，于是他们联合克兰沃特父子公司成立了承销团，这样就获得了更多的资金。

高盛与F·W·伍尔沃斯的生意充分展示了亨利·戈德曼的经商动力。由于业务规模小而且被人讥讽为"两元店"，F·W·伍尔沃斯在许多承销商处都因为名声不响而碰了一鼻子灰，弗兰克·伍尔沃斯（Frank Woolworth）在多方碰壁的情况下找到了高盛。伍尔沃斯本人是个精力充沛、想象力丰富的商人，他通过兼并收购其他公司扩展自己的规模，现在他又想通过开设分店来进一步扩张。高盛为其设计了相当强势的融资计划，现在高盛人回忆起这项计划都还充满自豪。沃尔特多年后评价当时的计划说："我们公司（比别的公司）更大胆，也更富有创造力，不过最大胆的还是当时这份融资计划。要为这份计划找到合适的支撑，需要超越普通保守主义理念的乐观精神。"

萨克斯并非夸大其词。伍尔沃斯一单的销售总额最终达到了6 000万美元，而其净资产仅1 500万美元。发行的1 500万美元优先股与其净资产等值，其5 000万美元的普通股都是基于其信誉发行的，当时预测其销售会迅速崛起，将收益提升到540万美元——这当中还十分确定地预加了对未来收益的期望值。

十分幸运的是，投资者对这只股票热情很高。伍尔沃斯的优先股和普通股都迅速产生了溢价。首次发行时每股价格为55美元，普通股在首个交易日即报收在80美元。1923年，优先股退市时的结算价格为每股125美元。

有了西尔斯与伍尔沃斯这样成功的先例，高盛迅速由一家犹太人经营的，总是艰难地完成其承销业务的圈外公司成长为一家在公司内外都以敢创新、有效率、高赢利而被认可的公司。1913年4月24日，也就是伍尔沃斯股票成功发行一周年之际，位于曼哈顿下城的伍尔沃斯大厦竣工——这是时至今日也让人叹服的标志性摩天大楼——其投入使用之日还专门举办了庆祝晚宴。弗兰克·伍尔沃斯作为宴请的主人，身旁一侧是建筑设计师卡斯·吉尔伯特（Cass Gilbert），另一侧是他的银行家塞缪尔·萨克斯。伍尔沃斯在介绍这二人时说："没有这二位就没有这座大楼。"

直到从高盛退休之日，阿瑟·萨克斯（Arthur Sachs）一直身兼伍尔沃斯的董事，让人们不解的是，伍尔沃斯并没有从公司内部选派一位继任的董事。在后来的40年间，高盛与伍尔沃斯并没有什么实质的业务往来。但是，从沃尔特·萨克斯到斯坦利·米勒（Stanley Miller）都坚持开发与伍尔沃斯的新业务。终于在60年代的时候，高盛发行了伍尔沃斯的本票并促成了从布朗鞋业手中收购金尼制鞋公司（Kinney Shoe Co.）的交易。这些交易在沃尔特·萨克斯看来都是极好的例证："我确实找不出比这些例子更好的证据来说明维持老客户关系的重要性了。"或许有些人会质疑这项努力了40年才得来的唯一一次业务的价值——特别是当这单业务完全可以不经过40年的积累就轻松获得的情况下——但是在萨克斯担任公司领导的日子里，客户服务被提升到了相当重要的地位，因为新客户几乎绝迹了。高盛与雷曼兄弟借此赚得了好的名声，他们被视为优质企业的承销商——特别是在零售行业——他们承销的股票都表现良好。合伙人开始自豪地说，经过这两家承销的企业肯定都已经通过了"质量验证"。

与伍尔沃斯首发大约同一个时候，高盛也招揽了其第一位全职的新业务掮客：内德·阿登·弗勒德上校（Colonel Ned Arden Flood）。此人"十分有趣，仪表堂堂，举止得当。弗勒德穿着入时，谈吐不俗，当然免不了总是带着文明棍"。虽然从来不曾成为公司的正式雇员，但是弗勒德总能从那些经他介绍而做成的生意中获得提成。他在为公司带来新客户方面做得非常出色——包括斯蒂贝克和克鲁特·皮博迪——因此，6年之后他就功成身退了。弗勒德离开之后，开发新业务的任务就落在了新一代的合伙人以及分支机构经理们的身上。当然，现在看来这是一点进取精神和创造力都没有的活计。在那个时代以及在之后半个世纪中，华尔街一流企业之间——存在竞争关系的公司之间从不互相征询新业务。就是那么简单的事实，却从来没人去做。

"回顾当年那些日子，"沃尔特·萨克斯日后回忆道，"交易总是进行得有条不紊，总是能平稳地向前推进。"但是高盛内部平静的家族关系——戈德曼家的两姐妹嫁给了萨克斯家的两兄弟，公司所有的合伙人都是两个家族的成员——却在阿斯特酒店（Hotel Astor）进行的一次晚宴上，由于对海外业务的看法存有分歧而被打破。这次分歧使得两家人决裂，也导致了公司的分裂。两家人的疏远也必然引发高盛与雷曼兄弟一度成功的合作归于分裂。

Walt Sachs

1914年8月，德国对俄国宣战，一天之后即对法国和英国宣战。大战爆发后不久，沃尔特·萨克斯就从英国回到了美国，他期望公司合伙人都支持盟军——这也是他对克兰沃特一家作过保证的——但是却失望地发现亨利·戈德曼自豪且强烈地表示了对德国的同情，而且不断地发表支持德国的言论。当他的合伙人和姐妹们都劝说他修改言辞，至少淡化他的观点时，他断然地拒绝了。他在公众场合的发言越来越频繁，也越来越令人惶惶不安。亨利·戈德曼对普鲁士主义崇敬有加，只要有听众的地方他就大谈尼采的哲学。

戈德曼家与萨克斯家的分歧在1915年达到巅峰，当年摩根大通公开承销了总价5亿美元的英法战争贷款债券。华尔街主要的券商基本都参与了这项承销，但是高盛由于亨利·戈德曼的反对而未能加入。沃尔特·萨克斯后来对错失这个机会的解释是："公司当时有一条成型多年的规定，开展任何业务都必须经过所有合伙人的一致同意。"恼羞成怒的萨克斯两兄弟亲自跑到 J·P·摩根的办公室，以个人名义每人认购了12.5万美元的债券。

甚至当美国于1917年参战之后，亨利·戈德曼也没有停止他的"不当言论和反动演说"。后来公司内发生的一系列事情都没能制止他，其中包括霍华德·萨克斯（Howard Sachs）参加第二十六师（Twenty-Sixth Division）服役海外、保罗·萨克斯参与红十字会的战地服务，以及公司的其他成员发行自由债券（Liberty Bond）。国外，克兰沃特家警告他高盛有可能在伦敦被禁，英国央行禁止克兰沃特帮助高盛开展任何外汇交易等也都没能对他造成任何影响。公司内的分裂迅速恶化。最终亨利·戈德曼意识到他与公司其他合伙人已经完全分道扬镳，他只得在公司开始为美国政府发行自由债券的第一天从这个他服务了35年的企业辞职。戈德曼在公司的办公室还是保留了一段时间，但是"战争年代的亢奋使得他即使只是在公司露面也会引来麻烦"，所以他只得搬到了上城。亨利·戈德曼的离去使公司的人手显得捉襟见肘，因为他可以称得上是所有高利润实业融资业务的核心人物。

离开公司的时候，亨利·戈德曼也同时撤走了他可观的资金，使公司陷入了巨大的融资困境，公司的承销业务失去了他那种盛气凌人的决策者。两家人的决裂也使得高盛在公众眼中变成了一家"德国公司"，这理所当然地影响了生意。亨利·戈德曼与塞缪尔·萨克斯自此之后再也没有说过话。他们的私人恩怨传到了他们的下一代，时至今日也很少发现有哪个戈德曼家的人和哪个萨克斯家的人能聊到一块儿去。

第一次世界大战之后，西德尼·温伯格回到了高盛，但是他以前的工作已经不复存在。有人告诉他，如果他想在这儿工作的话，他就得创造出一个职位来。他确实做到了，就是债券交易员。1920年，他娶了海伦·利文斯顿（Helen Livingston），一位美丽又有教养的业余钢琴师，也是一位裙装制造商的女儿。很快，他在定价以及根据对市场的判断作出投资推荐等方面就获得了认可。温伯格还一手创建了场外股票交易业务。1925年4月，他以10.4万美元的价格在纽约证券交易所购买了一个席位。温伯格自豪地称购买席位的钱都来自他的个人收入："这些钱里没有一分是从买卖股票中来的。我从来没有买卖过股票，我是投资银行家。我从不放无的之矢。如果我是一个投机者而且对我所知加以利用的话，我肯定已经赚到了5倍于现在所有的钱了。"

他在1927年成了高盛的一名合伙人——有史以来第二位来自两个创始家族之外的合伙人。"我的同事们总是促使我前进，并且在许多公司元老之前将我晋升为合伙人。他们说这都是由我的性格、勤奋工作的态度、健康的身体决定的——当然还有正直和富有个性这两条。"他成了高级合伙人沃迪尔·卡钦斯（Waddill Catchings）的首席助理。作为高盛交易公司(Goldman Sachs Trading Corporation)的助理财务主管，温伯格丰富了自己的知识并充分了解了公司的每一项投资业务。在日后的危机当中，这些知识进一步将他塑造成了在公司内承担更多责任，同时也享有更高权威的人物。

bond trader.

2

深陷泥潭：高盛交易公司的失败

存于竞争关系的公司 是不可能彻底的

相互信任的

尽管亨利·戈德曼和菲利普·雷曼的个人交情曾在一系列交易中把两家公司紧密地结合在了一起——他们共同为56家发行人进行过114次承销——但是两家公司间一直存在竞争关系并且从来没有彻底地信任过对方。高盛的合伙人认为，既然多数业务机会都是他们开发出来的，那么原来五五分成的约定就应该相应地改一改。雷曼的合伙人则认为，高盛这种想法纯粹是贪得无厌。

出于缓和这些矛盾的目的，雷曼兄弟和高盛的合伙人在20世纪20年代保持了一种每天中午都在戴尔莫尼科餐馆（Delmonico's）共进午餐的习惯，这是华尔街上一家奢华的专供德国高档菜的餐厅。曾有一天，饭吃到一半的时候，高盛的一位合伙人突然从位子上跳了起来，高呼：“我忘了锁保险柜！”

“别急，”雷曼的一位合伙人环视了自己的同伴一圈，干练地回应道，“我们的人都在这儿呢。”

随着亨利·戈德曼离开高盛，由他与菲利普·雷曼一手开创、发展、维护的高盛与雷曼兄弟之间的密切关系注定要发生变化。两家公司间的分歧越来越多，争吵也越来越频繁，特别是针对利润分成的口角最多。雷曼一方质问，为什么在双方合作并且是由雷曼提供资金的业务中总是使用高盛的名号作广告，最后所有的好名声也都归给高盛？高盛则质问，雷曼凭什么在由高盛开发并管理运营的业务中也要分一半的钱？争论经常会恶化成谩骂。正如一位银行家指出的那样："一山不容二虎，双方都强势的婚姻必定无法长久。"

但是事情远非表面上看起来那么简单。长久看来，双方的分裂实际上对每一方都有好处——对雷曼兄弟更是如此。决裂迫使雷曼家的人真正投身到投资银行业务中脚踏实地地干起来，而不再挂着高盛这根拐棍儿。"雷曼兄弟一直都有充裕的资本，但这和在开发新业务上的强大实力是有天壤之别的，"一位高盛的合伙人多年后评价道，"自从分裂之后，他们才变成了有上进心的人。"与此同时，分裂也使高盛面临亲自筹措资金的挑战。

20世纪20年代晚期，两家公司召开了一系列会议，重新界定相互间的商业关系。"几代人以来（公司内部的权力制衡）发生了相当大的变化"，其中沃迪尔·卡钦斯执掌了高盛实际的运营管理权，罗伯特·"鲍比"·雷曼（Robert "Bobby" Lehman）、保罗·梅热（Paul Mazur）及约翰·汉考克（John Hancock）等人则掌控了雷曼兄弟。西德尼·温伯格正是迫不及待地想要割断与雷曼关系的人之一。会议形成了一份为分家起草的正式备忘录，详细罗列了60家当初由他们联合承销的公司。双方根据各自在这些公司内所占的主要权益份额各分走一些公司：高盛得到了其中的41家，雷曼兄弟得到了19家。他们约定不得从对方分得的既有客户中拉生意。

雷曼的经营秉承了菲利普的原则，即主要承销其他投行看不上眼的股票发行。这些当初不起眼的股票发行包括航空公司、电子设备生产商、电影制片商以及酒类厂商等，它们带来的利润最终使得《财富》杂志将其定性为"业内最赚钱的公司之一——甚至独步天下，没有敌手"。雷曼家族喜欢把自己称做以钱生钱的商人，是在想做实业却没钱和有钱但是没事做的人中间牵线搭桥的行家里手。

后来的事实证明，弥补由亨利·戈德曼的离任造成的资金短缺，对于高盛来说还可以圆满地解决；但是要找到合适的人选补上亨利·戈德曼的职位却不是那么容易的——用人不当导致的恶劣后果直到多年之后才被察觉。

承销是华尔街上知名金融企业的主营业务，也是一家金融公司在业内口碑好坏的衡量标准，戈德曼的离任使得高盛一下子在这个领域失去了具有远见卓识的领袖。尽管在承销零售行业公司的股票上有不俗的表现，用业内的标准衡量的话，高盛仍是一家无足轻重的公司。萨克斯家族取得了公司的实际运营权，但是公司中没有任何一位雇员能为公司贡献出果敢、高效的领导才能，这也是高盛无法重整旗鼓，恢复战前在投行领域的风光景象的主要原因之一。

终于在1918年，高盛寻觅到一位新的继任者沃迪尔·卡钦斯，邀请他加入公司领导承销业务。卡钦斯出生于密西西比州，从资历上看，他是继承这个职位的不二人选。身为阿瑟·萨克斯在哈佛的好友，他毕业于哈佛法学院，曾在高盛以后将要聘用的律师事务所苏利文－克伦威尔（Sullivan & Cromwell）供职。在这家事务所供职期间，中央信托公司（Central Trust Company）的总裁詹姆斯·华莱士（James Wallace）看中了他，多次盛情邀请他领导重组后的新公司：梅里坎兄弟（Millikan Brothers）、中央铸造厂（Central Foundry）以及斯洛斯·谢菲尔德（Sloss Sheffield）钢铁公司等。这些阅历使得卡钦斯在工业领域有了丰富的经验。战争年代，他供职于爱德华·R·斯特蒂纽斯（Edward R. Stettinius）领导下的摩根大通的一家子公司，专门为盟军采购前线所需物资。在战争接近尾声时，卡钦斯获得了接触高盛的机会，也同时熟识了高盛的客户和相关业务。他在社会上的历练使得大家都认为他是填补公司这个重要职位的最佳人选。除去外部因素，卡钦斯天资过人，很有个人魅力，容貌英俊，受过良好的教育，并且在华尔街上有着不错的人缘。

但是谁也不曾想到，在短短10年的时间里卡钦斯差点搞垮了整个公司，再一次证明在金融杠杆的撬动下，由早年的成功吹嘘出来的盲目乐观主义，可能变得相当有破坏力。

基德尔－皮博迪（Kidder Peabody）多年的老领导艾伯特·戈登（Albert Gordon）是从高盛起家的，他在评价卡钦斯时说："沃迪尔·卡钦斯高大英俊，并且具有众望所归的领导气质。更为重要的是，他不仅仅是一名律师，也不仅仅是苏利文·克伦威尔律师事务所的一名合伙人，他还是在实业管理领域真正锻炼过的人。他对待雇员和善大方。举例来讲，曾经有一次他要带我去见一位潜在客户的老板，但是当他知道我那个周末要去打野鸭时，他直截了当地给对方的老板打电话，说原来的时间不方便，希望能重新安排见面的时间。他的为人就是这样。"他对自己的社会地位和才干过分自信，潜移默化中这种态度演化成了傲慢。

卡钦斯曾撰写过一套散文集一般的书籍，极为乐观地描绘了美国未来的经济前景。在他写的预言式的，曾上过畅销书榜的《通向财富之路》（*The Road to Plenty*）中，他这样表述自己的见解："不论社会环境如何，如果生意想要不断做大，生产就得保持高速增长。"他天真地认为商业周期已经不再是一种威胁，美国的经济发展真的是前途无量。卡钦斯认为，哈佛的教授们对可持续发展经济的讨论过于理论化，同时社会中大部分人过分地关注眼前的效益，只有他自己才懂得中庸之道，是唯一能够把理论和实践结合在一起的人。他的目的就是把自己塑造为美国的一位思想领袖，而且公众也真的给予了他足够的注意力。

卡钦斯精力充沛的领导方式也使得高盛内部的信心高涨，公司再一次走上了前进的道路，也就在此时迈入了另一段活跃的实业融资时期。高盛在战后的第一单承销是于1919年为制鞋商恩迪科特·约翰逊（Endicott Johnson）进行的。战后生意如雨后春笋般增长，整个20年代业务量持续增长，高盛在此时期从事了大量的并购业务，也在这一领域扮演着越来越重要的角色。

随着取得一次又一次的成功，卡钦斯变得越来越自负并且坚持索要更多的公司股权。截至1929年，他已经成为所有合伙人中个人持股最多的人，摇身一变成为高盛内部拥有一票否决权的大老板。

但是雷曼兄弟的领导人菲利普·雷曼对卡钦斯的表现并不看好。他认为卡钦斯不懂得制衡，过分激进且过于乐观。但是雷曼家族的担忧并不能唤醒卡钦斯的合伙人。就连卡钦斯的哈佛同学阿瑟·萨克斯也曾发出过警示。但是高盛的合伙人铁了心地要弥补亨利·戈德曼留下的空白，对这样一位勇于进取的领导赞赏有加，卡钦斯算是占尽了天时地利人和。

贯穿整个20世纪20年代的经济高速增长"新时代"让美国在世界范围内获得了更多的认可，这一时期新科技发明猛增，股票市场蒸蒸日上，个人投资者参与证券市场的程度不断加深。在炒股成为一种普通民众也能广泛参与的投资方式之前，个人投资者所能获得的投资机会被局限在铁路债和独栋私人住宅的抵押贷款上。卡钦斯在此时对公司的交易业务产生了浓厚的兴趣。他成功地组织了几个集合交易账户，在他自己的办公室单独安装了一台股票报价机，并且大力推动在外汇交易业务上的扩张。当时美国那种举国浮躁的气氛在通用汽车的首席财务官约翰·J·拉斯科布（John J. Raskob）撰写的一篇题为《人人都该做富翁》的文章中得到了最好的印证，文章鼓励人们套用"一个简单而谨慎的计划"，凭保证金额度逐步向日益成长起来的股票市场投资。（但是最终拉斯科布自己卖出了手头的通用汽车股票，15万股中仅留下了3 000股。）

在这种容易让人辨不清方向的大环境里，卡钦斯激情澎湃的乐观主义决策以及实际行动中的冒进都使得公司承担了巨大的社会责任，也终于引发了一次大规模的失败。卡钦斯极力推崇成立一家"（经营管理其他）公司的公司"，也就是一家控股公司或者信托投资公司，其他的证券公司之前已经有了类似的尝试。在他的构想之中，一个真正具有活力的商业机构应该能及时从赢利能力下滑的业务中抽身，迅速转投新兴而充满活力的市场或产品。对于通过投资成为企业主的人来说，利润是唯一重要的目标，也就是要从投入的资金上实现收入最大化，开发产品或开拓市场仅是实现这一目标的手段。所以，一位真正现代意义上的商业领袖就应该有能力运作一家单纯的信托投资公司——所有的注意力都集中在如何通过单纯的资金运作来实现利润最大化上。

信托投资公司通常都是以控股公司的形式出现的，其主营业务就是向其他公司注资，控股，并行使运营管理的职责。在很多情况下，这些控股公司都集中在同一个行业内，特别是保险业和银行业，比如A·P·吉安尼尼（A. P. Giannini）的泛美银行（Transamerica），它其实就是从意大利银行（Bank of Italy）衍生出来的一家机构，后更名为美洲银行（Bank of America）；此外还有城市公用事业建设行业，比如后来由塞缪尔·英萨尔（Samuel Insull）一手创建的帝国。在企业合并的过程中，通过管理、创新和融资获得的收益一次又一次得到验证，最好的例证就有通用汽车、通用电气、通用食品以及国际收割机（International Harvester）等公司。

卡钦斯认为，他卓有远见的策略不应被限制在单一行业内。何不建立一些既能利用现代化的鼓舞人心的融资及管理方法，又能在前景广阔的各行各业中自由进出的公司呢？如此一来，金融专家就能运用现代化的管理和融资手段为投资者创造最大的利益！

信托投资公司的资金运作是基于对美国企业必将长期增长的预测上的，当然很多人都认为长期的增长肯定是不言而喻的。与后来20世纪60年代出现的企业集团一样，它们的专长就是"金融工程"，同时还专注于为股东实现利润最大化。信托公司通常都会用借贷的资金或运用一些"高级"融资手段——如优先股、可转债、可转优先股或附认股权债——筹措资金之后买下其运营的下属公司的控股权。它们收购的下属公司有可能是其他更小规模的控股公司。就这样一层套一层的公司控股关系深不见底，由此带来的金融杠杆同样也看不见底。通过信托投资公司形成的企业金字塔结构在都市连锁商贸（Metropolitan Chain Store）的例子中最为明显，其分红要经过8层控股公司往下传递；最终付给个人投资者的红利仅仅是付清所有法定优先股红利及利息之后剩下的部分。当时看来，创设信托投资公司为金融创新开拓了疆域，打造了在美国企业新时代资金运作的新模式。

眼看着其他公司在创设信托投资公司上取得的不俗收益，高盛的合伙人也变得越来越有热情。沃尔特·萨克斯回想起这事时后悔地说："如果公司能严格遵循多年以来形成的成熟的业务模式，而不涉足其他业务的话，什么麻烦都不会有。"艾伯特·戈登也记得当时的情况："卡钦斯在20年代的时候曾经对公司的利润增长速度相当担忧，而且一度变得相当悲观。然而也就是在这个最不合适的时点，他却十分自信地预测了这个国家美好的未来。他在最不恰当的时候作出了牛气冲天的预测……时值1929年的春天。"

随着计划逐步推进，信托投资公司的规模也迅速扩大，从最初的2 500万美元翻倍到5 000万美元，最终定在了1亿美元（约合现在的12亿美元）。公司最终定名为高盛交易公司，凸显了当时"信托概念"在人们心目中日益重要的地位。作为发起人，高盛的合伙人共购买了首发时10%的股票，出资的1 000万美元相当于公司当时资金总额的一半。虽然信托公司还没有开始运转，剩余的首发股票就已经被公众投资者热捧，公司仅在原始股上就赚取了300万美元的利润，这使得大家对信托投资公司的期望值进一步攀高。除了其控股的部分之外，高盛还将通过对公司的运营管理获得信托公司年净利中的20%作为回报。首次公开发行后不久，高盛交易公司的股价飙升——两个月内，股价由104美元的首发价上升到了226美元，两倍于其账面价值。

此时，经验丰富并急于扩张的卡钦斯撮合了交易公司与金融实业集团（Financial & Industrial Corporation）的合并，后者控制着制造业信托公司（Manufacturers Trust Company）和多家保险公司。这一合并使得高盛交易公司的资产达到了2.44亿美元，此时距离其首次公开发行仅三个月的时间。

沃尔特·萨克斯称高盛交易公司的成长超越了流星的速度。信托公司控股的资产很快超过了15亿美元。萨克斯这样评论："1929年，信托投资公司股票在市场上的飙升使人们产生了更浮夸的要收购银行的念头，当然高盛交易公司也是随大流的一员。"高盛交易公司在纽约、费城、芝加哥、洛杉矶及旧金山等地的银行中都获得了控股权，同时还涉足了一些保险公司和实业公司。

成功不断，波澜不惊，卡钦斯与高盛完全浸没在举国亢奋的气氛当中，并且进一步提高杠杆率——刚好是在最不应该的时候。尽管股价虚高，高盛交易公司还是回购了价值5 700万美元的股票。后来他们与哈里森·威廉斯（Harrison Williams）联手，借助其当时也正在扩张公用事业帝国的时机，1929年夏天启动了两家新的公司谢南多厄（Shenandoah）与蓝山（Blue Ridge），然后通过这两家新公司向多家控股公司投资，其中包括中央州电力（Central States Electric）公司、北美公司（North American Company）以及美国城市供电照明（American Cities Power & Light）公司。除了5 000万美元的优先股之外，谢南多厄还以17.80美元每股的价格向公众发售了100万股普通股。其中有400万股被推荐人以12.50美元每股的价格认购：推荐人就是高盛交易公司和中央州电力公司。两家公司虽然做得显山露水，但是头脑发热的投资者们并不在意。谢南多厄的股票被超额认购达7倍，第一个交易日即报收于36美元。谢南多厄不仅被超额认购，同时也通过可转优先股超额融资4 250万美元，超出其总资本的1/3。（与债券一样，优先股较普通股享有优先权，与债券分红时一样，优先股先于普通股获得红利。）一个月之后，蓝山公司也开始运作。它在融资方面做得更过分：发行了5 800万美元的优先股，相当于其1.31亿美元总资本的44%。两家公司发行的优先股每年合计应付红利高达600万美元。高盛交易公司持有谢南多厄公司40%的股份，高盛的合伙人满心欢喜地认为这次他们终于创造了一台永动印钞机。

高盛的合伙人向公司的员工施加了强大的压力，要求他们以两倍于最初购买高盛交易公司的量向新成立的信托投资公司投资。有一名年轻的员工婉拒了公司向所有员工发出的投资谢南多厄股票的"邀请"，西德尼·温伯格当时是高盛交易公司的二号人物，他严词责难这位不领情的员工："这么做对你以后在这里的前途没有任何好处。"

高盛交易公司及其新成立的两家下属信托投资公司极大地延伸了高盛在金融领域的触角。尽管总资本还不到2 500万美元，但是它成功地掌控着5亿美元的投资——约合现在的60亿美元。这种经营模式对于一家积极活跃而且专注于业务的华尔街公司来说实在是再便利不过。高盛交易公司控股了多家银行和保险公司，这些下属正好可以去购买高盛承销的新发股票，与此同时被高盛控股的公司也不断地为其创造新的投行业务机会。现在投行业务的收入反而显得不是特别重要，这三家新组建的信托投资公司带来的收入，以及由控股带来的分红才是公司的主要收入来源。

但是后来沃尔特·萨克斯评价道："整个收入结构变得头重脚轻，摊子铺得太大反而不能推行简单而明智的管理模式。"高盛交易公司的收入来源过分集中：一旦其下属的子公司停止支付红利，信托投资公司就是一座纸牌搭的塔，风吹就倒。怕什么就来什么，位于旧金山的美国信托公司——当时占高盛交易公司资产组合50%的份额——于1929年7月停止了向母公司支付红利。谢南多厄与蓝山控股的一家名为北美公司的公用事业控股公司从未向母公司支付过红利。

1929年早期，高盛交易公司曾以130美元每股的价格购买了守望者集团

(Guardian Group) 3万股股票，当时的市场价仅为120美元。这项交易很快就回本获利。但是守望者希望能自主经营，于是要求西德尼·温伯格让他们回购公司的股票。由于准确地预测到该股升值的潜力，温伯格断然拒绝了这一请求。但是到了1929年10月，该股的股价由300多美元下跌至220美元，此时守望者的经营者们再次找到了正急于筹资的温伯格，于是很快就促成了一项以184美元每股的价格回购2.5万股的交易。温伯格在这笔交易里还是捡了便宜：因为当守望者想要再次转卖其股份时，它仅仅脱手了7 000股。同年11月，为了不被世人耻笑，守望者的领导者们，包括埃兹尔·福特（Edsel Ford）——公司创始人之一，曾出资120万美元——咬着牙买下了高盛交易公司手中持有的剩余股份，成交价仍为184美元每股，而当时该股的市场价格已经跌至每股120美元。

19 29年夏天，沃尔特与阿瑟·萨克斯正在周游欧洲各国。他们在意大利听说卡钦斯正在独断专行地从事这些业务，沃尔特·萨克斯对这种情况深感不安。刚回到纽约，他就直奔卡钦斯位于广场酒店（Plaza Hotel）的公寓提示他需要更加谨慎。但是当时已经完全淹没在牛市狂热气氛中的卡钦斯对他的警告置若罔闻。他甚至反过来教训沃尔特："你这个人最大的毛病就是毫无想象力。"

1929年，道琼斯工业平均指数以300点开盘，之后的5个月当中都在300~320点之间上下波动，随后突然在价格和交易量上都出现了飙升。大盘于9月3日登顶381点的高位：相当于1929年每股收益的3倍，账面价值的4倍，而且创造了2.5%的红利——在当时那个年代，这样的数字足以让人叹为观止。利好消息无处不在——纽约国民城市银行（National City Bank of New York）的股票以120倍的市盈率交易，还有许多其他公司，包括国际镍业（International Nickel），都以10倍于账面价值的价格出售。新的普通股的发行在1929年由每年5亿美元的规模增长到了51亿美元，是原来的足足10倍还多，而这个过程中正是信托投资公司发挥了巨大的作用。

10月23日，道琼斯指数跌回了1月305点的水平。在短短两个月的时间里跌去20%的巨变致使整个市场都开始增收保证金，卖盘的迅速增长也无可避免。10月24日周四这一天，纽约证券交易所要求所有1 100家成员都参与当天早上10点的开盘仪式。① 股价迅速大跌，开盘后仅半个小时，报价器的纸带就已经产生了16分钟的延迟。到下午1点，延迟高达92分钟，下午3点半的收盘价直到晚上7点35分才出来。当天的交易量达到了12 894 650股——差不多是正常交易量的3倍。第二天，增加保证金压力下的卖出、欧洲卖盘的扩大以及一些小的经纪人为了偿还短期融资而加急卖出的行为，共形成了1 640万股的交易量。大量的卖盘造成主要股票价格下跌了20%~30%，这一天直到现在还被称为黑色星期五。（股价曾于11月14日止跌回升，5个交易日内回升了25%——随后还微涨了6%。当年道琼斯指数收于248点。）

随着10月股市的崩溃，曾一度被认为是伟大创举的高盛交易公司迅速沦为骇人听闻的败笔。这也是交易公司的股票第一次由326美元的高位暴跌——崩盘后最终价格为1.75美元每股，还不到其发行价的2%，甚至低于最高市场价的1%。虽然其他信托投资公司也在这次危机中蒙受损失，但是高盛交易公司——因为过度膨胀、过度融资，更因为卡钦斯把鸡蛋都放到了一个篮子里——变成了20世纪规模最大、损失最快，也是最彻头彻尾的一次金融灾难。因为公众投资者并不区分高盛与高盛交易公司，所以信托公司的坏名声自然而然地落到了高盛的头上。

在股市崩盘的紧要关口，沃迪尔·卡钦斯其实并在不高盛的办公区：他离开纽约出差去了美国西部，一方面是去视察高盛交易公司在美国西部的投资，一方面也是去办理和他妻子离婚的手续。1930年早期，股市貌似重新走上了正轨，卡钦斯从加州给与他关系密切的温伯格打来电话，大谈特谈他在太平洋沿岸看到的"极好的"机遇。当时高盛交易公司的欠债及未付红利相加约合2 000万美元。因为固执地看好西部市场，卡钦斯提出

---

① 当天温斯顿·丘吉尔以观摩者身份参加了开盘仪式。

要发行5 000万美元的可转债来填补现有债务并为他下一步的鲁莽计划作准备："偿债后剩余的3 000万美元可以用于注资泰勒公司（Taylor），通过这家公司我们可以赚个盆满钵满。"

西德尼·温伯格和沃尔特·萨克斯在这件事情上达成了一致，他们认为发行这些债券将是只亏不赚，于是否决了卡钦斯的要求。他们从这个时候起也开始重新审视卡钦斯的为人。第二天，沃尔特·萨克斯向阿瑟致歉，他说："一直以来你对卡钦斯的判断都是正确的，我错了。我只怕他是永远也学不乖了。"沃尔特·萨克斯随即动身前往芝加哥，在大学俱乐部（University Club）与卡钦斯长谈数小时。"我明确地告诉他，之后如果要采取任何行动都必须征得所有合伙人的一致同意。"但是萨克斯的决定来得太晚了。

当时市场仍处于下跌态势中，而且高盛交易公司的大部分投资流动性都还非常差，即使如此，公司还是很守原则地开始了艰难的清偿债务的程序。卡钦斯回到了纽约，然后在温伯格的提议及其他合伙人的压力下，于5月辞去了高盛交易公司总裁一职，同时也从该公司所有的控股子公司辞职，最终于1930年年底辞去高盛合伙人的职务。在最后的光辉岁月里，卡钦斯邀约了一个投机商人的投资团购买克莱斯勒的股票。这笔交易于1929年10月至1930年7月间共损失了160万美元。

在西德尼·温伯格的运作指挥之下，高盛交易公司稳步退市，最后被弗洛伊德·欧德伦（Floyd Odlum）掌控下的阿特拉斯公司（Atlas Corporation）收购，这家公司专门以低于被收购方净值很多的股价收购其股权。截至1932年，阿特拉斯共收购了18家信托投资公司，其自身的每股账面价值逆市攀升，而且在市场上的交易价还高于其账面价值，而同时期的其他股票都在折价抛售。这次事件让高盛花天价学费买了一次教训。祸不单行，在这次事件中，高盛不仅没有赚到原来预期的财富，反而蒙受了巨大的损失，其多年积累的资金一夜回到了30年前的水平，整整一代人努力得来的成果化为泡影。建立高盛交易公司之后，高盛从未出售过其所持的原始股，因此在清算之后亏掉了1 200多万美元。由于意识到这次失败给新进的合伙人造成了巨大的伤害，萨克斯家族宣布将用家族资产弥补合伙人的损失。随着大萧条的深入，公司逐一调查了员工用于生计必需的工资额——之后他们领到的就是正好的工资，一分多余的都没有。

沃尔特·萨克斯接任了高盛交易公司的总裁一职，毋庸置疑，他不得不面对一群又一群愤怒的股东，还得伤精费神地在法庭上应对股东的起诉。卡钦斯得到了一笔25万美元的买断费，他的资金账户亏空由其他所有合伙人一起填平。他移居加州，又撰写了一本书——《经济学家真懂商业吗？》（*Do Economists Understand Business?*），而且还经常上广播节目。沃尔特·萨克斯评价卡钦斯时这样说："多数人都能经受厄运的考验，只有极少数人能经得起成功的考验。很可惜他并不是后者中的一员。他……曾经一贫如洗，但他突然觉得自己身价倍增。他曾是账面上的富翁。就在他暴富的那一年——一切都发生在短短12个月时间里——他又回到了一文不名的境况。或许我们当年没有足够的才智应对危机——或许可能是我们太贪婪了——但是最大的问题是我们没能及时收手。"

1931年，高盛交易公司一家亏损的资金超过了其他所有信托投资公司损失的总额。华尔街排名前14位的信托公司累计亏损1.725亿美元，高盛交易公司一家就亏了1.214亿美元，占70%，亏损远远高于排在损失榜单第二位的雷曼公司，雷曼当时损失了800万美元。

由于其70%的资产与谢南多厄和美国信托公司捆绑在一起，且这两家公司都无力分红，所以高盛交易公司的收入由1930年的500万美元减少到1932年的50万美元。它根本无法支付600万美元的红利，甚至连100万美元的债券利息都拿不出来。

对骄傲的萨克斯家族来说，高盛交易公司的失败简直是奇耻大辱。1932年，艾迪·坎特（Eddie Cantor）作为4.2万名高盛交易公司的个人投资者之一将高盛告上了法庭，要求法庭判决1亿美元的赔偿金。艾迪·坎特是一位知名的喜剧演员，他经常在嬉笑怒骂的幽默剧中讥讽高盛。有一则笑话是这么说的："他们说为了我以后养老一定得买他们的股票……这计划简直太完美了……买了股票才6个月，我就感觉自己半截身子已经埋进土里了！"

萨克斯家族承受的压力以及苦恼越来越深，随后信托公司的第三大投资项目——制造业企业信托公司，一家主要为犹太人的制衣厂贷款的银行——终止了分红并且引发了挤兑。最好的出路就是让银行加入纽约清算中心（New York Clearing House），因为其会员能相互提供存款保证。但是加入的代价很大：该银行必须从高盛交易公司分离出来并且只能任用非犹太裔的CEO。这条残酷的消息清晰地反映了当时社会的反犹太偏见，这也是多年来一直困扰高盛的问题。

对于萨克斯家族来说，最大的伤害莫过于对他们家族企业名声的伤害，他们一家为高盛的成长倾注了无法计数的时间和精力。在塞缪尔·萨克斯人生中的最后几年里，每次他儿子去看他时，这位亲自见证了公司由名不见经传的小不点儿成长为业内知名企业的老人家"只对一个方面的问题感兴趣：公司的名声怎么样"。塞缪尔·萨克斯于1934年去世，享年84岁。

高盛交易公司在1933年4月底取消了其与高盛的管理合约，并更名为东太平洋公司（Pacific Eastern Corporation）。同年9月，弗洛伊德·欧德伦再次购买了501 000股，由此获得了对该信托公司控制下的许多小规模股票超过50%的控股权，然而这些小股票在日后市场回升的过程中也并未见有好的表现。

因为对沃迪尔·卡钦斯之前供职的公司都有了解，温伯格被选定为他的继任，这些公司包括西尔斯、大陆罐装公司、全国乳制品公司、B·F·百路驰以及通用食品等。同时，温伯格领导公司走上了重塑华尔街一流公司形象的艰难道路。

事情其实可能更糟，因为高盛差点就失去了注定是其领袖的人物。在亨利·戈德曼因为支持独裁者而被迫辞职10年之后，西德尼·温伯格亲自上门请他出山。温伯格说他认为萨克斯家的人不具备足够的商业头脑。他的原话是："我给您打下手，因为您才是真正有商业谋略的人。"亨利·戈德曼拒绝了他的邀请："我在这家公司已经干不出什么来了，还是你留在高盛继续干吧。"

3

回归路漫漫

整个大萧条时期以及第二次世界大战期间高盛都在死亡边缘挣扎，从1929年股市崩盘到第二次世界大战结束的16年间，高盛只有一半的年份是赢利的。许多合伙人都反过来欠着公司的钱，因为他们从合伙制中得到的收入还抵消不了他们为维持家族生活而"支取"的费用。现在人们很少需要华尔街上的公司提供的金融服务，更不用说还是一家中等规模的犹太人公司，再加上交易公司一事对其名声的糟践，高盛的日子确实难过。①在30年代早期，高盛没有独立进行过承销，甚至连联合承销都没有做过，只有在1935年的时候接过三单债券融资业务，总额也没有超过1 500万美元。借用沃尔特·萨克斯打的一个比方，这段时期就是高盛历史上采取"防御行动"的阶段，所有的合伙人都致力于解决由高盛交易公司引发的遗留问题，大家都"勇敢地为维护公司的企业关系而战斗着"。萨克斯在谈到这次重大失败时总是用"交易公司"的简称——明显地不愿提及"高盛"的名字。

萨克斯家族对于挽救高盛起到了至关重要的作用，但是他们采取了不同寻常的措施：他们给别人让开了路。霍华德和沃尔特·萨克斯深知作为已经在财富、名誉、文化和安逸中浸淫了多年的人，他们已经没有能力在复兴公司的沙石路上摸爬滚打了。他们确实不行了。于是他们让温伯格领导公司，

---

① 温伯格在任时期，高盛的雇员仅有三四百人。2007年最新的统计数据显示，高盛有超过3万名员工。

而自己退居二线，因为他们觉得温伯格更有头脑，也能把复兴公司所需做的事情付诸实施。阿瑟·萨克斯当时与他的第二任法籍妻子生活在海外，他也认可了这样的安排；他从公司的领导位置上退了下来，当然最终也撤走了属于他的资金。温伯格本人也是被逼上梁山，因为萨克斯家族同意免除他因交易公司的失败而亏损的100万美元债务。

温伯格的长子吉姆·温伯格（Jim Weinberg）对萨克斯家族在持续支持公司的作用上给予了很高的评价：“1927~1947年的20年间，高盛赚了700万美元——同时损失了1 400万美元。萨克斯家族长期以来在无数事情上都对公司的发展作出了重大贡献，但是他们最大的贡献就是对公司的耐心与毅力，在这20年间对公司不离不弃，弥补其他人造成的亏空，从不对有损公司价值观的做法有任何的妥协。”

与萨克斯家族的高雅、有教养以及高品位对比，温伯格显得爱耍小聪明，脾气倔犟，并且盛气凌人。“我们学会了以华尔街的标准求生存：你所做的一切都只允许是正确的——不能有一丁点儿错误，”温伯格回想当年他做报童时就曾与人打架在背上留下了刀伤时这么说，“我们不会从任何一个生意上或任何一个客户面前败退下来。”基德尔·皮博迪日后的一位高级合伙人艾伯特·戈登对温伯格20年代的强势态度直到70年后还记忆犹新。高盛与雷曼兄弟当时正在准备联合承销一次大规模的发债——全国乳制品公司5 000万美元的债券。戈登当时代表高盛与大陆保险公司（Continental Insurance）的萨姆纳·派克（Sumner Pike）进行了商谈，他坚信市场低估了全国乳制品公司的信用程度。出于他自己的观点，当然也是基于一定的分析，戈登极力推荐派克投资全国乳制品公司的债券。为了表示感谢，派克在公司董事会中还有雷曼家族的人任职的情况下坚持将其中的200万美元购债合约给了高盛。大陆保险的一份订单——在那一次发债中最大的单笔交易，同时也是高盛有史以来最大的一单——给高盛带来了7万美元的佣金收入（相当于现在的80多万美元）。戈登理所当然地认为这是他一个人的功劳，但是温伯格作为主管发行业务的合伙人把功劳全都记在了自己名下。这可不是他们之间唯一的一次冲突。

戈登后来回忆道："他是以做交易见长的人，而且一手创建了公司的场外交易业务，高盛与所罗门兄弟和阿谢尔公司（Asiel）都是20世纪20年代知名的经纪公司。温伯格争强好胜，以铁腕掌控着高盛。他想让我过去帮他干，但是我却主动要求调到商业本票及创新业务部门去。他一次又一次地想拉我加入他的业务，但是我就是不为所动。他过于强势的经营风格我无法接受。"

温伯格比较熟悉当时的市场，并且对数据、人物、市场的变动都非常敏感。举例来说，有一次公司要为西尔斯发债定价，公司最精于数字的斯坦利·米勒赶制了一份可观的报表，表的一侧详列了各种可测的利率水平，另一侧对应地列着到期的年份。为了这份报表，他没日没夜地坐在庞大的NCR加法机前低头做着算术。就当米勒正要展示他的成果之时，温伯格举重若轻地说该次债券应该以票面价附加4.375%的息券出售——事实证明他的定价分毫不差。

温伯格看人的本事也很值得称道，而且有一次确实是凭借这个本事避免了巨额亏损。时任纽约证券交易所主席的理查德·惠特尼（Richard Whitney）有一个很不好的习惯，他经常在交易所内堂而皇之地向成员们以个人名义借贷，有的时候一次就能开口借数十万美元而且从不提供任何质押。理查德·惠特尼当时在公众面前的身份还包括摩根证券（House of Morgan）的经纪人，摩根大通银行的高级合伙人之一乔治·惠特尼（George Whitney）的兄弟。他身材高大，衣着光鲜，而且态度强硬。能有如此身份的人开口借钱似乎是他看得起你的表现——但是他却很傲慢地把温伯格的名字错叫成了"温斯坦"（Weinstein）——况且这次惠特尼向温伯格借钱的总数比之前的人少很多了，仅5万美元。温伯格当时对惠特尼说他要考虑考虑，回到办公室之后，他马上给惠特尼打过电话去说这笔钱他不能借。后来一位同事问他为什么不当面回绝惠特尼，温伯格面带羞涩地说："我偶尔也要做一次绅士。"

温伯格并不是一毛不拔的铁公鸡，他有的时候也相当大方，小E·J·卡恩（E. J. Kahn Jr.）在1956年《纽约客》（New Yorker）的人物简介中记述道："当听说他之前的一位竞争对手遭遇了巨大困境的时候，温伯格亲自给对方打去电话，当确证了对方的悲惨境遇之后，他果断地答应为对方提供每周

100美元的生活费直到其去世。"当B·F·百路驰的董事会于1931年在阿克伦开会时，当地银行开始出现挤兑的现象，也就意味着百路驰面临着一段艰难的时光，其数千雇员也前途难测。温伯格自告奋勇去当地帮助他们，花了整整10天的时间查看银行的账册。在确信只要有足够的钱就能帮助该银行摆脱困境的前提下，温伯格给纽约的多位银行家致电并说服他们向这家银行注资。阿克伦本地银行重获生机，百路驰的资金及雇员都未受影响，温伯格回到了纽约，对他而言这样的事情都不值一提。

高盛当时正处于一个敏感的"内部运营权力交接"时期，公司内部急不可耐地盼望生意能早日好起来。时任高盛五位合伙人之一的欧内斯特·洛夫曼（Ernest Loveman）乐观地指出："我们的未来肯定不错，因为我们不可能比现在做得更糟了。"也就是从这个"不可能更糟"的基础上，温伯格领导着公司稳固了自身在华尔街上的地位。1937年，《财富》曾把高盛的复兴评论为"近10年来最引人注目的投行复生记"。公司依然信心坚定地扩张业务领域，借用沃尔特·萨克斯的话说，"我们后来的25年都在急剧扩张业务领域"，而扩张带来的利润直到40年代中期才得以体现出来。

温伯格在公司内的领导地位日益巩固，很快就出现了把公司称为"西德尼·温伯格的公司"的说法。虽然高盛是一家家族企业，但是他对萨克斯家的人并没有给太多情面。为了向所有人昭示萨克斯家的人在公司里做不了主，他在合伙人的餐厅里放了一张圆桌，这样一来就无须让萨克斯家的人坐到上席。温伯格在公司内的升迁非常迅速，而且其为人处世一直非常强势。他在高盛合伙人体系内的股份百分比由1927年的9.5%增长到了1937年的30%。苏利文·克伦威尔重新起草了高盛的合伙人合约，规定公司的定名权归属于一个由极少数人组成的托管组织；当另外两位托管人去世之后，"高盛"这个名号实际上完全落在了温伯格一个人的手上。温伯格自己说，成功的秘诀在于"热爱工作，不惧怕直面问题——而且干一行爱一行"。他从没有说过要到处施威，但是公司里其他的人绝对忘不了这一点。

艰难的时势不仅会创造业务机会，也会揭开伤疤，高盛也不免同时经历了两种境况。当温伯格去拜访其他公司的高管时，有几家的领导者拒绝与他见面，这有可能是因为他的公司无足轻重，也有可能是因为高盛交易公司的失败糟蹋了公司的名声。而这一时期的业务机会在商业本票上。1932年，当别的公司还在这一业务领域苦苦挣扎的时候，高盛通过兼并其在这一领域的主要对手哈撒韦公司（Hathaway & Company），积极拓展了业务领域，使得公司在美国中西部地区也有了足够的影响。①几年之后，位于波士顿的韦尔-麦凯公司（Weil McKay & Company）分裂成了两家公司，麦凯兄弟把他们南方纺织厂的本票业务也给了高盛。随着经济的复苏，商业本票市场也有了相当的增长，除了一般商业银行之外，其他的金融机构和实体企业也介入了这个市场。当时各家机构"开展这些业务的利润率已经相差无几"，但是因为总量相当可观，所以还是可以把它当做一个稳定的收入来源。更重要的是，这项业务也是高盛在未来与其他很多公司开展合作的契机。

1935年，西德尼·温伯格被卷入了一场信用危机，多家报纸头条报道了这条新闻：麦凯森-罗宾斯公司（McKesson & Robbins）——温伯格出任该公司董事，而且是"来自外部"的独立董事，以维护投资者利益为己任——突然宣布破产，而之前很长一段时间内这家公司的报表都显示其在赢利。这不是一个意外的破产：其实当中存在的财务诈骗已经隐藏了很久。麦凯森·罗宾斯最早是康涅狄格州的一家制药商，实际运营这家公司的人叫F·唐纳德·考斯特（F. Donald Coster），温伯格是在度假的时候偶然结识了他。考斯特习惯在南塔基特附近玩游艇，而温伯格也正好在这个区域有度假别墅，考斯特理所当然地要请温伯格去看看他那艘134英尺长的游艇。温伯格划着一艘老旧的小船出海，没想到划得筋疲力尽才靠近游艇，还被游艇掀起的浪头打翻了——直到考斯特把他捞了起来。

考斯特当时的理念是在全美范围内收购药品批发商，以此来建立一个覆盖全美的药品产销一体化网络。考斯特和麦凯森的其他领导者伪造了提供给普华（Price Waterhouse）的库存"证据"，即公司在加拿大一所大库房里存

---

① 该项合并是通过高盛的一位合伙人欧内斯特·洛夫曼促成的，此人当时与对手公司的主管们有不错的个人交情。

有大量成药的证明，并说服普华永道接受了这类证据，借此发布了公司高额"赢利"的虚假信息。麦凯森的破产对温伯格确实是当头一棒，但是其实整件事情都是可以避免的。随着事情的逐渐明朗，考斯特的真实身份也被揭露出来，他真实的名字是菲利普·穆西卡（Philip Musica），而这个名字其实高盛以前就接触过。沃尔特·萨克斯的父亲在早年就曾做过一张信用记录表，其中就以红笔明确地勾去了穆西卡的名字，因为这个人曾被美国海关多次稽查出违规事项。而且多年之前沃尔特·萨克斯本人就曾拒绝过此人以"考斯特"的名字提出的由高盛为其组织几百万美元的债券发行业务，当时据称这笔融资也是用于公司的再发展的。温伯格后悔地说："我所知道的就是账面上的成药数量，仅仅按照书面上的数字判断，这家公司确实在同行中算是佼佼者了。"他就此事给自己下了个判断："看来我真的不太聪明。"在麦凯森领导层召开的紧急会议上，大家听说穆西卡自杀了，温伯格这次不会再被骗了。他不失幽默地说："由于他罪恶多端，我们解雇他吧！"

显然温伯格在此事上确实有了不少心得。高盛后来的一位合伙人乔治·多蒂曾这样说："西德尼能敏锐地发现干坏事的家伙。西德尼·温伯格最中意的一个词就是'正直'。他差点就把这个词供在了神坛上，还有这个词的寓意——诚信并且以维护投资者的利益为重——错误是可以原谅的，但是欺诈却绝不能宽恕。温伯格和他的正直教条无处不在。只要人们后来谈起道德问题，都会被称为'西德尼·温伯格问题'。"

"高盛的文化源自西德尼·温伯格，"阿尔·费尔德（Al Feld）作为一位在高盛任职50年的老员工作出了这样的评述，"他坚定地引导着公司沿着一条笔直却狭窄的道德路线前进——真正的情谊贯穿其中。高盛是一个真正的精英群体。温伯格先生不能容忍任何发生在其他公司里的那些特别伤人的明争暗斗。高盛内部不存在权力争斗完全得益于西德尼·温伯格的全能，他不仅性格坚毅而且精力过人。"

他运用强权迫使合伙人接受较低的收入，作为补偿的是让他们在公司内认购股份。"西德尼·温伯格的政策就是奉行严格的资金保留制度，"合伙人之一彼得·萨瑟多特这样说，"这对公司的好处就是每个人都把公司看做一个整体，每个人都在为公司的利益而努力。对个人的好处就是保证了每个合伙人的资金量都比较适当。这样你就不会养成一些奢侈的消费习惯，因为你根本拿不出钱来去消费。"

温伯格不仅兢兢业业地重塑着高盛，他也为整个华尔街的改革付出了巨大的努力——除了高盛的事务之外，他还多方涉及美国政治改革及多家大型公司的运营管理事务。当30年代纽约证券交易所步入重组阶段时，温伯格加入了一个力促改革的组织，并从幕后操纵，说服了大陆罐装公司的卡尔-康威（Carl Conway）和全国乳制品公司的托马斯·麦金纳尼（Thomas McInnerny）出面领导纽约证券交易所的重组委员会，这个委员会日后被人们称为康威委员会（Conway Committee）。温伯格日后也曾出任纽约证券交易所的董事。1940年他婉拒了继任下一届董事的请求，并成功地促成了纽约证券交易所史上第一位拿工资的主席小威廉·麦克切斯尼·马丁（William McChesney Martin Jr.）的到任（此人后来成为美联储历史上任职时间最长的主席）。第二次世界大战之后，他一手策划将基思·芬斯顿（Keith Funston）推上了主席的位置，基思是早年就被温伯格招至战时生产委员会（War Production Board）旗下的人。

1932年，在富兰克林·D·罗斯福竞选总统时成立的民主党全国竞选筹资委员会（National Campaign Finance Committee）中，温伯格第一次体验了从政的魅力。他是委员会中筹措资金最多的委员，自此之后，他与多位美国总统都建立了不错的交情，这种与政治人物的联系一直维持了35年。华尔街上的人几乎都没有给罗斯福投票，他们不信任这个候选人，有的甚至公开表示对他的厌恶。对温伯格而言，这正好是一个与对手们对着干的机会，也是接近总统的最好机会，他当然不会轻易放过。1933年，在总统的授意下，温伯格出面组织了商务顾问及策划委员会（Business Advisory and Planning Council），公司的经营者们通过这个委员会提交给政府的议案百分之百能得到一次听证的机会。突然之间，他的身份发生了变化——从一个华尔街上无足轻重的犹太企业中走出来的犹太人，摇身一变成为能发出最值钱的商务请束的人：因为一旦成为能够提交议案的企业家，就意味着能与政府的高层说上话，说出来的话也能代表美国商务圈的观点。

这个委员会成了罗斯福新政期间商界与政府沟通的桥梁，不仅协调了政府与企业之间的关系，消除了误会，同时也重塑了信心。温伯格巩固了自己在委员会内的地位，他既是唯一能决定邀请谁的决策者，同时也是委员会内唯一的投资银行家，这样的身份使他真正变成了寓言中那只守着鸡群的狐狸。高超的交际技巧以及健谈的风格使得他在这一类事务上就像一位电影明星，所有的人都很快认识了他。他也深谙将人际关系变现的套路。随着之后在战时生产委员会供职，他迅速上升为美国商界和美国政府共同追捧的人物。

罗斯福总统曾赠给他"政治家"这样一个称号，考虑到赠与称号的人本身就是一位卓越的政治家，可见温伯格在总统眼中的分量。由于赏识其平稳有效地解决棘手问题的能力，罗斯福也给予了温伯格多项联邦政府的任命——其中还包括内阁的职位——差一点就把他送进了新的股票市场委员会（Stock Market Board）任职，这个委员会就是美国证券交易委员会（Securities and Exchange Commission）的前身。当时曾有报道称："经纪人们最担心的就是无人愿意出任美国证券交易委员会的官员，因为这个职位的年薪仅1万美元，而且要求委员们不得从事任何商业交易。在所有候选人中，有IBM的T·J·沃森（T. J. Watson）和西尔斯的罗伯特·E·伍德（Robert E. Wood）这样的人物，但是众望所归还是对股市了解最深的温伯格先生。" 1938年，他接受非正式的任命而出任美国驻苏联大使。虽然事前美国政府也试探过苏联的态度并且苏联也接纳了温伯格，但是当他意识到反犹太主义正在苏联抬头时，他非常礼貌地放弃了这个位置。他的借口很简单："我又不会说俄语，我跟谁谈话去啊？"[①]总统专门为此事给他去了一封表示遗憾的书信，温伯格将这封信和其他所有被他称为"我的纪念品"的东西一起陈列在他的办公室里。

---

① 温伯格当时还提出过另一个正当理由：他的妻子和孩子不愿意去，因为一旦出任此职就意味着孩子们得辍学。

1939年，温伯格又从总统处接到另一项任务，这次是为罗斯福作一份详尽的投资银行业研究报告，重点关注证券的批发和零售业务。温伯格曾不止一次地声称"为政府工作是履行公民义务的最高形式"，第二次世界大战爆发之后，他全职参与政府工作。"和平年代我是绝对不会到政府闲养的，但是战时我愿意承担任何工作。"

1941年，温伯格积极筹划成立行业顾问委员会，最初他在西尔斯前副总裁唐纳德·纳尔逊（Donald Nelson）手下担任负责采购的副主任，纳尔逊当时是战时生产委员会的主席。温伯格的实际工作其实是帮纳尔逊挑选战时可用的最佳人才。他的另一个工作是给纳尔逊找美女——印第安纳小姐（Miss Indiana）和俄亥俄小姐（Miss Ohio）是纳尔逊垂涎已久的美色，联邦调查局甚至担心一旦德国人得知了纳尔逊好色的毛病，有可能把德国女间谍安插在他的卧房里。温伯格也是在这一时期结识了亨利·福特（Henry Ford）并获得了他的信任，同时也建立起了一条重要人际关系。

他后来升迁为清算总行（Bureau of Clearances）的主管，当时仅拿到战时爱国主义者象征性的1美元年薪。1942年1月26日，温伯格就任战时生产委员会主席助理，通用汽车的查尔斯·E·威尔逊（Charles E. Wilson）对他在这个位子上的表现评价说："他广泛且有影响力的人际关系对我们简直是无价的，许多杰出的人物都在他的介绍下来到华盛顿参与我们的工作。"这样的说法远不足以描述他所付出的实际努力。温伯格奉行一贯的强硬作风，为了寻找美国各大型企业内的拔尖新秀，亲自走访各家企业，与各位CEO面谈。他对自己造访的原因解释得清晰明了且斩钉截铁："我们的国家陷入了危机，美国正需要大批年轻的人才共同为组织大规模的战备生产而努力。总统派我来的目的就是帮你挑选公司里最杰出的人才。我们只选择贵公司脑袋最好使的年轻人，你可别用老头子和二流货色来充数。我从每家公司挑人都是秉承同一个标准，而且我在日后也会盯着这批人的表现，会时时把他们和别的公司选来的人作个比较。你必须选最棒的人给我，要是你不这么做的话，总统和我都永远不会饶恕你。"

罗斯福亲切地称温伯格为"抓壮丁的"，因为他对温伯格与CEO们的高效会面感到非常满意，而温伯格自己也捞到别的投资银行家无法企及的好处：他亲身接触了大量优秀的美国企业的青年才俊，近距离观察着这些人的工作效率，并且深入了解这群人中每一个人的专长，还可以事先知道他们和哪些人能合作得比较顺利。战后，这几百位年轻的后起之秀回到各自的公司并且都担任了领导角色，其中大多数人都一致决定选择西德尼·温伯格作为他们的投资银行家。也有很多日后成为CEO的人，在他们选择继任的时候把握的标准都是要找到办事最有效率的人，通常也就是别的曾经担任过CEO的人。温伯格认识的CEO比其他任何人都多，而且他对某个人在某个公司能否发挥作用有着相当准确的判断。他又干上了"媒人"的兼职，他手头的人脉广，级别高，办事平稳有效，这个新的行当他也干得相当成功。除此之外，温伯格在战争年代积累起来的势力和地位，再加上他和美国众多高级经理人之间熟稔的关系和他对这些人的能力及个性的全面了解，无一不推动着西德尼·温伯格的崛起。

出于感恩戴德，很多经过温伯格介绍而身居高位的人都成了高盛的客户，或者应该反过来说，他们是西德尼·温伯格的私人客户，当然也是他控制之中的高盛的客户。无数的经理人都希望温伯格能在他们的公司内兼任董事职务，因为他在这类事情上也做得不错。随着名气的增长，他对各个公司细致入微的认识使得他身兼西尔斯、大陆罐装公司、全国乳制品公司、B·F·百路驰及通用食品等多家公司的董事。（1953年美国司法部提起公诉，要求温伯格终止在百路驰与西尔斯两家的兼职，因为这两家公司都是当时在机动车轮胎制造业内的知名大企业。）在参加每个公司的董事会之前，温伯格的助手纳特·鲍文（Nat Bowen）会帮他熟悉关于这个公司之前的所有数据及相关的会议纪要，然后把所有相关细节都整理在一本编排有方的小笔记本里以供查看，再在温伯格出席会议之前详细地作一次汇报。准备充分得当的温伯格在会议上经常能提出尖锐深刻的问题，这也体现出他作为一位领导者的才干。对于其任职的公司，温伯格基本上要掌握所有的信息，他会亲自到每一个工厂走访了解，把每个公司都当做钟表一样，细致入微地观察钟表运转的情况。他成为大家公认的第一位专业的"外部"董事，专门代表普通股东的利益。与当时社会上的共识相悖，温伯格坚称董事的职责就是维护股东权益，因此他们也应该对所有可能影响公司运营的信息尽到保密义务。他把这些观点整理在一篇文章中并发表在《哈佛商业评论》上，文章中提出的许多给董事会的建议在当时看来非常新鲜，但是之后还是被全社会广泛接纳。温伯格名声大噪，作为一名独立董事的能力也随着高盛与其他很多大公司合作关系的建立而得到了充分的肯定——这些企业关系对一家从事投行业务的公司来说可谓是无价之宝。

温伯格还具有常人难以企及的获得他人信任的本领，他那种令人愉悦的性格使得来自社会各个阶层的人都会非常喜欢他。在通用食品的一次董事会上，发言人的发言冗长枯燥，纯粹是在念数据。在这么一个严肃而高级别的场合，温伯格抓住了一个发言人实在念不动而停下来喘口气的机会，抓着手里的报表跳起来高喊："够了！"

温伯格早年被人称为"天才少年"，到了晚年的时候被人们尊称为"华尔街先生"（Mr.Wall Street）。他曾经很不在意地说："我只不过是一个来自公立十三小学的辍学者而恰好又结识了很多生意人。"这句话被《商业周刊》援引为他成功经验的佐证，而且强调这样的说法远远低估了他为了成功而付出的艰苦努力。不过从这句话也能看出他的率直总是能被人接受的原因，一方面是因为他处事客观·不与人结仇，有时"让你对他额外的友善感到惊异"。虽然他为人骄傲且说话尖酸刻薄，但是他总是能和来自任何社会阶层的人打得火热。

按常理，温伯格这样身份的人不应该轻率地对待各公司的经理人，更不会直接调侃一个公司的商誉，但是温伯格就是一个与众不同的敢于这样做的人。在他被选任为通用电气的董事之后，通用电气的董事长菲利普·D·里德（Philip D. Reed）亲自请他给一群公司高管讲话。在介绍温伯格时，里德说他很相信温伯格的能力，他一定能对通用电气提出一些有趣且深入的意见；他同时希望温伯格能和他一样感受到通用电气是美国最具前景的产业内最卓越的企业。温伯格马上站起来回应道："我同意你们董事长关于电子电气行业是最具前景的产业的说法，但是现在就让我承认通用电气是业内最卓越的企业却万万不能，我要是在没有全面考察这家企业之前就说出这番话来是不客观的。"他坐下之后全场响起了热烈的掌声，大家都为他的简练和勇气所打动。

1946年，通用电气准备开展一项数亿美元的增资扩容计划，但是当时的总裁查尔斯·E·威尔逊——常被称为"电气查理"（Electric Charlie），以与通用汽车的"引擎查理"（Engine Charlie）相区别——拿不准董事会会作出怎样的反应。他的疑虑直到温伯格用实实在在的数据表示了支持之后才被打消。威尔逊说："西德尼认真履行了职责，我所需要的就是这样的工作。"

温伯格的直率有些时候令人感到难以接受，但是他的聪明才智经常能使他的听众觉得他的言辞当中并没有不敬的意思。"只有西德尼一个人敢在董事会进行到一半的时候跟我说'你今天脑袋不灵光'，而他也是唯一一个能说出这话还让我觉得是在奉承我的人。"这是通用食品总裁查尔斯·莫蒂默（Charles Mortimer）的评论。在一个完全正式场合对总裁作出如此坦率的评论，足以让人感到温伯格的个人魅力。温伯格对自己的与众不同也有着认识："我没有什么家族背景，更没有贵族血脉。我的血管里流淌的也是鲜红的血液！但是这在华尔街看来就是大问题。普通人没有机会。华尔街上这些陈规旧俗裹得人透不过气来。"他曾获得三一学院（Trinity College）的荣誉学位，而且他兴奋地发现他是唯一一位在主教派教会学校中获得荣誉学位的犹太人，同时，他还身兼长老教会医院（Presbyterian Hospital）的理事长达23年之久。

斯科特纸业（Scott Paper）的CEO在60岁那一年举办了一次半正式的晚宴，他向宾客们敬酒时把温伯格称为"我最要好的朋友"。温伯格调侃的回答不仅表现了他努力寻求新业务的态度，同时也取悦了在场的人。他说："咱们要真是铁哥们儿，那你干吗不用我们的投行服务呢？"藐视一切的精神让他取得了不止一次胜利。有一次在与雷曼兄弟共同会见客户的过程中，雷曼的CEO带上了他那位受人尊敬的州长父亲赫伯特·雷曼（Herbert Lehman），此人同时也是一位知名的金融家，雷曼就是想要借这位德高望重的老人来给潜在客户们留下一个好的印象。温伯格事前就得到了消息，他匆匆赶赴会议现场并迅速将局面扭转到了有利于自己的一方："各位，我很抱歉地告诉大家，我的父亲已经去世了。但是我在布鲁克林有位做裁缝的叔叔跟他长得很像，如果长辈们对今天的生意能起到任何影响的话，我很乐意把他带过来！"公司的董事们都会心大笑，高盛顺理成章地拿到了这一单承销。

罗伯特·E·伍德将军是西尔斯最严肃、对人要求最高的CEO，而且也是众所周知的反犹太主义者和美国利益中心主义者，他曾到高盛拜访。如果换成别的公司，接待伍德将军这样的人是非常重要的事件，也许还要有点仪式，但是西德尼·温伯格掌控下的高盛可没有那一套。温伯格一见到他就大声地喊起来："将军，来啦！"伍德不仅没有感到受辱，而且温伯格不拘礼的态度让他觉得这个人很可爱。还有一次，温伯格就坐在伍德旁边，他一脸严肃地说："我说，你都那么大岁数了，也活不了几年了吧，干脆把你用不完的钱——留给我怎么样？"

"温伯格先生也很会挑选客户公司，他选中了很多日后注定要取得成功并能多年保持增长的企业——其中就有3M和通用电气，"高盛的合伙人鲍勃·门舍尔（Bob Menschel）评论道，"他有很高的品位和选择能力。从内心来讲，他一直以摩根银行为标准，他对高盛合伙人的要求就是摩根大通一贯的作风——以一流的水平开展一流的业务。他多次明确表示，如果在接纳了一位客户并致力于为其工作之后你却悄悄降低了工作水准，那这些高端的客户一定会发现——他们也会头也不回地走人。"温伯格对于与二流企业开展业务有着相当通俗的比喻："如果你和狗躺在一起，那注定招来一身跳蚤。"

在工作中，温伯格制造了无数的恶作剧，这也是他与生俱来的无法抑制的幽默感的集中表现。刚刚成为公司新员工的时候，他就会在别的低级别员工椅子上悄悄地放上小糕点，看着别人不知情地坐上去，并以此为乐。曾有一次，他在报纸上登了一则广告，说百老汇将上演由塞缪尔·萨克斯担任制片的音乐剧，现在开始招募演员，有意者需到萨克斯位于华尔街的办公室面试。广告招来的年轻舞者让老萨克斯十分尴尬，但是却让公司里其他所有人都觉得十分搞笑。

后来在这个国家的首都，温伯格搞恶作剧的对象范围不断扩大，档次也逐步提高。20世纪20年代，保罗·卡伯特和温伯格才刚认识不久就谈得很投机，根本没有考虑二者地位的不同，前者是受过哈佛教育的波士顿社会名流，后者则是从布鲁克林一所小学里辍学的犹太人。卡伯特和温伯格一样，言语尖酸刻薄，而且两个人都热衷于搞恶作剧。两人很快就成了亲密的好友。

卡伯特有"贵族气质"，但也以其直率的性格而出名。他与通用汽车的著名领袖艾尔弗雷德·P·斯隆（Alfred P. Sloan）共同担任摩根大通的董事，有一次卡伯特向斯隆询问通用汽车的运营情况。斯隆先生自然很细致地给他讲解通用汽车运作的委员会制度，但是卡伯特很不耐烦地打断了他："我其实只想知道你到底什么时候才能真正赚大钱？"卡伯特当时兼任道富研究及管理公司（State Street Research & Management）的经营合伙人，同时也是哈佛大学的财务总监，负责监管社会向哈佛的捐助。他最知名的观点就是大学里所有的学院或系所都应该自筹经费，而非永远依赖大学的拨款。他的原话是："每个澡盆都应该有自己的盆底。"尽管要他掌控所有的学院是项"完全不可能"的任务，但他还是把这种权威的意见推行了下去。

30年代，温伯格一手操持把卡伯特安插在了多家大公司的董事会里，其中包括福特、B·F·百路驰、全国乳制品公司以及大陆罐装公司，所以当日后温伯格敦促卡伯特到华盛顿来帮忙且只接受1美元的年薪时，卡伯特义不容辞地答应了。

温伯格想给卡伯特一个下马威，在战争时期安排他去管理一群毫无章法的废品处理商。温伯格以为卡伯特会被打个措手不及，马上就会求援。但是他错了，卡伯特把所有废品商都管理得井井有条。他们的业务开展得如此之好，以至于在战争结束后，他们向卡伯特赠送了一个雕刻了他们所有人署名的金盘。卡伯特心知肚明把他这样一位波士顿贵族和一帮下层小商贩放到一起是温伯格个性使然——只不过是一次恶作剧，然而这和他之后要的把戏远不可相提并论。

霍普金斯会（Hopkins Institute）是战争早期华盛顿地区臭名昭著的妓院之一，最终在哥伦比亚特区警察局的清剿下关张。几周之后，卡伯特夫妇决定在战时搬到华盛顿来居住，温伯格又开始借题发挥：因为在战争时期，全美国的电话业务都是受限的，一户人家一旦分到一个电话之后很难再申请一个新号。温伯格正是利用这一事实作为支点，再利用霍普金斯会的名声为杠杆来撬动卡伯特家平静的生活。

他找人印制了一批精美的标准广告卡，上面的内容是霍普金斯会应社会的巨大需求而"盛大重张"，他又雇了几个打扮得很乖巧的帅小伙子站在路边向士兵、水手以及平民游客散发小广告——只要是对霍普金斯会有耳闻的人都有可能成为新的顾客，也就是他们主要的广告散发对象。他们一共发出了数百张卡，卡上都告诉这些潜在的顾客们打一个特定的号码去咨询新开张的霍普金斯会的新地址——当然，这个特定的号码就是卡伯特的住宅电话。咨询的电话从下午4点左右开始打进来，直到半夜电话量仍一直稳中有增，最后直到清晨才逐渐消停了。很多欲火难耐、醉意十足的"客人"不断打进骚扰电话——日复一日，周而复始。

随着这次恶作剧的展开，他们两人之间的恶作剧之战也拉开了帷幕，这种没有硝烟的战争一直持续到真刀真枪的战争结束之后。温伯格和卡伯特两人都是极富想象力的，只要一有机会他们必定给对方下套。在华盛顿体验了几周炎炎夏日的卡伯特正准备回波士顿和家人团聚几天，他很费了些周折才搞到了机票。温伯格听说之后假装突然有急事要处理，他打电话给卡伯特，说战时生产委员会的办公室主任威廉·S·努森要召集一次紧急会议，讨论战备物资生产流程重组的问题。温伯格明知机票不可能再订到了，他还鼓动卡伯特最好把票给退了。幸运的是，卡伯特事前听到了风声，知道这是温伯格的又一次恶作剧，他没有退票，但是却打电话跟温伯格说已经把票退了。这次轮到温伯格着急了，他给所有航空公司打电话订票，想要补回那张票来——随便什么票都比没有好。但是怎么可能还订得到呢？绝望中的温伯格又想起来冒充努森给卡伯特打电话，因为这两人从没见过面，所以应该能骗卡伯特，说会议取消了。温伯格只是希望这样一来卡伯特还能把原来的机票要回来。卡伯特这时候乐了，票就装在自己口袋里，他幸灾乐祸地看着温伯格折腾自己。当电话打进来的时候，卡伯特吩咐他的秘书说他正忙。但是秘书说："努森先生坚持要和您通话。"卡伯特接了电话，毫不怀疑那一定是温伯格装的。电话里传来的一定是温伯格捏着脖子装出的瑞典口音，而且电话那头的人还让卡伯特到努森的办公室走一趟。仍然坚信自己手里握着王牌的卡伯特对着电话里大骂："去死吧，你也不撒泡尿照照自己是谁！"很不幸，来电的正是努森本人，他的电话在温伯格之前被接了进来。终于意识到打电话的人确实是努森本人，卡伯特急忙跑到他的办公室去道歉。努森对温伯格的这些恶作剧也习以为常了，所以他们只是一起开怀大笑——卡伯特最终还是登上了去和家人度周末的班机。

卡伯特对他这位朋友的评价是："他看人很准，能准确地判断谁很诚实，谁说话留一手。而且他这个人有非同一般的幽默感。"温伯格在第二次世界大战期间鼓捣恶作剧最厉害的一次恐怕是在达兰将军（Admiral Darlan）访问美国期间。达兰是法国维希政权的海军军官，很有政治势力，为人高傲，野心很大，而且还是个同情纳粹的人。当时白宫为其准备了相当高级别的接待，其实完全是出于为盟军服务的政治目的。在宾客准备离开时，温伯格从裤兜里摸出一枚硬币，冲着站在门口身着盛装的将军说："嘿，给我叫辆车来。"

卡伯特把温伯格介绍给了他的贵族朋友们，温伯格和他们也是打得火热，经常和他们一起到缅因州之外的水域航行。虽然曾在海军服役，温伯格对航海几乎一无所知，甚至连游泳都没有学会。有一次，他被迫下水——因为至少每人每天都得下水一次，温伯格小心翼翼地在自己腰上系一条粗绳，另一端牢牢拴在桅杆上，然后顺着软梯慢慢下到海水里。卡伯特一看到他入水就把桅杆一头的绳子解开并扔进海里，幸灾乐祸地看着温伯格凭着一个臃肿的救生圈在水里挣扎。

卡伯特和温伯格两人都喜欢讲黄色笑话，而且两人经常在电话上交流心得。他们晚年的时候听力都不太好了，卡伯特那位为人正派的波士顿秘书因为每每听到他们在电话里高声讲黄色笑话而气愤不已。她要求卡伯特在温伯格来电时把办公室门关上。为了满足秘书的这个小小的要求，同时又因为温伯格这种电话实在频繁，他只得在办公桌下装了一个脚踏板，只要踩下去就能自动关上办公室的门。

卡伯特后来也意识到，尽管温伯格广受人们的尊敬和爱戴，但是社会上反犹太主义的潮流还是让他遭受了不少歧视。有一天早上，卡伯特在曼哈顿的精英俱乐部——布鲁克吃早餐时，俱乐部经理上前来跟他说他"昨晚的行为实在是不得体"。卡伯特昨晚和两位客人一起吃饭，其中一位就是西德尼·温伯格。聪明的卡伯特马上就明白了经理的意思，他却假装不知道经理的潜台词，问道："我们吵到别人了？"

"噢，不，我指的不是那个，而是你的客人不是很体面。"

"你到底什么意思？"

"你知道布鲁克的规矩是不接待犹太人的。"

"我看过你们的俱乐部规章，其中没有关于不得请犹太人吃饭的规定。"卡伯特此时已不再调侃，"如果你们的俱乐部真的要这么办，我今早就可以办理退会。"

其他有些时候，针对犹太人的歧视也会在不经意间表现出来。曾有一次摩根士丹利的高级合伙人佩里·霍尔（Perry Hall）给温伯格打来电话，兴高采烈地说："我们刚刚任命了有史以来第一位犹太合伙人！"温伯格很不屑地说："佩里，这算不得什么。我们这儿的犹太合伙人制度可已经有些年头了！"

战后，温伯格从所有政府职务上退了下来，他的解释是："对我而言，可做的工作已经越来越少了。去年冬天，我每天看重要的文件都得看到晚上8点。到了春天的时候，我每天在下午3点就能干完。等我每天早上10点就能看完文件的时候，我知道是时候离开华盛顿回纽约去了。"

但是他仍然担当着民主党竞选筹资人的职责。1940年，温伯格选择放弃"新政"和"公平政策"，转而支持温德尔·威尔基（Wendell Willkie）。他个人的意见是，总统连任两届已经足够了。1952年，他在总统竞选中通过艾森豪威尔商人后援团（Businessmen for Eisenhower）这个组织发挥了重要的作用。很多社会上有头有脸的人物听到温伯格这个名号时都会说："我和他的私交不错。"温伯格的筹资技巧——很多情况下都是他操着布鲁克林口音和熟人谈判——有时显得突兀却很有效。根据他的一位朋友约翰·海·惠特尼（John Hay Whitney）说："西德尼是我认识的人中最会赚钱的一个。他要参加无数的董事会议——通用食品、通用电气，或者随便一个什么通用公司——他都会毫不犹豫地告诉所有董事他想要什么。然后他会追问，'伙计们，别犹豫了：东西呢？'当然，他总是能得到他要的东西。"在艾森豪威尔的任期内，温伯格成功地推荐了如下的任命：乔治·汉弗莱（George Humphrey）出任财政部长，通用汽车的查尔斯·威尔逊出任国防部长，罗伯特·斯蒂芬斯（Robert Stevens）出任陆军部长。在之后与其他总统的联系中，温伯格在为约翰·F·肯尼迪组建卫星通信集团（Communications Satellite Corporation，简称Comsat）的过程中起到了重要的作用，随后还在支持约翰逊-汉弗莱竞选委员会（Committee for Johnson-Humphrey）中任职。1964年，他出面帮忙组建了一个约翰逊总统竞选支援团，并向总统推荐了约翰·康纳（John Connor）和亨利·H·福勒（Henry H. Fowler）。康纳后来成为商务部部长，福勒则被任命为财政部部长。

1968年休伯特·汉弗莱（Hubert Humphrey）与理查德·尼克松对台竞选总统的时候，温伯格意外地给高盛的一位合伙人L·杰伊·特南鲍姆打去电话。他问："杰伊，交易所里汉弗莱对尼克松的赔率是多少？"特南鲍姆答应尽快询问，然后给交易所内的专家邦尼·拉斯克打去电话，对方告诉他现在是以7：5的赔率赌尼克松赢。"别开玩笑了，"特南鲍姆说，"这可是西德尼·温伯格让我代问的。"拉斯克不留情面地回答说："要是西德尼·温伯格敢下5万的注我就敢跟他7万！"温伯格听到这样的答复当然觉得不可思议，"这家伙不知道乔治·鲍尔（George Ball）在力挺汉弗莱吗？"特南鲍姆这时候也终于忍不住了，他想都没想就跟温伯格说："拉斯克知道鲍尔站在汉弗莱那一边，但除非他再找一个这样的后台，否则他别想沾到白宫的边儿。"挂了这头的电话，特南鲍姆马上找到拉斯克，他说："这件事你可得帮我担着。"但是拉斯克只是高兴得大笑，说："这事儿我可得告诉尼克松！"

曾于1976~1984年间担任高盛联席最高领导人的约翰·怀特黑德（John Whitehead）日后回忆起温伯格的一个小故事："他有浓重的布鲁克林口音，没法假装成一个受过哈佛教育的人，所以他下定决心要拿顶着哈佛光环的人开玩笑。"他向布鲁克林地区的典当铺发出邀请,只要收到Phi Beta Kappa (PBK) 的标志性钥匙就可以直接拿来卖给他,然后他把这些钥匙串成一串收在自己的一个办公桌的抽屉里。如果有自命不凡的人在他面前夸夸其谈,他就会把那一串PBK钥匙拿出来晃一晃,对人家说:"你实在太聪明了,要不要我给你发一把钥匙。"他自己后来说:"曾有一名科学家批评我撼动了PBK作为一个精英社团的基石,但是我回击他说别忘了是谁先让这些钥匙沦为典当行的处理货的。"温伯格策划了一个"反Phi Beta Kappa"组织,名字叫"Kappa Beta Phi",而且同样铸造了有代表性的钥匙,他自己的手表链上一直都挂着一把。他的新组织也每年召开年会招收新人,年会的主要内容都是低俗表演,有不少全裸美女登场。

温伯格盛气凌人的妄为态度在艾迪·坎特起诉高盛一事上达到了顶峰。艾迪·坎特是百老汇知名的娱乐演员,也是当初投资高盛交易公司的受害者,他的诉讼要求是高盛向其支付高达1亿美元的赔偿款。这桩案子正好在温伯格前去参加投资银行家协会(Investment Bankers Association)年会的那一天成了《纽约时报》的头版,当时华尔街的巨头们都同乘一列火车前往华盛顿。换做是别的银行家,面对这么大的丑闻,躲都来不及。但西德尼·温伯格可不是一般人。他一个个车厢地拜访,逢人便用这桩丑闻打趣,他敦促车上所有人代表的金融机构都联合起来加入这场诉讼。

温伯格从未忘记他的布鲁克林背景,以及住在这里的老一辈人教会他的勤俭节约的品德。他坐地铁上班,以此提醒他周围的人这样每周能省下5美元:"你坐地铁可以观察芸芸众生,还可以从地铁广告里发现商机,这远比坐在轿车后排成天盯着司机的后脑勺要强得多。"节约带来的收入不仅仅是这一种形式。曾有一位继承了父辈零售业生意的富豪在温伯格家做客,这位客人饭后早早就去休息了。由于温伯格家唯一的佣人就是厨师,温伯格夫妇亲自收拾杯盘碗盏,随后温伯格发现客人把西服和鞋子都放在了卧室门外。温伯格觉得很好笑,但他还是拿着西服和鞋子到厨房,认认真真地擦了皮鞋,刷干净了西服,再把它们送回客人门外。第二天客人离开之前递给温伯格5美元,嘱咐他要把钱交到那位替他好好整理了衣物的管家。温伯格好好感谢了这位客人一番，然后把钱装进了自己的腰包。

虽然温伯格时时在人前展露自信，但是他有些时候还是对自己在某些方面的能力没有那么放心。他知道自己的文化水平低，所以总是认真地撰写每一封寄给客户的信——通常都用粗笔尖钢笔，写在土黄色稿纸上——然后还要找一位在哈佛念过书的手下员工帮忙："请你帮我念念。这样写妥当吗？"吉姆·马库斯（Jim Marcus）也是高盛的合伙人之一，他后来回忆这些事情时说："你可以给他提上一两个无关紧要的修改建议，而且他总会对提建议的人感恩戴德，但是通常情况下你也找不出什么可以修改的地方。"马库斯还补充说："西德尼平时是一个很有趣的人，他的臭脾气只有在想干的事情干不成的时候才会爆发。"

温伯格一辈子就有一样东西学不会，那就是计算尺，除此之外他学什么都很快。约翰·怀特黑德日后说："西德尼会叫我去他办公室，然后把门关上不让人知道我们在干啥。他从书桌里拿出一把很大且设计精美的计算尺，然后对我说，'约翰，你现在得再教教我这玩意儿到底怎么使。'我只得绕到他身后，从他肩头上伸手握住计算尺，边解释说，'你把1放这头，正对着下面的2，然后拉动塑料滑块，直到滑块上的竖线和另外这个2对准，然后再看这条特殊线指着的数字，不就得到4了吗？'你可以清楚地感受到他两眼盯着尺子，一头雾水，心里越来越窝火。最终他大骂了一句，'都去死吧，我不用这玩意儿也知道2乘2等于4！干吗要这玩意儿！'他之后把尺子丢回抽屉里一锁就是至少一年。我教他用尺子，但他从没有超过这个水平。"

温伯格最重视的品质是忠诚。他吃穿用度涉及的东西都来自"他的"公司——奶酪必须是卡夫食品的，咖啡必须是麦士威尔的，开的车必须是福特的，诸如此类。曾有一名年轻的经理人要由福特跳槽到高盛工作，他还必须事前征得西德尼·温伯格作为福特的董事的认可。约翰·怀特黑德对他有这样的评价："他对客户的保护意识——甚至是控制欲非常强。我记得唯一一次他对我大发雷霆是因为亨利·福特找不到他而让我带个口信。当我把口信带到时，西德尼明确告诉我以后不希望见到我再和亨利有任何接触。我当然可以随便和福特的任何人交流，但是和亨利的联络一定由他出面。我那时候很懊恼，但是他的这种命令随着时间的推移渐渐淡化了，我注意到如同其他所有出名的人一样，他对自己始终有不确信的疑虑。"

1949年，美国司法部提起了一桩反托拉斯诉讼，指控17家高端银行金融机构及投资银行家协会联合操纵市场价格。温伯格听到这个消息后相当失望，因为"（司法部）完全忘记了这些高端银行金融机构在战争及和平时期对这个国家的经济作出的巨大贡献"。温伯格坚信他的公司在政府的这一行为中必定受到了严重的威胁，他下定决心要对抗到底。不过，被算在这17家的名单里比没有被算进去要好一些。①温伯格看着那份名单觉得很痛苦，因为这份在业内被奉为权威排名的名单上，高盛是最后一位。温伯格明白，和高盛存在竞争关系的其他投行必定在温伯格寻找客户的过程中大肆渲染高盛在名单上的最末排名。

投行结成的联盟终于在1953年赢得了诉讼，高盛在哈罗德·梅迪纳法官（Judge Harold Medina）长达400页的结案报告中获得了这样一段称赞："自世纪之初到本案立案，高盛一直秉承其企业行为特质，这种特质只能用'积极进取'这样一个词来概括。高盛甚至在其有限的人力物力的支持下，在其积极开拓争取业务机会的过程中展现出强大的竞争力，这是其他投行所没有的。"虽然得了这么一段好评，但是公司还是为诉讼付出了沉重的代价：所有与法律事务相关的支出高达750万美元。但是这些钱花得值。

虽然公司打个擦边球挤进了华尔街高端企业的行列，但是它还有很长的路要走。温伯格才不愿意仅仅作为这个精英俱乐部的普通一员而存在：他的理念是要做就做最重要的那一个。"所有重要的客户都不是冲着高盛公司的名头来的，他们都应该算做西德尼·温伯格的个人客户，"阿尔·费尔德这样说，"并且他带来的都是核心客户。举个例子来讲，高盛要想挤入别的公司的联合承销，靠的就是我们能在别人想要挤进我们的联合承销时作个交换——无论怎么算，这些都可以称为温伯格先生个人带来的联合承销。温伯

---

① 其他16家被告银行业机构包括摩根士丹利、所罗门美邦、雷曼兄弟、第一波士顿等。

格先生带来的生意一定得是'他的'生意，这一点他容不得别人掺和。他在这方面态度强硬而且深谙压制他人的法门。他曾在西尔斯的董事会上向众多董事发出最后通牒，这是别人无法做到的。因为当时他对雷曼兄弟的所作所为非常看不过去，所以他直言不讳地说：'要么他们滚，要么我走！'结果当然是雷曼的人退出了竞争。"

1930~1969年是温伯格的时代，他完全掌控着高盛，凭借的是个人的意志与个性、他在公司内的地位、他在公司外的影响力，特别是在华盛顿的各种关系。此外，他是占有最大份额的合伙人，是唯一一个能决定谁加入合伙关系的董事，同时也是唯一一个能决定每个合伙人所占份额的决策者。（某一年斯坦利·米勒看了合伙人份额表，发现自己竟然不在名单上。在确认米勒确实不在名单上之后，温伯格从自己的份额里分出了一部分给他。）另外一个很重要的原因是，温伯格在其他多家大公司或其子公司的董事会任职。随着公司的发展，温伯格担任了多达40多家公司的董事。"西德尼·温伯格俨然就是高盛先生，"合伙人之一雷·杨（Ray Young）评论说，"曾有人给'住在华尔道夫酒店（Waldorf-Astoria）的高盛先生'发电报，旅馆的侍者毫不犹豫地把电报递给了温伯格，因为他就是高盛先生。"

"温伯格先生对于控制媒体上关于高盛的报道也十分注意，"鲍勃·门舍尔说，"他不想给自己制造竞争的紧张气氛，而且严令我们不许在其他场合谈及我们手头正在做的事情。他的原话是，'如果你觉得那样做会对你有帮助的话，你是在自欺欺人。真正关心你到底能干什么的人是完全有本事从各种渠道了解你的。如果你只是想满足一下自己的虚荣心，那我也不拦着。不过你得记住一点：只在你得势时才表扬你的媒体必定也是在你失势时贬你贬得最厉害的一个。'"温伯格对人的评判不是说说就算了。门舍尔证实说："在这方面犯一次错你会被狠狠地修理一次，第二次再犯错那你就走人吧。"

温伯格还有一个专长，就是撮合不仅仅是有利益冲突的集团，有时甚至是敌对的双方。艾伯特·戈登曾回忆说："西德尼·温伯格在撮合有分歧的人方面非常有效率——这些人通常都是来自不同背景的意见完全相左的

人——他能说服双方不仅坐下来谈判，而且还能通力合作。"温伯格的
"布道式撮合"非常有名，很多人都能在他的调和下就他们从来都不愿考
虑的问题进行讨论。在别人眼里什么复杂的问题，温伯格都能直击问题
的核心，然后提出最合乎情理的解决方案，并根据方案采取迅速果断的
措施。

在他的"布道"经历中，帮助欧文斯-康宁玻璃纤维集团（Owens-Corning
Fiberglas Corporation）完成上市被当时的人们评论为"企业上市史上最成功
的公开发行"。康宁和欧文斯-伊利诺伊（Owens-Illinois）是该公司的大
股东，两家一共持有集团公司84.5%的股份，而根据反托拉斯法的规定，
两家都不能再向合资公司注入更多的资金，而且两家都不愿意出让自己所
持的股份。根据纽约证券交易所的规定，公司股票要上市必须达到公众
可持股50%的标准。西德尼·温伯格这个时候以专业的和事老的身份出
现，因为他在这方面有人际关系的优势。他既认识三家公司的CEO也认
识纽约证券交易所的主席基思·芬斯顿，所以他能撮合四方都接受最终
的解决方案。最终的方案就是纽约证券交易所将上市公众持股比例下调至
20%，两家母公司通过出售其所持的部分股份以达到这个上市所需的最低
标准。

还有一次，温伯格听说一家正在和他谈生意的公司因为一些细枝末节
的问题正和摩根担保信托公司（Morgan Guaranty Trust）较劲，他马上拿起
电话让他的秘书接通当时摩根的CEO亨利·克雷·亚历山大（Henry Clay
Alexander）。虽然高盛与摩根有生意上的往来，但是对亚历山大先生这样一
位德高望重的人物来说，怎么可能因为这么点小事去打扰他呢？

温伯格的同事们都惊呼："你不能因为这点小事就给亚历山大先生打电
话！"

温伯格则反问："凭什么不能？如果你的朋友在你做错事的时候不给你
指出来那还有谁会呢？"就这样问题很圆满地解决了。

温伯格的个人生活很简朴。他在斯卡斯戴尔的别墅与他和妻子1923年
时定居的房子是同一格局，仅12个房间。那种格局是在他们结婚后三年，也

就是他成为高盛合伙人之前四年就出现了。①20世纪50年代，温伯格在老朋友弗洛伊德·欧德伦的一再催促下才购买了一张《睡衣游戏》（The Pajama Game）的唱片。那张唱片当时非常流行，而他后来表现得有点后悔花了一笔不必花的钱。曾有一次当别人给他送来最近的投资回报的支票时，他乐呵呵地对来客说："钱啊钱！一刻不停地朝我来，但是这什么问题都说明不了。"正如他所说的那样，他太忙了，根本没有时间为自己赚到最多的钱。他并没有开玩笑。温伯格去世时，他的个人财富仅为500万美元左右。

在公众眼中，当然西德尼·温伯格自己也知道，他是比高盛这个公司更为重要的人物，而他戴着这顶高帽也心安理得。"西德尼·温伯格——我们都尊称温伯格先生——有着强大的领导才能，也是一位天才的生意人，"阿尔·费尔德评价说，"很多曾经与温伯格共事过的职业经理人到头来都觉得西德尼·温伯格是他们实现企业及人生目标不可或缺的关键人物，这也正是他本人和高盛能不断获得投资银行业务的原因。如果不是因为这样的原因，谁能解释为什么亨利·福特二世（Henry Ford II）在有着无数其他选择的情况下偏偏选中了西德尼·温伯格和高盛来为他筹划历史上最大一单承销呢？"

---

① 温伯格的妻子于1967年去世。财政部长亨利·福勒特地从希腊飞回纽约参加她的葬礼，在葬礼结束后又飞回希腊继续开会。

4

福特：最大一单首次公开发行

$$===$$

高盛历史上最重要的一次交易，是通过私人关系获得的。因为当时世界最大规模的私营企业的年轻CEO和高盛的一位高级合伙人交情甚笃。两人之间的交情听起来简直让人觉得不可思议：他们在年龄、宗教信仰、财富状况、社会地位以及个人价值观等方面都存在巨大的差异。但由于两人曾在战时在华盛顿共事，而且西德尼·温伯格熟识上至政客下至舞娘的诸多人物，所以他自然知道怎样在二人间建立联系。

福特汽车公司是由亨利·福特一手创建的极富成长潜力、规模庞大的独资企业。亨利·福特虽然是一位成功的企业家，但却是一名臭名昭著的反犹太分子，他从不曾考虑过将自己公司的金融业务交给一家犹太公司。亨利·福特死后，其子埃兹尔继任公司的CEO，但是埃兹尔半年之后就去世了，这个职位顺理成章地落到了埃兹尔35岁的儿子亨利·福特二世的身上。

年轻的福特当时最为人所知的名声莫过于雇用"枪手"为其撰写期末论文，并且在"枪手"开出的发票还夹在论文里的情况下就把论文交了上去，他这种对待学术极不认真的态度导致了被耶鲁大学开除学籍的结果。在耶鲁上学的时候，福特每次买西装都是一打一打地买，有专人送到他宿舍，如果送货的人说衣柜已经挂满了衣服，他就会告诉人家："你需要放多少套新的进去就拿出多少套旧的来——拿出来的就随你处置吧。"如此看来，年轻的福特在成为公司的CEO之前所做的唯一可以称得上有好处的事情就是在战时生产委员会结识了比他大25岁而且了解他为人处世方法的重要人物：西德尼·温伯格。

年轻的福特成为CEO的时候，正值福特进入战后转型的艰难时期。首先，福特要从一家战时生产装甲车和坦克的企业转型为生产民用车的企业，然后还得打破哈里·贝内特（Harry Bennett）对公司土匪般的控制。此人当时完全操纵了位于鲁日河的工厂的运作，有一群流氓荷枪实弹地维护着他在工厂里的淫威，最后还是借助联邦调查局底特律分部前主任的帮助才铲除了他的势力。此外，福特需要组建一支精干的管理团队，把在战时的摊子铺得太开、运营不善的独资企业重整为一家经营有方的企业集团。为了完成第三个艰巨的任务，福特聘用了泰克斯·桑顿（Tex Thornton）领导的空军"神童队"（Air Force Whiz Kids），其中就有日后成为福特的总裁、后任肯尼迪政府国防部长的罗伯特·麦克纳马拉（Robert McNamara）。除此之外，福特还得到了被罗斯福总统称为"抓壮丁的高手"的西德尼·温伯格的鼎力相助。在温伯格的帮助下。福特以高薪招揽了一干强将——本迪克斯（Bendix）前主席厄尼·布里奇（Ernie Breech）任总裁，比尔·格西特（Bill Gussett）任总顾问，泰德·英特马（Ted Yntema）任首席财务官，当然还少不了众多年轻有干劲儿的经理人，也就是这些人在日后把福特的企业融资管理得井井有条。当然，西德尼·温伯格也在这个过程中成了在福特公司内部十分有影响力的人物。

约翰·怀特黑德还是温伯格的助手时，曾经问过："你觉得福特有朝一日能上市吗？"

"完全不可能，"温伯格当时的回答是，"如果福特能上市，我们的社会传统就完全颠覆了。"两人当时都没有意识到，这么一个简单的意见交换将会促成华尔街历史上最重要的一笔交易。

福特一直以来都是一家高度私有化的公司，其财务状况保密程度非常高。但是怀特黑德正是在这种情况下开始思考总有什么办法能摸清这家公司的财务状况，他于是多方搜集相关的资料。办法总是有的，马萨诸塞州的法律规定，凡是州内的工业生产企业都必须注册，而且必须向州商务部提供资产负债表，这样才能保证想与这些公司开展业务的其他公司能获得一定的信息。由于福特是马萨诸塞州的公司，自然不能例外，也就是说可以找到其提交的资产负债表。

怀特黑德搭火车去了波士顿，从一堆文件中找出了福特那份仅有一页的资产负债表。但就是这一页，温伯格和怀特黑德认认真真地看了很久。福特公司的规模不是一个"大"字可以形容。从其资产总值来看，完全可以用"超级庞大"来形容它，而且当时它没有什么债务。确实可以毫不夸张地说，福特是当时世界上最大的私营企业。但是温伯格和怀特黑德后来从福特家族——并非公司——向其展示的财务状况中发现，尽管总值很高，但是公司的赢利非常低。

福特家族很早就吃惊地发现老福特临死之前为了合法减免不动产遗产税，用福特公司88%的普通股成立了福特基金会（Ford Foundation）。其他有2%的股权控制在公司董事、管理层、雇员手中，仅剩下10%的份额留给了福特家族，但是这10%的股份仍代表公司100%的决策权，所以福特家族仍对整个公司保持绝对的控制。

福特基金会融资委员会——由温伯格的另一位好友，通用电气的总裁查尔斯·E·威尔逊兼任主席——当时已经快要撑不住了：福特的股份不能带来任何分红，基金会毫无作为。同样重要的问题是，委员们一致认为最精明的决定无疑是把福特基金会的资产管理多元化，所以他们决定让公众出售所持的大部分福特股份，并推动福特在纽约证券交易所上市。但是根据交易所的规则，所有上市股份都必须具有决策权且支付红利——这一点遭到了福特家族的强烈反对。家族成员从福特得到的收入已经相当可观，他们完全没有必要追求分红带来的那点额外收入。由于巨大分歧的存在，美国国税局不得不通过一项特别的规定，即该家族由放弃绝对控制权而获得的利润——基本上是由增发股份获得的部分——不向政府纳税。否则该家族是完全没有可能同意这样的交易的。很快双方又发现了一个潜在的问题：基金会和家族成员都想将西德尼·温伯格这样一位专家留在自己这一边。

论身材，温伯格确实可能是华尔街上最不起眼的人，但是这一点无关紧要，因为他的个人权力和业内地位都达到了顶峰。高盛或许还只能算做一家二流小公司，在联合承销的操作方面还欠缺经验，但是这些也无关紧要，因为这是由西德尼·温伯格领导的公司。唯一的问题是温伯格到底会代表福特基金会还是福特家族的利益。

基金会的融资委员会认为，就这样一项规模庞大、操作复杂的交易来说，至少应该聘用一位专家级的顾问。在多年的从商经历中，查尔斯·E·威尔逊认识了全美境内无数精明的金融家，但是就聘请专家顾问一事，他毫无顾虑地说："我就只要西德尼·温伯格。"小亨利·福特是基金会的董事会主席，当听说威尔逊有意聘用温伯格时，他斩钉截铁地说："你别想了。西德尼只能担任我们家族的财务顾问。"当然，福特家族得到了温伯格，基金会另外找到了三位顾问。

E·J·卡恩在《纽约客》上发表过对温伯格的评价，其中涉及福特一事时是这样说的：

> 当时国内最大的一次股票公开发行涉及的当事双方都极力征求同一位顾问的专业意见，这件事对熟悉这位顾问的人来说并不奇怪——时年65岁的预言家西德尼·温伯格是这个国家最受欢迎的财务顾问，他的专业意见是业内最受追捧的商品。他身兼数职，既是受业内同行崇拜的高盛高级合伙人，多年以来还担任无数美国大公司的董事。他曾任职的公司的数量远比其他任何美国人都多，而且他还是一位最专业的财务顾问，他的意见不仅仅被企业家们采纳，连多位美国总统都严肃对待他的意见。温伯格虽然是一个出了华尔街就没人认识的人，但他却是这个国家最有影响力的公民……换句话说，他就是幕后听政的太上皇。

福特于1953年10月1日正式任命温伯格为此次首发的顾问。温伯格立刻接受了任命，根本就没有考虑这项业务会占用他多少时间，多少精力。最后算来，在整整两年时间里，这一项业务占了他日常工作一半的时间。"最大的问题就是要在核心问题的分歧上求得各方的一致，也就是福特家族向基金会将要出售的股份赋予决策权之后能以此换取多少新的股份。虽然所有各方都参与了整个过程中的各种谈判事宜，但是重组福特公司财务结构的重担完全压在了温伯格一人身上。"

在之后的两年间，温伯格和怀特黑德在舍曼-斯特林公司（Sherman & Sterling）的帮助下起草了56套不尽相同且都相当复杂的重组方案——当然一切都是秘密进行的。为了保密，温伯格在整个过程中从未让人代写过任何信件、纪要或备忘录。任何必须白纸黑字记录下来的东西都是他亲自书写的，福特的名字从未在文书中出现过：相关的地方都是用"X"替代。

为了避免引起公众的注意，他们的会面都是在最不令人起疑的地方进行的，有的时候就在埃兹尔·福特的遗孀的漂亮别墅里举行。埃兹尔的遗孀已经和欧内斯特·坎斯勒（Ernest Kanzler）再婚，这位夫人也是福特公司运营管理层的一员，而且在战时曾领导过战时生产委员会。坎斯勒夫人通常都是会议的主持人，参会的人员都是她的子女，包括亨利、本森、比尔以及约瑟芬。会议绝对是秘密进行的。为了避免人们因为温伯格频繁造访该家族的别墅而起疑，他的往来都乘私人飞机。亨利·福特去欧洲度假期间，温伯格给了他一张代号表，用以解读他发出的电报。电报中用的代号有：公司被称为"Agnes"，亨利叫"Alice"，他的兄弟们分别称为"Ann"和"Audrey"，家族的律师被称为"Meg"，基金会被称做"Grace"，温伯格自称为"Edith"。怀特黑德和温伯格用代号拍出的电报读起来就像小说《小妇人》，但是他们俩非常喜欢这些名字中潜藏的双关意义。

1955年，温伯格和怀特黑德都拿到了一本可以给任何读者都留下深刻印象的出版物，同时也是一份绝密文件。这是为福特公司制作的完整版年报，内容加上了插图，文字说明全面到位，财务数据清晰准确，甚至还在必要处加上了脚注。这只是事前的练兵，为的是检验在经历了这么多年严格保密的筹备之后，公司能否按照证券交易委员会的要求迅速整理并汇报相关的数据。在以上市为目的所作的准备中，这份年报样稿在每个方面都针对其主要竞争对手通用汽车，力争不在任何细节上输给对方。而且样稿中仅有一份离开过福特总部大楼，也就是交由西德尼·温伯格保管的那一份。

曾有一次，前去参加福特家族的秘密会议时，温伯格差点毁掉了全盘事业。他们到达底特律机场的时间比通常早了15分钟，温伯格和怀特黑德要在轿车来接他们去总部之前打发15分钟的时间，所以他们走到一个报摊前买了份本地报纸。温伯格顺手把他那个装有福特最敏感的机密文件的皮革公文夹放在一旁，然后从衣服内侧口袋里掏零钱，当时公文夹里装的就是公司完整的经过审计的财务报告。他边掏零钱边和怀特黑德逐项核对当天开会所要涉及并完成的商谈事项，付完报纸钱他们就走到一旁的咖啡屋去喝咖啡了。当轿车司机来到时，温伯格为了保证不迟到，匆匆付过咖啡钱起身就走，直到上了车还一直和怀特黑德谈当天会议所要涉及的内容。车就这么朝着福特位于迪尔伯恩的总部开去，突然，温伯格一言不发，他惊恐地看着怀特黑德，以接近怒吼的声音叫道："约翰！约翰！你把我的公文夹放哪儿了？"

温伯格心知肚明怀特黑德没拿他的公文夹，他知道是自己把文件弄丢了。但是日后怀特黑德回忆时说："他本性使然，就是对别人总是那么霸道。这才是我认识的西德尼。"当然，温伯格立马让司机掉头，一到机场两人就跳下车飞奔到咖啡屋和报摊去找那个能要命的公文夹。如果当时有人捡到了公文夹并把里面装的福特的财务数据公之于众的话，那么他们这两年的工作以及温伯格过去40年积累的名声都将受到极大的威胁。幸运的是，公文夹好好地躺在报摊那儿，就在温伯格顺手放下的地方。看着两个跑得气喘吁吁的人，报摊摊主说："如果你们没回头来找的话，我就把这些东西扔进垃圾箱了。"

差点儿丢失文件确实极有可能让这个秘密曝光，但是福特与温伯格在密谋一项大动作的消息真正走漏风声还是在1955年3月的时候，事情出在亨利·福特一家人和温伯格共同出席的棕榈滩慈善晚宴上。两人在忙碌一天之后，准备在晚宴上好好放松放松，其间福特让温伯格与温莎公爵夫妇同桌，这样一个安排让一位社会专栏作家看破了两人间的密切关系。温伯格后来说："在当时的情形下，谁能保守住秘密呢？"

福特的股票发行注定是战后华尔街最重要的一次承销业务，每家投行都想在其中扮演主要角色。温伯格很精明地把自己安排在了控制承销团内份额分配的角色上，其实这一角色应当由基金会方面的财务顾问出任，而且名义上的主承销商是当时知名的布莱斯公司（Blyth & Co.）。

更为重要的是，在他的精心安排下，大家都明白了一个潜规则，也就是只有他本人才是能够决定哪些特定的公司能在主承销团内获得可观份额的人。他本来不想让太多人参与其中，但是福特坚持要人多一些，所以折中之后温伯格决定由7家投行组成主承销团。这是一个精英团队，其中当然少不了高盛的身影。当时整个承销团内有100多家其他的小公司。虽然7家主承销商中也有人认为7家的数量太多了，但是他们明白，如果温伯格听到一点抱怨的声音，那么他是不会讲任何情面的，他们所在的公司——不管是哪一家——肯定连这块蛋糕的味儿都闻不到。

很快，所有承销商都明白了温伯格在这次首发中有两个主要目的：其一，集合最强大的承销团，让福特家族及基金会能享受到最优的价格；其二，在承销团中树立高盛的优势地位。随着安排各个主承销商所占有的高利润份额的过程不断推进，温伯格也让其他公司的领导者明白了他们的这个业务机会到底是从哪儿来的，而且也让他们为日后回报高盛作好准备。

在经历一夜漫长的谈判后，筋疲力尽的各方都要离开福特总部了。亨利·福特和西德尼·温伯格正好都要去纽约拉瓜迪亚机场，所以福特让温伯格和怀特黑德坐他的私人飞机一起走。机上的飞行员问："福特先生，需要我安排车来接您吗？"福特转问："西德尼，你要去曼哈顿吗？"结果温伯格要去的是雪莉–荷兰（Sherry-Netherland）酒店，而福特去的是丽晶（Regency）酒店。他们住的酒店相隔不远，所以其实可以两人同搭一车，怀特黑德出于好心想帮帮他们，主动说："我有车停在机场了。我去新泽西反正也得穿过曼哈顿区，很方便把你们送到酒店门口。"当怀特黑德把他的车开到机场的私人停机坪时，福特惊呼："哦！你怎么能让我坐一辆该死的雪佛兰！人们会怎么评价我啊？"

温伯格也学着吃惊的样子说："约翰，你看看你都干了些什么？怎么能让福特的老板坐雪佛兰的车！简直就是世界末日！"

然后福特问温伯格："西德尼，你是不是不肯给员工多发钱，让他们连辆好车都买不起？"

临时换车已经来不及了，他们只能尽可能做到保密。严重受挫并且下定决心不能被人看见的福特指示怀特黑德："如果你这车有遮光帘的话就全拉上！"然后他把衣领高高竖起，整个人蜷缩在低于车窗的位置，希望没人能看到他。他们到曼哈顿之后，福特对怀特黑德说："让我在两个街区以外的拐角处下车，我自己走到酒店去，我会让门童来取包的。"

不管怎样掩饰，亨利·福特这位大老板在纽约坐雪佛兰游城的消息还是很快传遍了整个底特律。

1956年1月，福特的首发对温伯格来说是个人素质及专业水平的双重胜利，也是高盛在业务领域的巨大成功。温伯格起草的方案使得福特家族获得了超出预料的控股权，而且不用纳税。以当时的价格计算，福特首发确实是有史以来最大一单：以64.50美元一股的价格发行了1 020万股，总价约合7亿多美元（相当于现在的50多亿美元）。这一项首发使得之前所有的股票发行都相形见绌，同时它还吸引了50万名散户投资者。《纽约时报》发表了对此事的评论文章，西德尼·温伯格的光辉形象也出现在了杂志封面上。

从筹划之初，亨利·福特就问温伯格他个人想要的报酬是多少，温伯格一直不肯给一个明确的数字；他自愿就此事以每年1美元的报酬工作，直到事情了结，然后由福特家族决定他的劳动到底值多少钱。除了真金白银的报酬之外，温伯格总说他最珍视的其实是福特亲笔给他写的一封真诚的感谢信，信中除了对他的个人才能大加赞赏之外，还说"如果没有你，就没有我们的今天"。温伯格把这封信装裱在镜框里，挂在他办公室的墙上，每次有客人来他总是会自豪地指给人看，他说："就我个人而言，这是最好的回报。"他的言辞凿凿远比客人们能体会的要深。最后应该支付给他的货币报酬约合当时的100万美元。而实际上他的收获远没有达到这个数目：两年辛辛苦苦的工作和一次前所未有的成功，仅为这个不可或缺的关键人物带来了25万美元的个人收入。对此深感失望的西德尼·温伯格以后从未对人提起过这个数字。

事实上，真正的回报还是超过了账面上的收入。温伯格成了福特汽车公司的董事之一，并且他把自己的好友保罗·卡伯特拉入了董事会。在之后近半个世纪的时间里，福特一直都是高盛最重要的投行业务客户。更重要的是，西德尼·温伯格利用福特的首发，将他的公司一举推上了华尔街一流投行的位置，高盛自此之后成为一家受人尊敬并且需要与之搞好关系的公司。在此之后，福特多年的融资需求成为高盛能够保持自己一流投行身份的最坚实的业务保证。

福特首发虽然对温伯格和他的公司来讲是一次巨大的成功，但是对很多投资者来说却是一次失败。股票上市价为64.50美元一股，首个交易日报收70美元，这是显著的胜利。但是在之后的几个月时间里，股价一路下跌至40美元附近。这些问题的产生，包括前期的猛涨和后期的持续下跌，都是因为福特坚持要将10%的股票分配给福特自己的经纪商。在首发引发的狂热中，许多经纪商争相购买它的股票。但是后来意识到福特为了维护其成品车库存而背负着大量银行债务时，许多经纪商都感到不得不抛售其股票的压力，由此引发了股价下跌，恶性循环之下致使更多的经纪商抛售其股票。温伯格一直坚信保护投资者利益对发行人来讲是最好的策略，所以福特之后通过发行债券融资1亿美元，并且将债券利率设定在市场通行利率水平之上，这样做的原因也是不想再看到福特在金融市场上有不好的表现。

在福特股票承销业务后不久，温伯格又做了一次大型的债券承销业务——为西尔斯承销3.5亿美元的债券。这也是当年最大的一次面向公众发行的企业债。当时的债券市场需求疲软，很多专业人士都质疑这些债券能不能卖掉，但是事实证明这次债券承销是非常成功的。西尔斯的债券承销完成之后，高盛又接到了通用电气约3亿美元的债券承销，这次是和摩根士丹利联合承销。高盛明显取得了进步，完全有理由为它在华尔街前十名中争得一席之地。

福特在此后多年一直都是高盛最重要的客户，但这是从客户的社会地位来讲，而非从其带来的业务量作出的评价。首发之后，福特并没有进行长期融资，因为亨利·福特完全依赖西德尼·温伯格的财务顾问意见，温伯格坚信利率会不断下调，所以亨利·福特也坚决反对发行任何形式的长期债券。当时的借贷都要通过商业本票完成。不过，温伯格对市场利率的判断出现了失误。由于他在任时期过分干预福特的财务状况，福特那位精明的首席财务官爱德·伦迪十分恼火，在温伯格去世后，福特的经理们巴不得一脚踢开高盛。格斯·利维、约翰·怀特黑德和唐·甘特在温伯格在世时都是管理福特账户的合伙人，他们接到来自福特的警告，说日后他们也要参与竞争才有可能拿到福特的业务，而且他们参与竞争的起跑线位于别的公司之后。虽然甘特后来成功重建了两家公司间的良好关系，但是由于福特在五六十年代经营状况良好，企业蒸蒸日上，高盛所提供的金融服务在这一时期并没有什么市场。

承销业务并不是温伯格为高盛设定的唯一业务领域。他在企业并购领域也有不少创新的点子。后来约翰·怀特黑德回忆起温伯格的创新精神时不无崇敬之情："高盛第一次在并购业务中收取顾问费对所有人来说都是新鲜事。自然而然，这肯定又是西德尼·温伯格带来的生意。他人际关系广，认识了杰里·兰伯特（Jerry Lambert）和威廉·华纳（William Warner），这也使得他能够促成两人领导的公司合并为华纳–兰伯特制药公司（Warner-Lambert Pharmaceuticals）。当时高盛收取的顾问费相当可观。那个年代，投行仅仅从股票和债券的承销业务中获得利润，对于兼并和收购业务提供的咨询意见从不收费。但是这次西德尼·温伯格赚了大钱：100万美元！"

温伯格征收的百万美元顾问费不得不说开了华尔街的先河，也为后来华尔街的发展开拓了新的方向——许多并购案例由此开始。但是温伯格并不是企业并购的先锋。1969年，曾有两家美国中西部的零售商哈德逊（Hudson）和戴顿（Dayton）商谈兼并事宜，高盛为两家公司提供了最不可思议的服务。温伯格和鲍勃·霍顿（Bob Horton）代表哈德逊，而约翰·怀特黑德则代表戴顿。温伯格问："戴顿为什么那么急于扩张？这能给他们带来什么好处？"怀特黑德只是对他翻了翻白眼。并购业务正处在在华尔街取得重要地位的阶段，也是高盛自我提升的一个战略轨迹。温伯格的远见卓识使他完全超越了同时代的其他人。

5

过渡时期

福特首发虽然可以算做西德尼·温伯格个人的完胜，但事实证明这是一次偶然的、不可复制的事件，对高盛在同业内的竞争力成长没有产生任何长远的影响。这种情形是温伯格所不能接受的。他总是在寻找新的机会，而且一旦发现好机会就能迅速加以利用，并从中获益。他铁了心要让自己的公司在投行业内取得更高的地位。

除了他本人善于招揽生意的才能和广为人知的声誉外，温伯格为高盛带来的业务才是起到实际作用的。他一身兼任20多家大公司的董事，从而确保了高盛能从这些公司获得业务。作为这些大公司上市的主承销商，高盛以允许其他投行参与由它发起的承销团作为交换条件，保证自己能够参与到其他承销商组织的承销团当中。

温伯格的成功很多时候都是因为他能针对特定的人或特定的事采取最直接有效的行动，而他面对的人通常都是公司的CEO们。约翰·怀特黑德对他这种处事方式的解释是："每家公司的组织结构很大程度上是受其客户的影响而设置的，既然西德尼·温伯格能有效地控制他的客户，他也就能成功地掌控整个公司。"约翰·温伯格回忆说："他是绝对的资深合伙人，总之，他就是块当老板的料！我曾经在一次合伙人会议上听过他说这样的话：'你们的意见我都听到了，我也认真仔细地考虑过所有人的观点。但是我现在明确地告诉各位，民主决策到此为止。'然后，他就会宣布自己独断的决定。"

正如与他同时期的华尔街其他企业家一样，温伯格对公司的内部运营毫无兴趣。温伯格在这方面留给儿子的建议是："不要在公司内部运营上浪费时间。如果他们遇到棘手的问题，他们会带着问题来找你。"约翰后来回忆说："他对公司的内部运营不感兴趣，他喜欢的是投资银行业务，所以他雇用别人来帮他打理公司。"

唯一一个例外是在公司的人事招聘上。他只在两个层面寻找新人。在最高层面上，他希望找到一位能接他的班，继续打造高盛在投行业领军地位的领导型人物。他觉得当时公司内没有人能担当此重任，所以他招揽了查尔斯·萨尔茨曼（Charles Saltzman）和斯坦利·米勒作为继任的候选。米勒在华尔街历练过，在纽约及全美境内都有广泛的商务联系。萨尔茨曼也有不错的社会关系，身为罗得岛奖获奖学者（Rhodes Scholar），身兼陆军将军及国防部副部长的职务，地位仅次于乔治·马歇尔。可不论这两人的才干如何，高盛的其他合伙人都不接受他们中的任何一人出任公司领导者。其实这也可以说是歪打正着，公司里就空出一个重要职位，等待着日后由格斯·利维担当。利维在任期间带领公司在交易业务方面取得了突飞猛进的发展，一直从40年代持续到60年代。

在新手层面，温伯格招聘了许多从哈佛毕业的MBA，这些人都成为投资银行业务的初级经理人。约翰·怀特黑德也是通过这个层面的招聘于1947年加入高盛的。

怀特黑德出生于伊利诺伊州的埃文斯顿，生于1922年4月2日。他成长在新泽西州，他的父亲曾是新泽西电话局的线路维护人员，后来转到了人事部门。高中毕业之后，约翰被哈弗福德学院录取，在上大学的时候他因为上选修课结识了埃德蒙·斯滕尼斯（Edmund Stennis）。斯滕尼斯因为希特勒掌权的缘故抛弃了他在德国富裕的家庭。在宾夕法尼亚州的哈弗福德落户之后，该学院的院长请他前去任教。他和年轻的怀特黑德建立了特殊的友情。怀特黑德回忆起与这位老师的友谊时说："是斯滕尼斯帮助我拓展了全球化视野，他让我对欧洲乃至更广阔的世界范围有了认识，这也是日后我对高盛业务必须向全球拓展的信心的来源。"怀特黑德勤奋努力地修完了在哈弗福德的课程，然后在第二次世界大战期间参加了海军。他曾在一艘攻击型运输舰上服役，参加过诺曼底战役、法国南部解放战役、日本硫磺岛及冲绳岛战役等。之后他在哈佛商学院获得了MBA学位（以优异成绩毕业）。此前海军曾指派他在商学院任战时教官，所以怀特黑德有着从老师变成学生的特殊经历。

1947年毕业之后，怀特黑德加入了高盛。当时他只想作为其300多名雇员中的一员，平稳地在这个家族企业中度过一个转型时期："我当时的设想是在华尔街先经历一段学业结束之后的实际业务培训，通过这个途径最大限度地了解美国的商业圈，最后稳定地进入一个企业管理职位工作，但是稳定下来之前必须多看、多了解一些企业和公司。"在拒绝杜邦（DuPont）财务部门的一份工作之后，怀特黑德接受了他接到的唯一一份投资银行职位，这也是高盛当年招聘的唯一一个此类职位。"坦白地说，我之前根本没有听说过这家公司。"当时他的年薪仅为3 600美元。

20世纪50年代晚期，高盛已经显然成了西德尼·温伯格一个人的公司，约翰·怀特黑德就是他的左膀右臂。"作为西德尼·温伯格的手下，我为他效力，"怀特黑德说，"自然而然地参与了福特股票发行中所有日常的冗杂事务。我被他从众多员工中挑选出来，因为我年轻，不聒噪，而且还不是合伙人。福特股票发行过后不久，我就发现自己又投入了通用电气3亿美元的债券发行业务。在当时那个年代，这是有史以来最大的一单企业债。回想起当年的岁月来，真可谓鼓舞人心啊。"

怀特黑德对高盛位于松树街30号的办公区的第一印象就非常失望。"高盛公司"的招牌用大大的金字嵌在了那幢窄长的20层建筑物的门口，办公楼一侧是一座相比之下高出很多的大厦，另一侧是一家小旅馆。而且办公楼还不是高盛的房产，其产权人是N–L地产公司（N and L Realty Company）。其中的N代表"奈丽·萨克斯"（Nellie Sachs），L代表公司当时两位高级合伙人霍华德和沃尔特已经过世的母亲"路易莎·戈德曼·萨克斯"（Louisa Goldman Sachs）。虽然合伙人们位于17层的红木装饰的办公室让人觉得十分高档，但是怀特黑德办公的地方却是20层一个由壁球场改装的办公区，他和其他6名员工共用一张金属桌。虽然同一办公区内的其他人也都是大学毕业生，但是几乎没人上过商学院。这个原来的壁球场只能通过一个"舷窗"通风，而且窗户还得用一根长竿子才能捅开，所以整个办公区冬冷夏热。怀特黑德追忆当年的情景时说，"不管天气如何，我们都得穿着笔挺的三件套西装"，而且必须是羊毛质地的。这就是高盛的风格。

"我第一年还是勉强应付过去了，但是到第二年盛夏酷暑的时节，我觉得怎么也可以在着装上换个风格了，于是我就给自己添置了一身很帅气的泡泡纱衣服。第二天早上，我一身清爽的打扮走进高盛的办公楼，阔步朝电梯走去，心里想着可以在那个可以把人烤熟的办公区里舒服地待上一天了。可正当电梯要往上走的时候，沃尔特·萨克斯跟了进来。身为公司创始人之一的后代，他是公司内最有威望的人之一。矮壮的身材，白色的胡须，他让我一下子就感到很不自在，甚至可以说是一种惊惧，让我那天早上穿着这套西装觉得自己坐也不是站也不是。沃尔特·萨克斯是那种只能你记住他，他可不一定能记住你的人。虽然我们在之前的几个月已经被引荐过很多次了，但是他明显记不得我是谁。'年轻人，'他以一种令人胆寒的语调问我，'你在高盛上班吗？'

"'是的，先生，我是高盛的员工。'我以很自豪的声音回答他。但是他马上就拉长了脸，脸色阴森恐怖。

"'如果是的话，我建议你现在马上回家去把你这身睡衣给我换了。'"

尽管在选择着装上出现了重大的失误，怀特黑德在职业道路上的晋升还是来得很快。他有着不同于常人的远见，并且能够朝着一个目标无怨无悔地工作。怀特黑德就这样很快在公司内获得了晋升，也使得西德尼·温伯格对他刮目相看。

但是在高盛供职数年之后，怀特黑德对自己在公司的发展前景产生了疑问，而且如果在这里止步不前的话，他日后更难有任何大的发展。1954年全年，高盛仅完成一单承销业务。生意越来越萧条，以至于公司的合伙人迈尔斯·克鲁克香克（Myles Cruickshank）在他们那片办公区的角落里放置了一个废纸篓，这样年轻的投行员工们能有些事情做——比赛往篓里投硬币——以此来提起他们工作的兴趣。不过之后情况逐步出现好转，业务机会逐渐多了起来。

但是，怀特黑德还是意识到公司的发展过分依赖于一个人了，而且此人已经达到，甚至超过了其事业的巅峰时期。就算西德尼·温伯格曾经是华尔街上最会拉生意的人，但是怀特黑德仍然无法打消自己的顾虑："西德尼拉来生意，我们精明强干的青年人团队把生意做好，但是我仍然认为一家投行要取得发展和成功，收入来源不能完全依赖一个人。"

就在怀特黑德担忧自己在高盛的前途时，他也不断接到来自其他公司的任职邀请。1956年早期，J·H·惠特尼公司为他提供了成为合伙人的机会，这是一家风险投资公司，由乔克·惠特尼（Jock Whitney）出全资组建，并且承诺普通雇员也可以参与公司赢利的分配。"高盛当时没有什么员工评价体系，所以在你还年轻而且比较有实力的时候，你总是不自主地思索你到底要站在哪一边。我当时已经在高盛任职8年了，而从没有人说起过让我成为一名合伙人，所以我对J·H·惠特尼的任职邀请当然十分感兴趣。"

后来怀特黑德直接找到温伯格，告诉他虽然自己很喜欢为他及高盛服务，但是J·H·惠特尼给了他一份更好的工作，是一份能让他成为合伙人的工作。温伯格用相当坚决的口吻回绝了他："哦，不行，约翰，你不能这么做，也不会这么做。你还得在这儿继续工作下去，只能在高盛。"温伯格立刻拿起电话打给惠特尼，直截了当地对他说："乔克，你的公司想拉约翰·怀特黑德入伙。现在我可以明确地告诉你我们也需要他。他在高盛所做的工作至关重要，他也是我的得力助手。你真的不能抢走他，我们才真正需要他。我没法放他走，所以我请你收回你发出的任职邀请。"惠特尼听从了温伯格的安排，此事就此作罢。当年年底，怀特黑德就成了高盛的合伙人。

为了给公司积累资金，温伯格推行了一套资金存留政策，以使所有人全心全意地为公司的最高利益而奋斗。由此一来，高盛保管了所有合伙人的年收入。结果就是，一旦成为高盛的合伙人之一，个人可支配收入就会突然减少。

L·杰伊·特南鲍姆（L. Jay Tenenbaum）是于1959年成为公司合伙人的，他最初的合伙份额仅为1.5%。他是当时公司名列第二的销售员，仅仅落后于杰里·麦克纳马拉，但是他仍然走在成为高盛的几位主要合伙人之一的道路上。由于有当时资金存留政策的限制，特南鲍姆的可支配收入仅有4万美元——对于他这样一位有家有业的成功人士，并且是生活在纽约的生意人来说，这点收入捉襟见肘。事实上，特南鲍姆还得向他父亲借钱才能保证日常的开销。特南鲍姆的处境和其他勤奋工作且抱负远大的年轻合伙人是一样的，他们中的大多数人都是手头很紧，但是工作动力却很足。促使他们努力工作的重要原因，就是他们为公司的成功付出的越多，日后获得的回报也就越多。所以每到两年一次的合伙人贡献评估时，很多人都是心提到嗓子眼儿了。

1962年，特南鲍姆在对公司的贡献已经从单一的销售业务扩展到了套利业务，而且表现不俗。温伯格严肃地对他这位年轻的合伙人说："杰伊，你过去两年干得不错。你和你那一层级的另外四位合伙人都对公司作出了贡献。我觉得是时候认可你们的贡献了，所以我要提升你在合伙制中的份额。从今天起，你的份额由原来的1.5%增长到2%！"温伯格原本以为特南鲍姆会对他感恩戴德，他悠闲地躺在躺椅上等着一个回应："怎么样，年轻人，感觉不错吧？"

在短暂的沉默之后，他得到了一个干脆直接的回答："温伯格先生，我和他们不一样。我要么比别人为高盛付出的更多，要么就做得不如别人好。但是我从不觉得自己和其他什么人在同一个'层级'里。我们是不一样的。"

特南鲍姆这一句话把他们两个人都置于尴尬境地，而且是面对这个能决定他在高盛的前途的人。在一阵长时间的对视之后，温伯格还是终结了这次讨论。但是他也认可了特南鲍姆一番话的核心意思，他说："你专心地再干两年，再为高盛干出些成绩来，到那时候我们再说。"

1968年，温伯格决定提升一位年轻的投资银行家迈克·考尔斯（Mike Cowles）作为公司的合伙人，他亲自给对方打去电话。当考尔斯接起电话时，他听到对方说"西德尼·温伯格"，但是温伯格在电话里的声音听起来完全不像本人，而且他平时说话总习惯在最后一个音节用升调，所以每句话听起来都像是在提问。

考尔斯从来不曾想西德尼·温伯格会亲自给他打电话，因为温伯格之前从没有给他打过电话，也没有当面说过话。所以，考尔斯想当然地以为这个电话是打给西德尼·温伯格的，他于是以非常礼貌的态度向对方解释说自己不是温伯格先生。这番解释让电话另一头的人十分恼火，"我知道你不是西德尼·温伯格"，然后恼怒地挂了电话。

但是对考尔斯而言最幸运的是温伯格再次打来电话："是迈克·考尔斯吗？"

"是的。"

"我想任命你做新的合伙人。"

这一次考尔斯以为温伯格是在拿自己开玩笑，而自己坚决不能上钩。他到公司才7年，而通常要10年才能做到合伙人，所以他很花了一点时间才反应过来。后来考尔斯懊恼地回忆说："这个在我职业道路上最重要的第一通电话真是接得十分糟糕啊！"

考尔斯和约翰·贾米森（John Jamison），也就是后来在宝洁收购高乐氏（Clorox）过程中为高盛赢得一大笔收入的人，并称为"温伯格的嫡系"，后来两人都成了高盛的合伙人，格斯·利维也在后来把他的"嫡系"罗伯特·鲁宾（Robert Rubin）安排了进来。

温伯格还有一个让众人折服的本事，就是他能在暗中把事情高效地办成，很多情况下他的强势态度能隐藏得很好。曾经有位投资银行家说过这么一个案例：

> 一位专门从事企业并购的生意人在把自己的企业弄上市之后，想用首发赚得的钱收购当时价格低廉的鲍德温联合公司（Baldwin United）的股票。他想以高出市场价的报价收购该公司剩余的全部股份。由于当时这家公司的创始家族所持的股份已经交由一家银行托管，这位收购专家知道在这样有利可图的报价之下，银行受托人肯定会顶不住压力而抛售股份。
>
> 反收购是高盛的专长之一，所以这家公司向其求助。没有人知道要怎么

干，温伯格自然而然就成了他们求助的对象。最初，他也不知道该怎么办。但是之后不久，他就让一位年轻的投行业务员给一个老熟人打电话，在布鲁克林区的一家意大利餐馆安排了一次会面。

温伯格的这位老熟人身着黑色西服、黑色衬衫，打着一条黑色领带，径直坐在饭桌旁就说："我出面的原因仅仅是因为欠温伯格一个人情。"听取了事情的原委之后，黑衣人只说了他会尽力而为。过了一周他没有给出任何消息，两周之后也没有什么动静。最后，他终于打来电话："我可以把他摆平了。你就付100美元吧——50美元给摄影师，另外50美元给酒店门童。这家伙在城中的酒店里召妓呢。"

一周之后，这位黑衣人出现在当初想要强势收购鲍德温的企业并购专家的办公室，以礼貌的口气对他说："你坚信这是一个自由的国度，我也是这么认为的。既然是一个自由的国度，任何人就可以随时买到任何想要的东西。"然后他把酒店里偷拍的相片在此人的桌上一溜排开，接着说："你几乎可以买到所有的东西。别再想着收购鲍德温，不然你就等着在《纽约邮报》(New York Post) 上看照片吧。"说完他就转身走人。之后鲍德温联合企业确实没有被收购，当然照片也没有见诸报端。

"西德尼·温伯格是一个敢于直面挑战的人。"这是乔治·多蒂对他的评价，"他总是能在谈判中针锋相对并且毫不退让。举个例子来说，我曾经为他准备过一份房屋租赁的计划。他说库珀斯–莱布兰德 (Coopers & Lybrand) 的收费太高。我说这是市场公允价格，而且人家做的工作确实不错。他直瞪着我说：'只要你说的费用是合理的我都会给。但是如果你坚持我付那么多钱的话，我以后就再也不会和你或者你的公司有任何业务往来。'我默默地坚持了该笔费用，他也一声不吭地付了钱。此后我们再也没有说过这件事，双方都默默地做着自己该做的事情。"

温伯格其实也懂得权力的制衡。当他于1969年把格斯·利维提升为公司的董事合伙人时，他就把自己的办公地点搬到了城边的西格兰大厦（Seagram Building），这样就为利维管理公司腾出了空间。但是他还是把决定合伙人份额的最高权力牢牢掌握在自己手里，这是合伙人制度中最核心的权力。

最能说明利维和温伯格之间的关系的，莫过于公司合伙人在曼哈顿中城的"21"俱乐部举办的年会上的一次表演。晚宴时，利维起身致辞，他代表所有合伙人以极为谦恭的语气说："温伯格先生，您现在去了上城办公，而我们还在中城，实在已经没法每天都看到您了，我们只想让您知道我们无时无刻不挂念着您，我们为您现在还能活跃在商界而感到欣慰，我们也想让您知道每一天我们都想念您，也想让您体会到您在我们心目中是如何受尊崇。无论何时何地，高盛与您同在——您也永远与高盛同在。"

话音刚落，掌声四起，说明利维的发言代表了所有合伙人的一致意见。温伯格起身回敬。"格斯，你这番话说得很好，我很高兴你们所说、所想、所为都是一致的。"但是他的态度突然从感谢转变成了命令的口气："但是你永远也别忘了一点，格斯。不论我在哪儿，我永远是高盛最资深的合伙人，我才是真正掌控这家公司的人！"温伯格话尽，自己坐下了。整个屋子一片肃静，这只能说明一个问题：格斯·利维的决策还是要向西德尼·温伯格汇报。

20世纪60年代，西德尼·温伯格已经到了功成身退的年纪。他对妻子说："如果我明天就死了，我不希望任何人来悼念我，因为我这一辈子每一天都比前一天活得更好。"他于30年代的危机中挽救了高盛，在四五十年代凭借在政府的任职和多家企业的董事任职资格塑造了公司的高端形象，并且为高盛订立了一系列核心政策：资金存留，强势竞争，诚实守信，对高调办事或装腔作势的不屑，以及艰苦奋斗等。高盛在他的手上发生了永久性的转变，但是温伯格老了，逐渐跟不上潮流了。

高盛于1969年庆祝公司百年诞辰。在经过一番计划之后，公司将庆典的地点由合伙人开办年度圣诞派对的"21"俱乐部挪到了一个更宽敞的地点，这样一来就可以让合伙人偕夫人参加，这也是高盛有史以来第一次邀请夫人们参加聚会。在这次聚会上，温伯格向大家介绍了一位重要的新的合伙人。

亨利·福勒是前财政部长，一直是战时生产委员会最重要的成员之一，在此之后他成了高盛国际的董事长。

当温伯格的常规致辞结束后，特鲁迪·福勒（Trudye Fowler）走到长桌的顶头，想要谈几句感想。温伯格将麦克递给她，她说："一年之前，我们夫妇二人曾受总统和约翰逊夫人之邀在白宫做客，当时出席的都是美国的领袖人物——那当然是一个令人兴奋不已的场合。但是今晚的聚会与之相比更令人振奋，因为今晚是高盛所有合伙人的妻子们第一次受邀。这样一个举措不仅构思奇妙，更让我们都了解到高盛是一个怎样的公司。"然后她回头对温伯格报以一个感恩的微笑，接着说："所以西德尼·温伯格，我要真诚地对你说：谢谢您！"

温伯格接回了麦克，他补充道："特鲁迪，很感谢你说了这么一番感人肺腑的话。我很感动。明天，我就让管理委员会把邀请夫人们参与聚会也定成公司的新规矩……当然我现在就可以邀请各位夫人前来参加今年的圣诞聚会……也希望你们能回来参加高盛200周年纪念会。"

数十年以来，温伯格都坚持董事们应该最多任职到70岁的原则，之后就该给年轻人腾地方，但是后来他自己破了例："我和其他老家伙们可不一样——那些坐轮椅的家伙——他们甚至开会过程中都能睡着。我绝不会那样！"温伯格直到77岁去世前的1969年都一直担任福特的董事。

6

格斯·利维

格斯·利维出生并成长在新奥尔良，所以他一直以来说话都带着路易斯安那州特有的含混口音。他的父亲西格蒙·利维是一位包装箱生产商，他的母亲名叫贝拉·雷曼·利维。1923年父亲去世时他才刚刚12岁，而且他是家里唯一的男孩儿。之后的童年时代，格斯跟随母亲和两位姐姐迁到了巴黎。他上了当地的美国人学校，但是他声称自己当年多数时光"只是到处乱晃"度过的。回到路易斯安那州之后，他上了图兰大学（Tulane University），但是仅几个月之后就退学并前往纽约。在纽约时，他租住在希伯来青年会位于第92街的一间宿舍里，随后在纽伯格公司（Newborg & Company）的套汇业务上成为一名助理交易员。有时候，他下班之后会去中央公园的酒吧跳跳舞。

1933年，在朋友的推荐下，格斯·利维进入了高盛，年薪仅1 500美元。他先是从事国外债券业务，然后是套汇业务，在这项业务上他当时还是跟随埃德加·巴鲁克（Edgar Baruc）学习的实习生。巴鲁克是个总是西装笔挺，连小胡须都要打蜡的人。巴鲁克也是萨克斯家族的好友，但是他从来没有成为高盛的合伙人，因为萨克斯家族认为任何曾在破产倒闭企业供过职的人都会给高盛的合伙人制度造成不利的影响。因为他早年曾与一家破产的公司有关系，所以巴鲁克实际上一直是利维的下属。他们齐心协力在沃尔特·萨克斯的领导下工作，沃尔特说，他们为公司"贡献了宝贵的意见，在最暗淡的年头里为公司创造了相当可观的财富"。

格斯·利维后来在60年代及70年代早期成为华尔街最有影响力的人物之一，他的头衔包括：纽约证券交易所主席、西奈山医院院长、共和党实力人物、多家企业评选出来的"最佳"外部董事、纽约慈善筹款事业的中心人物、企业融资市场的核心，当然，还是高盛无可争议的领袖。但是利维刚进入高盛时离权力和名誉还相距甚远，因为当时高盛还没能走出高盛交易公司造成的丑闻。

利维喜欢评价自己是"在股市崩盘时亏得最少的几个人之一，因为我当时根本没什么钱去赔"。他搬离第92街希伯来青年会的宿舍时还欠着2美元的房租。（他后来成为这家组织的母公司犹太慈善联盟的主要赞助商，他的理由是："他们在我最需要的时候给我带来了友谊和信心。"）到30年代末，利维已经赚到了他的首个百万美元。在高盛重整旗鼓的年头里，虽然他还带着浓重的地方口音，但是凭借自己在数学方面的天赋、过人的记忆力、善于交友的性格，以及能长时间集中精力工作等优点，他在公司内的地位稳步攀升。

随着世界大战的临近，自恃身材魁梧的利维下定决心要参战。他临行前只给妻子珍妮特留下了一句再简单不过的话："我要去了。"然后他通过华尔街一位朋友的介绍成了一名军人，从1941年开始负责导航及通信等任务。1942年他加入陆军时仅仅是名一等兵，之后他去了后备军官学校参加训练，加入空军第八师之后他参与了登陆法国的战役，晋升为少校，退伍时已经是中校了。1945年，他以合伙人的身份回到高盛，与巴鲁克一起将高盛的套汇业务不断向前推进，"使其成了华尔街上最活跃的场外交易部门"。

利维靠套汇业务起家，还涉足对因大型公用事业公司分裂而产生的鱼龙混杂的各类型证券进行分析和交易的业务，之后参与了无数铁路公司的重组业务。虽然当时美国的铁路行业受战时客货运输巨大需求的拉动出现了迅速的发展，但是在战后萧条期内也陷入了不可避免的长期衰退。

根据1937年《公用事业控股公司法案》的规定，像塞缪尔·英萨尔的公用事业帝国这样被债务压得不能翻身的集团公司也可以在重组之后重新上市，但是前提是承诺控股公司仅可以保留那些服务范围在地域上高度临近的实体公司，地理上相距太远的资产按规定应从母公司剥离出来。这些新独立出来的实体公司的股票如果要上市交易，其控股公司重组方案必须得到证券交易委员会批准，而"是否批准以及何时批准"都是未知数。所以当大型的控股公司被强行打破之后，投资者就必须对每家实体公司的市场价值进行独立的评估，以此决定日后的投资方向。

在这种市场状况下，投资者和公用事业公司都急需精明的风险套利专家为其筹措巨额资金，提前为这些"可能发行"的证券做市。套利业务一般是在非流通股上进行大规模的多头或卖空操作。这样的市场需求无疑为利维提供了良好的业务机会。他能直接筹措到大量资金，而且作为一位老交易员，他多年来从事的就是以现有证券交换新证券，然后在"可能发行"的基础上买卖新证券的交易——这种交易的利润来源是批发和零售间的价差以及价差的浮动。要从事这种套利业务，就需要不断地锻炼自己的本领，学会收集看似毫无关联的大量信息，通过分析这些信息对其他人现在"没兴趣"的灰色领域作出估计。如果在恰当的时间以恰当的方式激活了这个灰色领域，那么这些原本静止的买卖交易就会活跃起来，而且有时还能带来十分可观的交易量。

市场对刚刚发行的不成熟的公用事业公司及铁路公司股票的判断有着很大的不确定性，因为这些公司都涉及很多法律及信用的问题，而正是这样的市场环境为利维这样目光敏锐且训练有素的套利高手提供了理想的业务机会。与他同时期的高盛合伙人阿尔·费尔德评价他时说："格斯非常聪明，而且十分有创新的才能。20世纪40年代，他通过充分发掘那些大型铁路公司及公用事业公司融资所发行的'可能上市'的股票交易业务，为高盛开辟了一条全新的财路。他在开创优质市场方面有良好的声誉，而且他开辟的都是大型市场。在风险控制方面，一旦需要他承担损失，他绝对会毫不犹豫地承担下来。"

1953年，巴鲁克突然辞世，利维接手他的工作，继续打造一个"高效且有战斗力的组织"。一旦公司出现连续两个月或三个月的运营亏损，萨克斯家族就会召集一次财务审计会议，通常会邀请莱布兰德·罗斯兄弟-蒙哥马利公司（Lybrand Ross Brothers & Montgomery，即后来的库珀斯-莱布兰德公司）的乔治·E·多蒂来进行联审。多蒂回忆说："格斯·利维培养了一小群十分忠于他并且口风很紧的下属，这些人仅向他汇报工作。他们完好地保管着为了铁路股票套利业务所需的复杂冗长的记录。他们的原则非常简单："什么都不知道，什么都不说。'"

为了增加交易量并拉动需求的增长，利维总是在电话上和他的客户长时间交谈，向不同的机构推销新证券。在推销证券的过程中，利维可能会说，"如果你需要卖掉别的股票为我们的交易筹资的话，我很乐意购买你想要出售的任何东西"，或者追问，"如果你不想购买密苏里太平洋铁路（Missouri Pacific Railroad）的话，你可以考虑买点别的"。这是高盛最早开始和机构投资者商谈关于交易的业务，而不再仅仅商谈投资的事项。当然，他们的起点很低。当时股票交易部门的办公桌上仅有三位员工。利维后来说："我们当时没有任何电子报价设备，所以我们还是得紧盯着报价机的纸带，随时掌握销售的情况及市场动向。"

开展套利业务的标准很高：首先，需要不断增长的交易量；其次，需要不断有新的资金注入，以保证交易顺利进行；再次，需要有果断的决策来把握转瞬即逝的机会；最后，当然还需要能够严守秘密的职业素养。这些业务领域的变化很大程度上反映了经纪业务的固有特点也在发生变化，而这些变化很大程度上是由机构投资者越来越活跃的市场参与程度决定的。市场的变化为格斯·利维这样有头脑、有决心的人创造了机会。

50年代中期，华尔街的气氛开始出现转变。很多曾在大萧条时期经历过种种困难的人都到了退休年龄，开始大批地离开华尔街，也把遭遇另一个大萧条的恐惧和担忧远远地抛在了脑后。年轻人怀着美好愿望和对未来的憧憬大量涌入这个商业圈。但是，最早预示市场氛围将出现变化的因素十分不起眼，很容易被人们忽视。1956年，高盛所有"与机构相关的业务"总额不过30万美元。这点业务量在那些家庭富庶、已经过上舒适的生活、在华尔街知名大公司任高级合伙人的经理人眼中根本不值一提。这些逢人便自称为投资银行家的人中间有一种默契，即开展经纪业务或股票交易业务只是为了在股票承销团中占有一席之地，根本谈不上赚什么钱。但是对致力于不断前进的人来说，就算是微不足道的小业务也昭示着未来不可限量的发展机会。

　　因为高盛的多数员工并没有什么显赫的身世，他们深知只有通过艰苦努力才能创造属于自己的财富，而且很多其他公司都视高盛为圈外人，所以他们也可以毫无顾忌地冒着风险开展许多新业务，而不怕被其他人看做"异类"。在高盛介入机构大宗交易业务的过程中，纽约证券交易所的一位场内专家鲍勃·门舍尔起到了重要的作用。在此类业务诞生之初，他就说服利维把他充沛的精力中的一部分投入这个新生业务。门舍尔后来回忆说："当时，交易所内一片寂静。我们想方设法为公司寻找更多的生意机会，而且都是从我们任职的公司所从事的、我们熟悉的业务入手。"曾有一次，由于市场业务的活跃程度不断增加，西德尼·温伯格当时任董事的一家公司将要开展一次兼并业务，这就是日后门舍尔能够直接给温伯格写信联络的契机。一年之后，门舍尔致信温伯格，简要回顾他们之前曾经见过面。他在信中介绍并详细解释了他发现的一些市场上有趣的新动向：交易量为1 000股，5 000股，有时甚至是10 000股的交易正成为机构投资者的新选择。"我注意到了这样的新现象，而且我觉得这样的趋势会发展成为日后相当重要的业务种类，特别利于与保险公司及其他机构开展合作。5 000股或10 000股这样大量的交易对于交易所内单枪匹马的交易员而言实在是无法驾驭，因为他们通常处理的都是100股或200股的交易，他们手头不可能有那么多资金去处理大宗交易。"

　　温伯格之后把信交给利维并附上了一张便条："我想不起来是不是见过他，但是你一定得见一见。"利维是个对新业务非常敏感的人，而凑巧的是，他当时正在接待这位交易员。他看了信之后说："不论5万股还是10万股，我肯定参与你的交易。"两人正式会面之后，对市场将发生新的变化达成了一致意见，然后利维安排高盛的8位合伙人对他进行了面试。6个月之后，门舍尔加入了高盛。"我的叔叔怒火万丈，他根本没想到我会放弃在交易所的工作。高盛的很多合伙人也觉得不可思议：和华尔街上许多商人一样，他们一辈子的梦想就是在事业的巅峰时期能拥有一个（交易所内的）位置。但是我当时确实对交易所内的工作感到百无聊赖。你要想在交易所内打发一整天时间，就得学会和其他交易员打扑克，可惜我不会。"

　　利维和高盛在套利业务上久经历练，他们对做市的时间和风险有了新的认识。同一时期，业内其他公司都对"本金"交易产生的损益当天计算。对场外做市业务进行当天统计是有意义的，因为这些交易都是独立的，一宗交易与另外一宗不会产生任何联系。但是这种在零售交易当中执行得不错的规则，却引发了机构大宗交易中严重的错误决策，因为大宗交易的成交靠的完全是关系，都是由回头客带来的循环交易。除此之外，场外交易员的首要任务是保护企业股东的资金，同时避免由员工犯错带来的损失。高盛当时的状况是，承担风险的资金全都是合伙人的自有资金，合伙人同时也是前台做业务的一线业务员，也就是说员工和股东是同一批人。他们熟悉这些操作自己户头的人，因为他们每天抬头不见低头见。为了给高盛创造利润，他们的首要目的不是避免亏损，而是为公司开发有利可图的商务联系，从而为公司长期赢利的前景开创一个好的局面。他们以公司负责人的长远眼光把股票交易业务定位为一项能够长期赢利的业务。把一流的服务和风险投资资金结合在一起，交易类业务也能被打造成有长期成长力的生意。要从事大宗交易就要承受业务开展的艰难，面对强烈的竞争，也要求业务员具有良好的素质，更需要敢于承担风险的勇气。高盛就是秉承了以上这些优点，在利维的领导下与业内其他几个竞争对手一起，把交易业务打造成了一种凭借广泛的企业关系才能取得成功的业务。从事这项业务就像骑着一匹野马，只有以长远的眼光来驾驭它才可能获得充分的回报。

　　大宗交易业务从不同的方面来说都取得了进步。首先是大宗交易的单数明显增加，其次是大宗交易的量在稳步上升，此外，参与大宗交易的机构数量也明显增加。随着交易量的翻倍，获得的利润和由此带来的竞争也自然而然地翻倍。利维决心要独占这项数量可观、飞速发展的业务，因为他知道，最大的利润总是由业内最顶尖的公司获得，所以高盛必须成为这个领域的领头羊。"格斯总是以百分之百的精力投入这项业务，他的全情投入有时让人胆寒，有时也能激发人最大的潜力。"这是门舍尔对他的评价，"他对于拿到每一单生意是如此在意，一旦我们丢了一单他就差不多要抓狂。格斯会揪住我们的一次失败在公司里大发脾气：'我们要出局了！我们在市场里无足轻重了！我们错过了这个机会！我们的竞争力都哪儿去了！'为了开发新的业务，我们不得不千方百计寻找能使格斯平静下来的机会，至少不要让他冲到我们面前来。"

门舍尔认为，"开发一单业务就如同钓鱼一样，需要高度的耐心和默默的坚持才能钓到大鱼"。他根据大宗交易的整体情况编制了一份量化表，记录了交易的单数，成交的股票数，以及每一宗的量，由此向利维证明公司在这个业务领域的表现是相当好的。（也就是在这个阶段，利维开始佩戴一位希腊朋友赠送给他的排忧念珠。）最后，鲍勃·门舍尔和L·杰伊·特南鲍姆都决定不再干这项业务了，因为利维对他们施加的压力实在太大，甚至能让他们丢掉性命。但是，也正是因为利维这种推动才使得公司有了很好的回报：截至60年代末，利维领导的交易业务所带来的利润约占公司总利润的一半。利维个人事业达到顶峰时持有公司10%的股份，也成为公认的高盛最高领导人。

利维永远不会忘记他第一次意识到自己已经成为一个重要人物时的情形：西德尼·温伯格私下问他愿不愿意在合伙人年度晚宴上坐在自己旁边。当1969年温伯格不得不将权力交给一位继任者时，利维责无旁贷地成了高盛的董事合伙人。作为在公司内有着大批忠实下属且可以呼风唤雨的人物，他是最顺理成章的继任者。而且公司作出这种决定的原因很简单，也很有根据：他当时已经是事实上的决策者了。约翰·温伯格后来对这件事的看法是："如果格斯让我做什么事情，我肯定照办，随时候命！"

西德尼·温伯格对利维为公司带来的投资银行业务十分赞赏，也对利维个人的赢利能力和领导才能十分肯定，但是他对利维通过大宗交易带来的"不像样的"杂牌公司的投行业务却不屑一顾。利维总是想方设法要把这些小生意做成，但是这却成了西德尼·温伯格担忧的一件事。他对利维的业务对象忧心忡忡，这些人当中就有吉米·林（Jimmy Ling）、诺顿·西蒙（Norton Simon）以及默奇森家族（Murchisons）这些追名逐利的人。但是当时也就是这些人才能带来业务，利维自然而然地朝着业务就去了。约翰·怀特黑德对利维的评价是："他这个人只有一个念头：我要更多！格斯可以把任何人当做他的客户。就如同他极力避免坐在17层那些有着独立窗户的办公室里，而选择坐在13层的交易室里一样，他选择生意伙伴都是看对方是不是实干，而非通过层级选人。"虽然温伯格对利维强大的商业开发能力及卓越的工作才能欣赏有加，但他还是不能放心地让一个凭着交易员的直觉去工作的人处于不受限制的公司领导职位上。温伯格对利维的要求很严，利维对温伯格的儿子约翰抱怨说："我迟早得离开这家公司！"

就在利维成为公司的董事合伙人之前，温伯格已经意识到自己离退休不远了。他召集了一次管理委员会会议，参加会议的都是忠于他的公司合伙人，他要借助这群人的力量对利维形成牵制，也是为了防止利维把公司由银行业公司转型为交易型公司，贝尔斯登（Bear Stearns）正是在利维的好友西·刘易斯的强势领导下才发生了这样的转变。作为公司的董事合伙人，利维拥有49%的投票权，所以正如乔治·多蒂解释的那样："如果想制止格斯，你必须征得其他所有合伙人的一致意见，但是如果格斯想要做成一件事情，只需要拉一票就可以了。"在利维成为董事合伙人的头几年里，温伯格知道管理委员会会忠实地履行作为他的眼线的职责，任何重大的决策都会汇报给他，最终按照他的示意投票。但是哪怕就算有这样一个制衡的机构，温伯格还是不太放心，所以他一直担任着高级合伙人的职务，并且一直掌控着合伙人份额的决策权。

虽然一直对温伯格保持尊敬，但利维仅仅认可了委员会存在的形式，对其职能丝毫没有放在心上。委员会每周都会举行例会，但是这些会议通常只有15分钟，大家也没有什么讨论，没有会议议程，没有会议纪要，甚至委员们都没有椅子坐下。他们在利维的办公室碰头，不仅站着说话，而且利维经常在会议过程中接电话，以示他对这个委员会的存在毫不重视。约翰·温伯格承认："格斯对于每次行动都要经过委员会的安排恨得牙痒痒。"约翰·怀特黑德也注意到："格斯内心没有安全感，他总是觉得自己可能接不了西德尼·温伯格的班。"

多蒂后来回忆说："西德尼和格斯在很多方面都是不同的。举例来讲，西德尼会认认真真地听完你的汇报，但是最后完全不予采纳。格斯也会听，边听边打断而且还时不时争论上几句，但是他如果觉得建议好就会记在心里，最后也会落实到行动上。"

利维要求，最后呈送到他面前的决定一定要简单，简要地说明事情的原委，并明确要采取的行动。文字必须经过认真的揣摩，最后落到纸上通常只有四五行。如果超出了这个长度，利维一定会认为你还没有作好行动的准备。当然，开展每一项业务之前公司内都会进行广泛的调查和咨询，但是一旦形成了决议，那么之前所做的功课都没有必要大费周章地在决议中进行重复。利维在收到文件后24小时内通常就会给出回复。合伙人彼得·萨瑟多特说："要想和格斯约时间是相当困难的，但是只要他看到你的文件总会及时给你个回复。"利维对于公司内部的电话总是当天回复，很多情况下都是在一个小时内就回复。不过他的通话总是简明扼要。

利维在讨论过程中只要形成了决定就会停止讨论，他的性格就是这样具有决断力。约翰·怀特黑德对他的评价是："格斯总是孜孜不倦地工作，从来不浪费时间。格斯谈话从来没有废话。"当利维提问的时候，他期待的答案必须简短直接，并且有针对性。他最厌恶模棱两可和不确定性。曾有一位同事这样回答他的问题："我们或许（may）可以采取一些可能（may）有帮助的行动。"利维当即打断他说："May（可译为"5月"或"或许"）这个词代表的是4月和6月中间那个时段。它在高盛没有其他任何意思。"

"有些情况下，你可以促使格斯采取你建议的行动，只要你能想办法占用他尽量多的时间去讨论你提出的行动方案。"这是多蒂的评论，"（合伙人）沃尔特·布莱恩是个非常正统的人，他谈论起方案来总是长篇大论。有时候，格斯采取布莱恩提出的方案，并不是由于两人达成了一致，而是因为格斯认为为了形成一个决定而听布莱恩事无巨细地陈述半天实在是不值得。格斯的决策通常比他给出的理由要明智得多。他的直觉很准，而且思辨也很快。"合伙人雷·杨的评价是："格斯头脑灵活，对数字尤其敏感。他唯一的缺点是：他极少，甚至从没有对别人做得成功的事情提出过表扬。"有时候他可能很早或很晚给家人打去电话，也极少听到他和家人开个玩笑。

有些无须经过格斯作决定的事自然要交给别人去做。一位负责银行业务的合伙人说："如果他信任你的话，他会很明确地给你分工。但有时他也会全程参与到你的决策过程中来。"利维有着常人不及的决断力和判断力。一位与他同时期的合伙人注意到："他绝对算不上世界上最聪明的人，最多也就是华尔街的平庸之辈，但是当你和他认识之后就会觉得这是一个精明的家伙。人们并不会对他的聪明才智感到吃惊，但总是相信格斯是个可以成事的人。"利维兼具多项优点，他对什么事可干的直觉很准，对行动时机的把握不错，他也十分了解市场存在的风险，同时还有着挑战风险、完成任务的毅力。他通过不断谈判寻求全新的业务机会，同时瞄准优势地位。

"格斯与人沟通很有技巧，无论和公司内还是公司外的人面对面的谈话都很注意细节。"这是多蒂后来作出的评价，"他会在谈话中给我造成一种某某事已经由某某人作出决定的印象，潜台词就是他在此事上无能为力，他和公司都只能听之任之。好几回他都用这种方法把我给'打发'了。如果你拒绝接受他这种说辞，你很快就会惊奇地发现，你们继续谈的结果还是他的决策方案。"

利维能把别人"摆平"，但是他绝对不想让任何人把他摆平。这也是后来"两张包厢票"成为高盛历史上最危险的一句话的原因。故事是这样的，曾有一名不是十分具有竞争力的销售业务员（此人后来被裁员时还将公司告上了法庭，起诉公司存在年龄歧视）买到了1972年NBA总决赛尼克斯队对凯尔特人队比赛的两张包厢票——这可是当时篮球史上最受追捧的比赛之一。亨利·福特想去看这场比赛。他打电话问格斯·利维能不能弄到票。当时这位销售员是唯一一个还有两张票的人，所以利维问他能不能为了公司最重要的客户割爱一次。这名销售员当时就拒绝了，他说："格斯，我说出去的话就是我定的契约。我已经把票承诺给我的一位客户了。就算是亨利·福特和格斯您本人要这个票，我也不能撤销我对客户的承诺。"尽管十分不情愿，利维还是接受了这样的理由，因为他也是一个坚信承诺必须履行，对待客户必须真诚的人。但是随着观众们潮水般涌入麦迪逊花园广场，有人看到那名销售员在叫卖他的那两张票，都是"红色"包厢区的座位。他就站在台阶最上面叫卖。"嘿！两张包厢票！买我的票了啊！抓紧时间了！我有你最需要的票：两张红色包厢票！"对他而言最幸运的事就是他当时叫卖的话没有传到利维耳朵里。

利维几乎不会错过任何机会，并且能够处理诸多事务都是靠他有过人的自律性。每天的事务他都安排得井井有条，并密切监控着公司采取的任何一个措施。他常用一个法律文书标准页大小的黄纸本罗列出自己一天要做的事情，通常一行就是一件事。他每天早上5点半起床，在自己的脚踏车上运动一会儿，再作作祈祷，7点钟准时开始工作。他对照黄纸本逐个逐个地打电话。利维是位难得的执行者。孟山都公司（Monsanto）的CEO曾讲过一个这样的故事："格斯有可能一大早就给我打来电话，给我把许多股票的价钱都报一遍。这样的做法没有什么理由，然后他会说，'我只不过觉得你可能会感兴趣'，然后就挂了。"他日复一日地像这样打着电话，每天要打出去十多个。他总是一副令人愉快的态度，而且每通电话不会超过30秒。然后利维就会开始接到客户给他打来的回电，他总是亲自接听这些电话。而且在他的影响下，高盛的所有销售人员都是亲自接电话的。利维并不需要在他和客户之间隔上一位秘书。那样做只会造成客户与销售人员的"分离"，白白浪费宝贵的时间。高强度的工作对利维而言非常重要。

多蒂回忆说："如果他在某个周一给我打来电话安排业务，我会告诉他干这件事情需要多久，比如说我们需要三个星期，但是他绝对等不到三个星期。第二个星期一他肯定会打电话催问事情做完没有。我只得再次向他从头解释为什么一定要三个星期才能完成任务，也会提醒他我们之前已经就三个星期的时间达成了共识。但是我们之间的火药味肯定也会因此越来越浓，他一定会想方设法逼着我尽快做完事情，至少不能晚于之前同意的时间。"有一天傍晚，利维用他的车送一位竞争对手回家。这位商业对手注意到当时利维手头有不止一页的记事，每一行都记录着一位当天给他来电却没来得及回复的人或没处理的事情。当时天色已晚，这位乘客就说这些都是明天的麻烦事了。但是利维毫不迟疑地说："午夜之前一定给所有人回完电话。"

一位在伦敦供职的销售人员对利维的勤奋有切身的体会。"从欧洲飞抵纽约之后的头一夜我因为时差的关系早早就醒来，而且再也睡不着了，所以我决定不要浪费时间，还是早一点到办公室里去。我记得走进办公楼电梯的时候是早上7点差10分，正准备往上走时却发现另一个人跟了进来，正是格斯·利维。两周之后，我又出差到纽约，还是睡不着觉，这次也决定早点去办公室。当时是早上7点差一刻，我又遇上了格斯。在我看来，领导者起到的这种带头作用就是为整个公司订立标准的最好方式，也是让下面的人忠于企业的最重要原因。"利维雇用了两位非常有效率的秘书——伊内兹·索拉米和贝蒂·桑福德，他们日常工作繁忙而且总是7点准时上班。合伙人吉姆·戈特回忆说："格斯·利维是一位实干的人，总是7点之前就到办公室，工作得比狗还勤奋！格斯以自己对公司的奉献树立了一个榜样——他希望其他人都能效仿他的勤奋。"退休后的合伙人都一致认为，高盛那种既强调个人表现又看中团队协作的企业文化就是起源于格斯·利维。

"公司内部的工作作风是区分公司好坏的重要标准，"一位大宗交易的竞争对手说，"70年代大多数公司的上班时间是早上9点，很多公司也可能在8点半上班，只有一小部分会在8点就开始工作。唯独高盛，所有人都会在7点早早到岗，因为他们是真正想做事的人。这也使得他们有着不同于其他公司的自我认同感，他们认为自己就是与众不同。格斯的标准就是要确保在每天最早上班的人当中有自己的身影。"

就像利维自己说的那样，"我们精神百倍地上班。我们热衷于抢着做业务。我们从中获利，也从中获得乐趣。我们并不想剥夺任何人与家人共享天伦的生活，但是我们的工作确实需要员工投入整天整天的时间。我们想让高盛在每位员工心目中仅次于他的妻子和家庭，是紧随其后的第二位"。弗雷德·韦因茨回忆说："格斯在公司内部有令人敬畏的地位。他曾经有一次对自己的投入程度开玩笑说：'你只要塞给我把扫帚，我就乐意为公司扫地！'"

利维通常一晚上至少排两个晚宴，而且肯定有一个安排在"21"俱乐部。花旗银行的沃尔特·里斯顿说："每晚6点左右，总会有两个格斯·利维同时出现的场景，肯定都是身着燕尾服去参加曼哈顿的某个酒宴，而且两个身影都行色匆匆。"和许多他的华尔街前辈和后来者一样，利维总有很多要忙的地方。利维在政坛和慈善事业上也有不少成绩，同时兼任21家企业的董事。约翰·怀特黑德不无羡慕地说："（他任董事的公司的）CEO们无不称赞格斯·利维是他们见过的最好的外部董事。让一家公司的老板称赞你是一位好的外部董事很容易，但是要让所有你任职的公司都承认你是一位好董事却是一件几乎不可能的事。但人们都是这样称赞利维的。"除了商务圈之外，他还多方参与非营利组织的活动，尤其是在西奈山医院中，他担任了多年的CEO和执行院长。他当然也参加过无数筹措善款的活动和无数政治活动。他还兼任林肯中心的财务总监、现代艺术博物馆以及肯尼迪中心的理事、纽约及新泽西港务局的委员，还曾三次担任犹太联合组织（United Jewish Appeal）的财务主任。

在里茨集团朗万–查尔斯公司（Lanvin-Charles of the Ritz）的董事会任职时，他与其他董事们完全不在一条道上，而且与该公司那位世俗老练的CEO理查德·所罗门更是毫无共同点。他毫不掩饰自己不在所谓高雅之流。举例来说，当别的董事都端坐在同一张桌前时，利维独坐在角落里，一边关注董事们的讨论，一边在电话上跟一个又一个人通话。他言语粗鲁是出了名的，有时当着在座所有董事，他会冲着电话另一头的高盛员工高喊："那个杂种以为他能在我面前撒野。他有狗屁本事跟我们对着干，告诉他死远点儿。"

"格斯是一位领导者，但绝对不是一位管理者。"L·杰伊·特南鲍姆说，"格斯从不作计划。所有的事情都是当天处理，甚至在更短的时间内了结，有的时候就是一桩一件地处理业务。他只会在发生危机的时候才出手解救。格斯最憎恶的事情莫过于发现公司业务出现没有做到位的地方。我甚至到现在还能听到他非常不高兴地冲着我喊：'杰伊！我们在期权上没有业务了！我们在期权业务上落后了！'他就是希望我马上为公司在期权业务上开拓出一块领地，他逼我的话我还记得，'我付你工资是干吗的？'如果你发现格斯没有抱怨你的工作，没有表现出对你工作的不满，或者没有对你大吼大叫的话，那你就知足吧，说明他觉得你的工作干得还不错。他不是一位称职的老师，从来不对我们解释什么事该怎么做，更不说为什么要做。格斯只是知道，电话如果由他亲自打，交易由他亲自过问，获得的结果可能更好，甚至好得多，而一切的前提都是他自己亲自去做。"

"在交易业务方面，'亲历亲为'真的很重要。"一位对高盛羡慕不已的竞争对手说，"高盛人总是为他们的客户'时刻准备着'。他们深谙承受这些个人小损失背后的大智慧，而且他们确实作出了不少牺牲。但是这样的做法保证了他们在大单子出现时总能抓住机会，由此也就可以通过做大生意赚大钱。在等待大生意出现的过程中，他们不会不屑于在众多的小机会中寻找可以获利的业务，可能在大宗交易出现之前他们还正在做几千股的小业务。这就是当年从事大宗交易的公司的特点。"

利维对其他人施加压力，也给自己施加同样甚至更大压力，塑造了整个公司办事有效率、内部极为协作的特点，而且员工对外都显得很有竞争力，一次又一次地为公司带来额外的生意和额外的利润。罗杰·默里是一家大机构投资者TIAA-CREF的投资组合经理。在经过仔细研究之后，他决定在某年的12月末调整投资组合，而且他认为调整的最佳时机必须在年末之前。高盛的合伙人之一基尼·默西回忆起此事来脸上还带着微笑："罗杰从家里给我打来电话，当时已经是圣诞前夜了，他还在工作。他急切地说：'我们现在有一个大业务要做，而且现在就要做。其他公司都已经放圣诞节的假了，所以我只能请你们帮我完成一系列公用事业公司股票的大宗交易。'我们迅速查看了他们的投资组合，然后同意在收盘时帮他们完成交易。当窗外已经响起救世军的音乐时，罗杰同意了我们进行交易的请求，我们在纽约证券交易所当天收盘前一分钟内成交了占当天总量15%的交易。按照旧利率，我们一单就收取了42.5万美元的佣金。这就是'时刻准备着'的含义，哪怕在圣诞前夜也要作好接电话的准备。"

还有一次，纳瓦霍印第安人获得了联邦政府的巨额赔付，媒体在周四报道了该新闻。次周的周二，花旗银行的经理们就赶到了亚利桑那州，以为他们肯定是第一批和部落头人搭上线的人。当然后来他们的震惊也容易理解，因为他们听到的回答是："我们已经有一位金融顾问了，格斯·利维上周六就来过。现在格斯·利维才是我们的投资银行家。"

另一次在孟菲斯，为了帮助合伙人罗伊·朱克伯格开创公司的个人投资者业务，利维突然变成了一个地地道道的美国南方人。在和一群本地商人谈判时，他从态度和言语上都刻意把自己和纽约、美国北部以及北方佬的形象逐渐拉开距离，同时他还亲切自然地把孟菲斯和自己的老家新奥尔良扯上关系。后来当他们重估这次会面时，朱克伯格委婉地批评说，利维没有对客户直截了当地说明他们想做这单业务。利维当时心里想着别的事情，所以没有认真听朱克伯格到底是什么意思。但是几个月之后在洛杉矶的一次会议上，当着在场20多位商界领袖和富翁，利维一开口就甩出了一张鲁莽的牌："我们大老远从纽约来到洛杉矶为的就是抢你们的生意！"晚饭之后，格斯问道："我表现得怎么样？"但是朱克伯格这次又暗示他可能做得有点太过直白了。利维当时翻脸："罗伊，你得记住是你教我这么干的！"

利维为人称道的开拓业务的本领中一个重要的组成部分，就是他那张别人不可企及的人际关系网。乔治·多蒂是一位虔诚的天主教徒。他对教堂很舍得捐款，福特汉姆大学（Fordham University）差不多成了他一个人赞助的教会学校。利维问多蒂："乔治，你知道红衣主教是谁吗？"

"当然，格斯。主教姓斯佩尔曼。"

"但是，你认识他吗？你们交往过吗？"

"没有，格斯，这倒是从来没有过。"

"那你周三的时候和我一起来，我要和主教一起吃午饭。我给你们介绍一下，他肯定很乐意认识你。"

类似地，乔治·贝内特就是他在波士顿的主要联系人。贝内特是哈佛的财务总监，哈佛大学当时管理着全美最大规模的受赠教育基金。他还是道富研究及管理公司的董事合伙人，道富研究及管理公司是波士顿最大最好的机构客户。贝内特还兼任福特、惠普以及其他多家大企业的董事。每隔一年两年，利维就要到波士顿走访机构客户，道富研究及管理公司是其中一个主要的客户，贝内特又是一位强势人物，所以利维理所应当要去拜访他。他们一见面就互相拥抱——在他们的下属的眼里，这两人从来都不是会与人拥抱的类型——然后就走进贝内特的办公室，关上门，两人"严肃地"就政治、福特、哈佛、佛罗里达电力公司（Florida Power）以及相关的人物促膝长谈。

史蒂夫·凯当时只是一名30岁左右的以交易员为自己客户的销售人员。对他从商而言最有帮助的——道富研究及管理公司的内部人员都知道——就是他与该公司的董事合伙人贝内特有着不错的关系。"史蒂夫，进来，让乔治认识一下高盛最优秀、成长最快的年轻专家。"中间利维一直不停地和他们谈论着每个人都希望从他那儿获得的内部消息，大家对这类消息最为重视，而利维正好就是那种什么都知道的人。

之后不久，利维电话授意凯，与他平时的电话风格一样干练："我招呼贝内特的生意。你得马上去了解并结识史密斯这个人。"而这一句话也就是凯所需的全部信息，即使是道富研究及管理公司内部的人也是在一年之后才意识到：查尔斯·史密斯将成为乔治·贝内特在该公司的继任。这条来得很早的消息给凯留下了充足的时间去和平易近人的史密斯交朋友，史密斯其实对华尔街其他金融家对他的忽视耿耿于怀。凯抓住机会很快就和史密斯建立了牢固的关系——这比华尔街上其他人看到该公司内部权力交接的第一个线索已经早了太多，高盛自然而然成了道富研究及管理公司最重要的经纪人，高盛也从中获益颇丰，仅它一家就占据了15%的业务份额，而第二名仅得到10%还不到。其实其他公司也非常努力地在争取业务机会，但是相比之下，它们获得的利润少了很多。高盛与第二名之间的收入差约为100万美元。

随着管理企业养老基金业务的飞速发展，越来越多的华尔街公司都成立了"资产管理"部门来应对市场的需求。作为高盛在波士顿办公室的负责人，凯越来越感受到来自机构客户的强大压力，机构客户都不愿看到高盛插手这块肥得流油的业务。"不要和我们争，我们可是你们的客户——投资管理是我们的业务！"卢米斯-赛利斯公司（Loomis, Sayles & Company）对来自经纪商的竞争尤为在意，而且它有一条严格的规定：如果经纪商在这个业务上从它手里抢走一位既有客户，或者挖走任何一名员工，那么卢米斯-赛利斯公司绝对不再和这家经纪商开展任何业务。但是由于其老旧保守的风格，卢米斯-赛利斯公司的薪水并没有什么吸引力，所以它那些最好的年轻业务员还是不断地被挖走。当高盛从他们手上挖走第二个人时，迪克·霍洛韦代表卢米斯-赛利斯公司给史蒂夫·凯打来电话，告诉他这次他们公司的规定生效了，于是凯只得向利维汇报，说他们丢掉了一个大客户。"我想见一见他们的人"，利维只说了这么一句话，然后电话就挂断了。这让凯处在一个两难的境地：他当然不能拒绝利维，但是他又怎么才能说服卢米斯-赛利斯公司的人在高盛两次冒犯之后还愿意和他见面呢？

凯还是很尽职地给霍洛韦打电话，商量能不能安排一个短暂的会面。

霍洛韦惊叹道："格斯·利维要见我们？"然后他说这件事得上报公司CEO。之后不到一个小时，霍洛韦就打回电话："我们非常乐意和格斯·利维见面。不过，不用烦劳他到波士顿来，我们会去纽约见他。你看什么时候方便？"

卢米斯-赛利斯公司的客人和凯、利维以及高盛研究部主任鲍勃·丹福思在高盛的办公区共进午餐。利维显然一直在忙别的事情，在这次会面中基本没有发言。他的一位秘书伊内兹·索拉米进来告诉他："洛克菲勒州长希望把会面时间改在两点，地点也从波坎提科山（Pocantico Hills）改在罗斯福酒店，而且他指示您坐货梯上楼，以免被人看到。"（当时纽约市立医院正发生了罢工，洛克菲勒亲自参与了谈判，因为他担心一旦这家医院被迫关门将引发种族问题。）利维除此之外又接了两个电话——都是知名大企业的执行官打来的——然后才把精力集中在他面前的两位客人身上。"我知道我们的做法伤害了你们的利益，我对此深表歉意。我们当然愿意帮助你们。史蒂夫，看看我们现在能给我们的这些好客户帮点什么忙。我会亲自给福特的鲍勃·怀特打电话，把他们的养老金管理服务推荐给鲍勃——我听说吉米·林好像也需要类似的服务。"然后，他就以洛克菲勒州长的会面为由匆匆离开了。他或许都不知道他对面坐着的两位客户的名字，但是他只要知道怎么做生意就可以了。当他的客人们回到波士顿之后，卢米斯-赛利斯公司仍然把高盛列为自己最重要的经纪商。

由于每家共同基金都必须发布股权季报，所以只要成交了两三单大宗交易，就能看出谁在抛售。有一次出现了连续的大宗交易，身在波士顿的史蒂夫·凯知道是一只名为MFS的大型共同基金在卖出，而且该基金独占了所罗门兄弟的所有业务。伊内兹马上就打来电话："凯先生，利维先生想跟您说两句。"因为深知格斯·利维是从来不会打电话来说好话的，所以凯心平气和地等着电话另一头的声音，他明知利维只有一个目的：

大骂一通。"你今天已经错过三单大宗交易了。你们波士顿的这班家伙到底知不知道怎么对付客户？"

"格斯最喜欢做业务。"这是80年代主导公司机构销售业务的卢·埃森伯格对他的评价。利维真正熟悉他的名字之前，埃森伯格一直都被称为"从哈特福德来的小子"，这并非是由于其出生地或家乡在那儿——他是芝加哥人——而是由于他最早的机构客户都集中在这个区域。在哈特福德的客户群中锻炼了几年之后，埃森伯格建议利维和他一起去哈特福德拜访旅行者保险公司（Travelers Insurance Company）的财务总监兼主管财务的副总裁。

在去哈特福德的飞机上，利维和埃森伯格的语言交流极其简短，回程的飞机上也没有任何交流。差不多一周之后，利维接到旅行者公司的电话，他们说作为客户一方，他们认为会面进行得不错，利维可以放心地让埃森伯格作为他们首笔大宗交易的销售业务员了，这也是首笔按照谈判约定利率成交的业务。这一单大宗交易成交了25万股，佣金仅为7.5万美元。然而，按照高盛平日里赚钱的积极态度，公司可以直接为交易找到买家从而形成交叉交易（即同时控制交易的买卖双方），那样的话佣金会自然加倍到15万美元。利维当然希望促成交叉交易，把15万美元收入囊中。

只要一进入高盛的交易室，利维就全情投入业务当中。他的办公桌置于交易室的正中央，四周围有单面透视玻璃幕，他从里面可以清晰地观察交易室里的一切，发现随时发生的事件。他可以一边查看各单大业务一边会见来客——通常都是有内幕消息的客人，而且一个小时最多能见10个人——他甚至在这种情况下还能分出精力来打电话，而且通常是两三个人的电话一起应答。他的窗户上有可以滑动的格窗，他经常会拉下窗户对着外面的员工大声地布置任务。"我为什么这么干？因为这是我的动力所在，我真的不知道最根本的原因是什么。这是我的本职工作——发挥你最大的能力。这不是为了谋求晋升，因为我已经做到最高了。我只是争取以这样的状态活下去。"

有人曾质问他为什么他会获得一个为人强硬的名声，利维承认："每当我从一单业务中获得我想要的结果时，我想我肯定兴奋异常，也会禁不住就说一些言不由衷的话。当然我的良心未泯，我会很快给受伤害的人道歉——尽管，说句实话，那是我最讨厌去做的一件事。"利维对自己的评价是过于开放而不够严厉："我想高盛的人肯定都知道向我进言的大门永远是敞开的。我有我自己的想法，但我总是觉得这些想法缺乏有利的支撑，所以我总是愿意听听别人的理由。"

"格斯是个不可多得的人才，"约翰·温伯格说，"他有强大的能力同时处理多项艰巨的任务，而且把这些任务都完成好。"利维通常在下午3点半离开高盛的办公室，在4点至6点间主持西奈山医院的执行委员会工作，然后再带一位高盛的客户去吃饭，通常都在"21"俱乐部。利维相交相识的都是有影响力的人物，不论对方从事的是慈善事业、金融业务，还是政治事务。"格斯·利维和纳尔逊·洛克菲勒为纽约共和党内的两位巨头，他们会和（纽约证券交易所的场内交易员）邦尼·拉斯克在一间小屋内碰面，互相交换小道消息，有时可能是讲低俗笑话，有时是议论政坛逸事，而有的时候则是谈论有权有势的人物。"

利维慨叹说："我不得不承认自己是个不懂得拒绝别人的人。我一般不会回绝别人的请求，除非事情真的牵扯到我为人处世的基本原则。要想让我做出令人失望的业绩是不可能的。我情愿自己更强硬一些。温伯格先生曾说，如果我是一个女人的话，那我不知道会怀多少胎了。"利维不止一次向他的朋友们承诺，要给他们的孩子在高盛内部安排一个交易员或者与交易相关的职位，交易业务的主管雷·杨最后气愤地打电话向他抗议："格斯，交易部门招人是我的工作职责，这是我负责的部门。你要是再不停止往我喉咙里塞毒药，我马上辞职。"

利维表面上看起来非常强硬，但是一旦公司里任何人遇到真正的危机，他都愿意伸出援手。哪怕是公司员工的个人问题，他也绝不会说个"不"字。曾经有一次，一位已经为公司服务多年的老信使的女儿在前往以色列的途中随飞机被劫持，利维马上给这位信使打去电话，让他到交易室面谈。这个可怜的老人去之前心惊胆战。但是当他去了之后，利维只说了他对老人的女儿被劫持感到非常担心，并且承诺会尽力帮忙。当然，这种便宜话谁都会说。但是利维直接拿起电话，说了一句"给我接比尔·罗杰斯（Bill Rogers）"，当时威廉·罗杰斯（William Rogers）正担任国务卿。没过多久，他就和国务卿直接通上了话。利维在罗杰斯还在纽约担任律师的时候就认识他了，两人都对共和党的政务有着共同的兴趣，所以他直截了当地说明打电话的原因，然后说了一句"有新情况一定告诉我"就挂掉了电话。利维这通电话给那位老人以及公司里其他所有人都带来了可想而知的震撼。

利维是一位乐于学习、永不知足的人，他永远都在追求完美。"不用告诉我在哪些方面做得很好，我们在那些方面已经不会再有什么新的作为了。只要找出我们不足的地方，指出我们可以改进的地方，我们就会朝着这些方面去努力。"高盛就是在他这种理念的领导下越来越强，他的个人声望也逐步上升。

多蒂日后曾回忆道，"由于他对人，对数字，对行情都有惊人的记忆力，所以一旦出现状况他总能想起来给谁打电话求助，'我需要你在这件事情上帮帮我，而且这件事不会给你带来任何麻烦。'然后他把需要别人帮的忙仔细说明一番，最后他一定会得到他希望的结果。他年轻时曾在西部大荒野中闲游浪荡，时时算计着能干点什么小偷小摸的勾当，时时算计着怎么脱身。对西德尼而言，他有点过分'犹太化'。但是当他成为纽约证券交易所的主席，并且在全美国都有了一定的名声之后，不论我们在公司内发生多少口角，格斯都要致力于维护正常的流程和秩序。"

他的一位朋友塔比·伯纳姆曾说："格斯对于自己成为纽约证券交易所的第一位犹太人理事会主席十分自豪，他一生之中都十分珍视这个职位。但是，他并不是一位好主席，因为他总是不能明确区分为交易所所作的考虑和为他自己的公司所作的考虑。他总是把高盛的利益放在第一位。除了在这个最重要的董事会中的两年任期之外，他更重要的贡献是一手创建了纳斯达克全美交易系统。我知道这个事实，因为我参与了整个过程。1976年，证券交易委员会主席罗德·希尔斯（Rod Hills）给了我一个命令。当时我正担任证券业协会（Securities Industry Association）的主席。他的命令是：'塔比，我们需要给所有场外交易建立一套全国性的系统。你来负责这件事情，而且一定要快，不然证券交易委员会就要强制给你们制定一套系统。'

"'我们有多长时间准备这套系统？'

"'6个月。一般来讲，这么大的事情肯定需要更多的时间，但是这次你们就只有那么多时间。'

"'多谢了，伙计，真的多谢你了。'

"我一挂电话，立刻就给格斯打电话，因为他是最熟悉场外交易市场的人。他当时还在百慕大。'格斯，领导这个委员会的任务非你莫属，而且一定要弄出一套方案来。'而且我承诺给他招来任何他指定的人做助手。格斯领导的委员会当然开发出了一套系统，全国每个市场上的每位场外交易员，不论来自太平洋沿岸，芝加哥协会，还是其他任何市场，都必须通过同一台主机提交交易报价，而且按规定，交易双方都必须提供至少1 000股的最低保障量。这就是美国出现第一套全国性场外交易系统背后的故事，就是纳斯达克的历史，现在这个系统每天的成交量甚至超过了纽约证券交易所。"

利维特别欣赏强硬的人，如果是对手的话就尤为尊重，而他本人不论面对怎样的场合都能从容应对。有一个与纽约证券交易所相关的故事可以说明这一点，当时他已经是交易所内越来越有影响力的人物之一了。1970年，帝杰公司（Donaldson, Lufkin & Jenrette）的领导者丹·勒夫金以新会员的身份第一次与纽约证券交易所的董事会见面。会议就安排在那个专门为华尔街排头兵们专门设计的半圆剧场形的会议厅里。勒夫金随身携带了两个大箱子，箱子还用麻绳捆着，里面装的是刚从打印机上出来的材料。

其实在这之前的一天，勒夫金已经见过了他的朋友，日后成为纽约证券交易所主席的邦尼·拉斯克，并向他简要阐明了想要打破传统让帝杰公司上市的想法，还告诉他将会在第二天中午就把初期材料和"相关文件"提交给证券交易委员会。当董事会于下午3点半准时开始时，时任纽约证券交易所主席的罗伯特·哈克（Robert Haack）收到一条新闻，说帝杰公司刚刚宣布已经提交了上市申请。

拉斯克抓住这个机会向董事会宣布："我们今天有重大的新闻告知大家，这和我们所有人都息息相关——帝杰公司刚刚向证券交易委员会提交了上市申请。"勒夫金随即打开他带来的两个大箱子，找人帮他把里面装的初期材料分发给在座的人。他深呼吸了一下，以稳定自己的情绪，然后开始解释为什么希望把一家"新贵"企业，一家连15年历史都不到的公司推上市。可以想见，这样的做法震惊四座。董事们愤怒的情绪溢于言表。拉扎德公司（Lazard Freres）的费力克斯·罗哈廷（Felix Rohatyn）高声叫骂："你就是犹大！"他坚持纽约证券交易所目前唯一的选择就是将帝杰公司从会籍中除名。

那天晚上照例在布鲁克俱乐部举办了欢迎新理事、辞别老理事的晚宴。勒夫金明显受到众人排挤，独坐在吧台边喝闷酒。利维朝他走过来，他当时已经要离任。他说："我对你今天说的任何一句话都不同意，而且我也不喜欢你今天采取的行动。"

勒夫金马上反驳："我希望你很快就能用不同的视角来看问题……"

利维打断了他："我的话没说完。"然后他换了一种羡慕的口气说："但是我佩服你在发生了那件事情之后还敢来参加晚宴。"

"虽然格斯从骨子里是一个犹太人，但是他身上也有不少基督徒的美德，"乔治·多蒂说，"他乐善好施，让我明白了慈善事业的意义。他不仅捐出自己的金钱，还贡献大把时间。哪怕你请他为慈善晚宴的准备伸出援手，他也绝不会找借口推脱。他会马上打开他的日程本，如果有空余时段，他马上就给你安排上。格斯乐意为任何形式的慈善活动服务。这也是他能认识斯佩尔曼主教的原因：一位致力于天主教慈善事业的犹太人怎能不引人注目？"

"格斯·利维是第一个在筹资会上公开问'要多少钱'的人。"塔比·伯纳姆想起以前的事情时是这样解释其原因的。有一次，雷曼兄弟召集华尔街犹太人商业领袖集会——安德烈·梅耶（Andre Meyer）、乔·克林根斯坦（Joe Klingenstein）、鲍比·雷曼，以及其他多位曾经在二三十年代叱咤风云的人物在这批新兴的年轻人面前摆出了一个难题，他们要看看年轻一辈的犹太商人们怎样组织有一定规模的捐款。"我们肯定没有这些老一辈的钱多，所以格斯作为我们这一辈人的领袖决定要多方筹措，请社会上更多的人帮助我们，才有可能向更富有的老一辈领导者看齐。"

在下一次犹太慈善联合会的年度晚宴上，利维把住麦克风开始推行他那套全新的拉赞助的方法。不用带任何强加的语气或胁迫，他的方法是在众多客人面前直接点名道姓地指认他希望拉动的捐款人，然后在大家面前对此人、他的家庭以及他的公司在过去一年中所做的工作和善事大加赞赏一番——几乎把人家的家底都翻了一遍——然后开始总结："去年我记得你向慈善联合会捐赠了1 500美元，我们都想知道您今年又会认捐多少？"然后在几秒钟的沉默之后，那位被奉承了半天的人肯定碍于面子，只好说："我今年……捐2 000美元。"利维当然也会热烈地回应他："多好的礼物啊。我们很高兴看到捐款额的增长。真的十分感谢您。"

利维随后会把他的精力和观众的注意力转移到下一位捐款人身上。当然，他事前已经了解他的把戏的对象，而且知道他们有多大的捐款能力。他知道邀请这些人捐款的顺序，也知道如果要对付像查尔斯·雷夫森这样的人必须给他足够的奉承，而且他对认捐每个对象的时点都把握得很好。就那一晚上，格斯·利维筹措到了3倍于以前各年的善款。当然这种一开始就明确捐款人和捐款额的做法被沿用了下来，一直都发挥着很好的功效。现在这已经成为传统，但是一切都是格斯·利维开的头。

"格斯性格外向，喜欢热闹，而且非常慷慨。"彼得·萨瑟多蒂这样评论他，"曾有一年他向慈善联合会认捐了100万美元，在致辞时，他还说这没什么，比起他第一年在希伯来青年会住宿仅付1美元的胆大妄为实在是不足为奇。"除了捐出金钱之外，利维还付出了自己的时间。他每个工作日都为建设西奈山医院投入大量时间，在该医院的执行委员会作出了巨大的贡献，哪怕说这家医院是他一手打造的也不为过。医院后来为他颁发了终身成就奖。利维在麦克风前说了一番令人多年以来一直记忆犹新的话："我从没希望拿到这样一个奖。我觉得我也配不上它，但我永远会铭记这份荣誉。"

利维在个人生活上的繁忙程度丝毫不亚于他在高盛的工作强度，更不亚于他出席慈善活动的频繁程度。他的朋友伯纳姆回忆说："格斯和我从刚到纽约时就认识了。我们至少每天都要交谈一次，周末都要一起打高尔夫。有一个周五的晚上，格斯从加州给我打来电话：'夺命镰刀架在我头上了，塔

比。我心脏病又犯了。'

"'你看医生了吗，格斯？'

"'唉。我才不去看医生呢。我明天早上8点准时在开球台见面。提前告诉你，我可是红着眼来的。'

"第二天早上，不到8点，格斯就出现在了开球台。"

既往的成功经历和优秀的赢利能力使得格斯·利维被选任为董事合伙人。但是高盛内部的领导权威和实力是在一次又一次的挑战中不断积累起来的，就如同一头雄狮为了维护自己的雌狮而必须时时防御一样。格斯·利维懂得这个道理，但是他没有预料到，他遭受的最大挑战是突然从公司最成熟的业务——商业票据这项高盛已经从事了100多年的业务中出现的，高盛正是依托这项业务将自身塑造为市场最优秀的交易商。

7

收拾宾州中铁破产残局

如果没有商业票据业务的话，高盛可能根本没法在现有的经过西德尼·温伯格开发的企业客户之外寻找到新的客户。就连现有的企业客户也会质问："如果没有温伯格，我们凭什么还要继续和一家仅能提供单一品种短期融资工具的二流企业合作？"

20世纪70年代早期，企业债市场还没有兴起，国际债券即使偶尔有之也是少得可怜，例如GNMA之类由房产抵押和个人资产作保的债券也没有出现，高息债券、中期票据、浮动利率票据，以及现在人们熟悉的债券市场的众多其他内容都还没有出现。这个时期金融衍生品还未大量出现，电脑模型尚未把以上所有内容组织成一个庞大而复杂的统一债券资本市场，商业票据业务的重要性远远超出现在人们的想象。这是公司多年以来实力最强的基础业务，也是公司能够将业务范围扩大到货币市场工具，最终扩展到债券交易业务的基础。商业票据业务不仅仅是高盛开展时间最长的业务，也是其唯一一种处于业内领先水平的企业金融产品。日后约翰·怀特黑德在着力为高盛创造新的高赢利投资银行业务模式时，此项业务也发挥了重要的作用。

到了五六十年代，商业票据的运用越来越广泛。随着市场利率水平的不断提高，越来越多的企业在银行贷款之外纷纷选择发行商业票据来进行融资。就算对某种特定类型的企业来说，目前发行商业票据还不合时宜，但是为长远打算也值得先作考虑，所以就此事与高盛的业务员多作接触也变成了理所应当的事情。商业票据在另一方面也成为诸多有剩余资金的企业短期投资的一种重要方式。商业票据是一种相对而言周转期短、获益较高的投资品种，因为按照当时美联储制定的Q条例（Regulation Q），商业银行为了吸收长期存款而支付的利率是有限的；相比之下，商业票据的利率要高出很多。商业票据"特有的销售点"——无抵押短期借贷，比商业银行贷款利率更低，操作更灵活——使得这项业务魅力无穷。业务大门敞开之后，越来越多的公司纷至沓来，与高盛洽谈业务。没有商业票据这项业务，怀特黑德野心勃勃的投行业务扩张计划绝对无法成功，但是由于商业票据业务开展起来了，他就注定要成功，至少在当时看来这一点错不了。

对于格斯·利维而言，1970年早期的数据说明接下来将是非常不错的一年。他领导的机构大宗交易业务取得了巨大的成功，就算没有零售客户业务，高盛也在纽约证券交易所佣金榜上排行第三，而且赢利水平远远超过其他所有经纪商，在其四十五位合伙人总计5 000万美元的资本上有着40%的赢利。公司内部的信心稳步增长，对格斯·利维的领导水平毫不质疑，更不会对他给公司规划的发展方向提出任何疑问。

证券市场随时都在发生变化，变化就意味着新的机会诞生，对于强势的金融创新家们更是如此。那个年代业务机会遍地都是，当然风险也与之并存。利维的大部分时间都用于确保公司能够抓住每一单有利可图的生意。让每个人都保持对公司的奉献是保证公司不断进步的重要前提，也是对一家公司的领导者提出的巨大挑战，对于在西德尼·温伯格这样一位有控制力、有高效能的领导之后继任公司最高领导的利维而言更是如此。利维相信自己能成功迎接这个挑战，但是他也明白，领导者的工作要进行得有效，前提是他手下的员工都对公司有信心，有奉献精神。由于他所有的精力都投在了不断扩张公司业务上，他拿不出多余的精力来处理新生的麻烦。利维当然不会自找麻烦，但是麻烦会自己找上门来。

他被美国最大的铁路公司宾州中央铁路运输公司（Penn Central Transportation Company，简称宾州中铁）狠狠地打击了一次。

1970年6月21日，宾州中铁——当时全美位列第八位的大公司，同时也是规模最大的不动产持有者——根据《联邦破产法案》（Federal Bankruptcy

Act）第77章的规定申请破产重组。当天下午5点45分，美国地方法院法官
C·威廉·卡夫签署并批准了申请。这是当时美国历史上最大的破产案。

虽然宾州中铁的资产和账面价值仍然非常可观，但是其股价已经下跌至
10美元——比两年前最高位时的86.50美元一股的价格已经跌去了88%。4
月21日至5月8日，该公司到期的应付商业票据本息合计已经比其收入高出
4 130万美元。而就在4月22日，它刚刚公布了第一季度亏损6 270万美元的
数据（一年之前的一季度已经出现了1 280万美元的亏损）。至此，该公司累
计亏空7 710万美元。六个星期之后，随着宾州中铁的破产，其发行的商业
票据迅速贬值。由于高盛是宾州中铁商业票据的承销商，诸多高盛的客户也
因此蒙受了巨额损失。

宾州中铁是格斯·利维通过个人关系开发的客户，由其带来的潜在赔付
损失不仅超过以往任何一次失败，甚至远远超过了高盛自身的资产。

问题不止于此。接近300家由高盛担任承销商的商业票据发行人也遭遇
了投资者大规模的债券赎回浪潮，也就是说原本发行商业票据的企业现在不
得不向商业银行贷款以购回自己的债券。美联储也不得不采取迅速且大规模
的行动，来确保美国银行业体系能够保持足够的流动性。标准普尔将宾州中
铁的债券评级由BBB下调为Bb。根据标准普尔的评级说明，BBB级证券是
"稳定的优质投资和可能受很多不确定因素影响的不稳定投资的分界线"，而
Bb级证券"基本不具备可投资前景"。

可以预见，通过高盛购买了宾州中铁商业票据的客户可能都要通过法律
途径保护自己的权益了。最终共有40位投资者提出起诉，每家都提出了不同
的赔偿要求，总计高达8 700万美元。当时合伙人们所有的资金加在一起仅
有5 300万美元，高盛根本无力承担如此高额的赔偿。与宾州中铁相关的法
律义务可能吞噬公司所有的资金，甚至让公司背上债务。

一想到可能让合伙人的资金化为乌有，哪怕是损失其中的一大部分，都是
让人不寒而栗的事情。除了损失金钱之外，利维作为公司领导者的权威和能
力恐怕也要随之烟消云散。因为当年跟随西德尼·温伯格的一批合伙人早就
对利维开发的那些"不入流"的业务伙伴存有怨言，此时他们完全可以撤回

他们对利维的支持。

利维和公司里的一部分人总是认为，像宾州中铁这样一个庞然大物肯定总是能筹措到相当可观的资金，至少在紧要关头可以通过出售其庞大的不动产中的一部分来缓解危机，况且他们对宾州中铁的首席财务官戴维·贝文也相当信任。但是他们万万没有想到，贝文不仅对利维撒了谎，他还欺骗了自己公司里的所有人，以及他所有的朋友。自从通过合并成立了宾州中铁以来，这家公司已经经历了无数不幸的遭遇。但即使如此，贝文还是一直挣扎着为这家资产庞大但是却根本不赚钱的企业创造一定的资产流动性，也正是在这个过程中，贝文自认为他身负的"崇高的义务"使他可以为拯救企业不择手段，至少为了将公司庞大的不动产转化为流动资产可以采用一切必要的措施。贝文当时脑子已经一团糨糊了，一心只想着怎么能跟上公司发展的步伐。约翰·怀特黑德后来指出："戴维·贝文本来是个不错的人，但是由于宾州中铁的问题越来越严重，他终于黔驴技穷了。他已经不知道该采取怎样的措施，而他还是坚持要对得起公司和他的私人朋友们，因此就故意向这些人隐瞒了问题，其中被骗的就有格斯·利维。当然他这个做法是完全错了，但是，他这是典型的好心办坏事。"

贝文的摸爬滚打和错误决策导致了一系列重大失误。就在宣布破产前10天，宾州中铁任命了一位新的首席财务官，原因是贝文被提起了刑事诉讼。贝文曾利用自己的职权向一家他们的债券承销商下属的律师事务所施压，要求他们解雇一名律师，因为这名律师在为宾州中铁的一次债券发行工作中"对要求公司发布完整且未经修饰的数据不依不饶"。正是这位律师的坚持才促成了后来的审查，一查就揭露了多项违法行为：宾州中铁的管理层存在自利交易行为，母公司的过度开支被摊派到子公司头上，更不用说内幕交易的广泛存在。这些指控并非仅针对贝文个人。证券交易委员会的报告指控说，"整个董事会面对一次又一次明白无误的警告都没能采取任何有效的措施"。

贝文的个人失误可以说是宾州中铁全盘问题中一个特别显著的代表，宾州中铁的合并毫不夸张地说只是纸面文章。当初作为有史以来最大规模的合并案，纽约中铁（New York Central）和宾州铁路（Pennsylvania Railroad）合并成立了一家运输及不动产行业的巨头，共拥有全美境内20 530英里的铁路。但是作为两家已经明争暗斗了一个世纪的对手，"纽铁"和"宾铁"之间的争斗从来没有停止。言语不合，甚至恶劣的争吵，常常爆发在"绿顶"和"红顶"两个阵营之间——这两种颜色分别代表合并之前两家公司的货车车厢顶盖的颜色。更糟糕的是，公司的总裁（原宾铁的斯图尔特·桑德斯）和主席（原纽铁的埃尔弗雷德·珀尔曼）甚至在董事会上互相指责，并且在合并两年之后还在为公司主要职位的人选争斗不休。最后珀尔曼主动放弃了主席职务，这样才重新从AT&T下属的西部电气公司（Western Electric）聘任了一位新的主席。两家的合并非但没能提升公司运营的有效性，反而造成了无穷无尽的混乱：货车经常失踪，变轨站经常堵塞，每天都有20~80列火车因为没有车头牵引而晚点，公司的电脑系统和人一样无法互相兼容，客货运输的客人怨声载道。公司的运营亏损与日俱增，年终分红一降再降，股价一路下跌。

就在这样的危机当中，宾州中铁管理层却只对外宣布乐观的数字：按照美国州际商务委员会（Interstate Commerce Commission）的规定，货运价格将上升6%，将会带来约8 000万美元的额外收入；中转货运车厢的租金变化也将带来约1 600万美元的收入；由合并带来的成本节约约合3 400万美元，是之前测算的两倍；向合并投入的3 000万美元的运营成本也差不多到了该结算的时候；每年都亏损2 200万美元的康涅狄格客运线很快就会由州政府接管，政府将为现存的所有运营车辆支付1 100万美元的收购款，以后每年将支付400万美元的租金。除了以上这些，经理们都认为，如果宾州中铁有融资需求，它完全可以卖掉价值30亿美元的非铁路不动产中的一部分——大型的地产项目中就包含类似纽约麦迪逊和位于城市中心的公寓大楼等。

宾州中铁资产充裕但是没有现金。随着其内部运营的问题越来越多，其财务流动性更是迅速恶化。1968年夏天，宾州中铁公开宣布将发行一只房产抵押债券，这只债券将把合并之前两家公司约50只不同种类的债券全部整合在内。这次伞形发行计划总额肯定超过10亿美元，而且是以合并后铁路不动产及曼哈顿的诸多优质房地产作抵押的。宾州中铁同时还计划发行1亿美元的商业票据进行融资，作为大规模资产重组的资本。也就是这个时候，宾州中铁决定雇用高盛作为其商业票据发行的经销商。

但是，这些都是厄运到来的前兆。一位美国州际商务委员会的委员曾经提出过这些操作可能导致公司破产的警告。他说，"最让人泄气的事情就是公司的运营远远超出了其现有资金所能承受的范围，而且公司的财务赤字越来越大。如果宾州中铁进入破产清算程序，那么什么可怕的事情都会接踵而来。"其他人却对这种看法不以为然，他们嘲笑这种认为全国最大的铁路企业会破产的想法。"他们浑身上下没有一个地方不值钱，"这是当时一位联邦政府官员的说法，"唯一的问题就是看他们要多长时间才能把资产变现。他们可是全美境内最大的不动产控股公司。"

在一系列负面因素中，最致命的是：由于国防部采纳了议员赖特·帕特曼（Wright Patman）的意见，否决了为一项高达两亿美元的贷款提供保证（高盛早在2月的时候就从秘密途径得到了消息）。由于这个挫败，公司甚至无法以11.5%的利率推动一只总值1亿美元的债券在市场上流通。在这只未能成功发行的债券的初期项目说明书里，公司承认要大规模赎回其商业票据相当困难，而这些商业票据将在4月21日（也就是该公司宣布第一季度巨额运营亏损的前一天）至5月8日到期。公司孤注一掷，借贷了5 900万瑞士法郎——1年到期，借贷利率为10.1%，超出了市场平均水平。紧接着在1969年，公司共报亏5 630万美元，1970年仅第一季度又亏损6 270万美元。

合并之后，不论是维护铁路还是房地产都急需现金：1968年早些时候，宾州中铁每天运营所需的资金达到70万美元。两年之后，也就是1970年6月，宾州中铁终于破产了。

由于市场中存在这么多不确定因素——既有利好也有利空——证券承销商和评级机构对某只证券的评估应该建立在对该证券背后的企业的严格和长期的研究之上。但是，邓白氏公司（Dun & Bradstreet）下属的全国信用评级办公室（National Credit Office）的艾伦·罗杰斯作为一家主要商业本票业务评级机构的负责人并没有及时组织调查研究，没有发布自己独立的评估意见，而仅仅给高盛的合伙人杰克·沃格尔打了一个电话。这一天是1970年2月5日，罗杰斯只通过沃格尔了解了高盛目前对这家铁路公司的态度。沃格尔给他打了保票——虽然该公司收入令人失望，但是基于其庞大的资产规模，高盛仍然会继续为其销售商业票据。这样一句话就使得全国信用评级办公室保持了该证券的"最优"评级。但是沃格尔其实没有把事情的全貌讲清楚，高盛为了自保已经开始采取的措施更是只字未提。

在听说其一季度报亏的当天，高盛就要求向宾州中铁赎回高盛的价值约1 000万美元的本票。为了规避作为宾州中铁经销商持有过多其本票的风险，高盛将原本的发行方式调整为"美国国债式"发行。（这种发行方式使得高盛不会承担任何风险，因为它不再从宾州中铁手中购买本票，也不再存有宾州中铁2 000万美元的本票用于转卖。在新模式下，只有当有买方明确向高盛提出购买需求之后，高盛才会通知宾州中铁直接向客户出售本票。）高盛采取的这些自保措施从未见诸任何报告，当然也从未对全国信用评级办公室或高盛的任何客户提起。

作为行业巨头的宾州中铁的倒闭确实让人紧张。受到一家主要商业票据发行人倒闭的消息的影响，全国商业票据市场开始出现恐慌，市场需求急剧萎缩。经销商被迫赎回刚刚卖出的本票，最终约有30亿美元的本票被变现。7月的一周之内，美联储管辖下的各银行共以联邦基金的形式贷出17亿美元。利率还在一路攀升，市场流动性急剧恶化，因为全美境内的企业都在大规模向商业银行借贷以赎回自己的本票。美联储被迫直接干预市场，以确保银行业体系的流动性。

宾州中铁破产倒闭之后，关于其财务状况的消息可能对感兴趣的人而言还有可用之处，但是对真正投资商业票据的投资者们而言已经变得无关紧要了：他们已经在一项应该十分稳妥的投资上亏损了巨额资金。他们想要弄清的问题也很明确：高盛接下来会怎么做？高盛会代为偿付客户损失吗？高盛代销的其他300多家债券发行人是否也存在破产隐患？

随着宾州中铁的破产，其遗留的未付本票总额高达8 700万美元——现在全部成了烂账，高盛深刻体会到了公司面临的威胁。高盛最终会承担多大的损失呢？因为公司的资金都是合伙人的个人财富，损失不会由"企业法人"

承担，不论损失多少都会算到个人头上，合伙人们由此感受到的个人伤痛以及由此可能引发的公司内的分歧将不可小视。高盛能化解这些危机吗？

根据多年从事大宗交易的经验，利维知道尽快给受损客户作出赔付承诺是非常重要的，不管承诺的赔付额有多低，也不管客户会不会接受，只有这样做了才能保持市场对高盛的信心。利维派遣约翰·温伯格到东南部去面见客户并给出一个初步的赔付方案：每1美元的投资赔付50美分。这位温伯格是西德尼·温伯格的儿子，此时已经成为公司的合伙人15年了，他会为人处世，并且兼任管理委员会的委员，但是他的身份对当时的情形毫无助益。没有人愿意就赔偿一事谈判，而且每位投资者都怒火万丈。这次出访没有带来任何好的消息。之前所有的发债和由此造成的损失只能放到法庭上去解决。

1970年11月17日，四家机构投资者——由铁锚集团（Anchor Corporation）及其所辖的共同基金核心投资者（Fundamental Investors）牵头提出起诉。这家机构投资者在1969年11月28日至12月8日之间购买了价值2 000万美元的商业票据，每张票据面额500万美元，一共4张。它向高盛提出了高达2 300万美元的赔偿要求，其他三家投资者分别是艾奥瓦州得梅因市的杨克兄弟（Younker Brothers）、俄克拉何马城的C·R·安东尼公司（C. R. Anthony Company），以及葡萄汁制造商味奇食品公司（Welch's Foods）。这三家遭受的损失分别是50万美元、150万美元和100万美元。

原告们声称，高盛曾"为宾州中铁的美好前景作了郑重承诺，但是这些承诺都是没有任何事实依据来支撑的"，并且他们还作出了"完全虚假的陈述"。这几家公司提起诉讼，其实也有部分原因是出于对自身前景的担忧，他们害怕如果自己不起诉高盛的话，就会被自己的股东以不能保护股东利益为由告上法庭。原告们提出了多项控诉，其中有指控称高盛没有向投资者提供足够的数据以说明宾州中铁商业票据的质量，而其实上高盛是掌握相关情况的；再有，这只本票根本就"不值钱，至少比其标称的价格要低很多"，完全抵不上投资者为其投入的资金；另外，高盛没有尽职调查宾州中铁的财务状况，也没有进行定期评估，致使对该本票的实质没有形成准确的评估；当高盛与宾州中铁一起参与美国州际商务委员会为该公司发行商业票据而举行的听证会上，美国州际商务委员会明确表示"对宾州中铁严重依赖短期融资的行为深感担忧"，而高盛也没有引起重视；还有指控称高盛实际上就是宾州中铁"私底下的财务顾问"，或者就是"对宾州中铁负有重大责任，这些责任要求所尽的义务与高盛对所有原告应尽的义务完全相抵触"；最严重的指控是称高盛在销售宾州中铁本票的过程中出示了一系列伪造的事实欺骗投资者。在这些虚假陈述当中，最可恨的就是声称宾州中铁是一只应该获得"最优评级"的本票；高盛还声称"对宾州中铁的财务状况已经进行了全面的尽职调查并且履行定期复检的程序"；而且高盛曾承诺会"在原告提出请求时，赎回上述所指本票"。

在反驳这些指控的时候，高盛负责商业票据业务的合伙人罗伯特·G·威尔逊只不过是照本宣科地念了他们之前就准备好的稿子。威尔逊的声明中说："对高盛的这些指控纯粹是无稽之谈……在我们销售宾州中铁商业票据的整个过程中（从开始到该年5月中旬），我们对该公司的信用都十分有信心。公司的财务报表上表明，截至1969年12月31日，该公司账面盈余18亿美元……我们对该公司的偿债信心还有很多证据可以佐证，其中我们相信该公司可以筹措到的资金完全能够偿付其现有负债并且赎回将要到期的商业票据。"

核心投资者公司是此次诉讼中最大的索债人，约翰·海尔作为该公司的代表出面与高盛举行法庭外调解谈判。双方都明白作为市场中一家主要的共同基金和一家主要的证券销售商，其实双方可以搁置争议，以创新的思维模式开创更多的业务机会，海尔和利维本着这些理由达成了一项以525万美元现金，附加日后若有向其他投资者追加补偿时可以参与的凭证的调解方案，双方就该方案于1972年4月达成了一致。但是味奇食品公司中有合作权益的农户们在1970年遭遇了歉收，所以他们坚持追索100%的补偿。一同提起诉讼的另外两家中西部机构则坚持认为这是欺诈案件，所以就算从道义上讲也必须坚持追索全额赔偿。

如果所有投资者的损失都以票面价格的20%~25%进行赔偿的话，利维的公司将损失2 000万美元——虽然是沉重的一击，但是高盛却还能生存下去。

最终，一共有46起追索赔偿的诉讼。1972年5月，一共有8桩与宾州中铁商业票据相关的诉讼以票面价格的20%达成和解，这8桩的赔偿额总计1 330万美元，和解同时规定获得赔偿的投资者立刻撤诉。这些和解之外剩下了持有5 000万美元面值的商业票据的投资者还未能达成和解。与此同时，联邦政府也继续调查此案。一旦政府的调查结束，追索赔偿的民事案件肯定也要随之而来。当然这些追索也是高盛需要承担的责任。

证券交易委员会对宾州中铁倒闭案进行的职员调查在1972年8月结束。在之后公布的一份长达800页的调查报告中罗列了200多位证人的证言，代表着150家金融机构对此案的看法。证券交易委员会的报告说，截至1972年5月15日，高盛仍然在向其客户出售该铁路公司的商业票据，而当时高盛其实已经收到了关于宾州中铁的运营问题达到"严重"程度的警告，而且高盛也明知道宾州中铁已经在美国境内无法获得融资，已经孤注一掷地向外国贷款人借款作为最后的救命稻草。"在此期间，高盛已经获得了足够的信息可以使其对该商业票据产生质疑。其中许多非公开的信息……甚至对其客户都没有知会过。等到他们发出预警消息时已经来不及了。"报告还称高盛在之前就大幅度减持自己的宾州中铁商业票据储备，甚至到最后已经完全平仓，而且高盛在销售宾州中铁的商业票据的过程中遇到了很大的来自买方的销售阻力。

利维在向法庭作证时说，他在高盛的合伙人都向他一再地保证宾州中铁价值超过30亿美元的资产完全能在必要时为其筹措到足够清偿债务的资金。利维在证词中还说，他对宾州中铁的发展前景曾经是那么有信心，以至于他曾亲自通过一家信托公司为当时的美国驻英国大使沃尔特·安嫩伯格（Walter Annenberg）管理着价值高达900万美元的该公司股票。

证券交易委员会的报告还称，宾州中铁商业票据的销售很大程度上还得益于全国信用评级办公室对其给予的"最优"评级。全国信用评级办公室一直给予宾州中铁商业票据最优评级，也就是其对商业票据的最高评级，直到6月1日，而此时距离该公司宣布破产仅三周的时间了。6月1日，全国信用评级办公室"暂停"了对宾州中铁的评级，意思就是该公司目前所处的情况使得市场很难对其作出判断，而直接的理由是宾州中铁正在"重新安排其融资方式"。证券交易委员会职员报告还称这种最优的评级是在没有对宾州中铁的实际财务状况作出尽职调查的情况下给出的，当时所有的实际情况都不可能支持作出这样一个评级的决定。

根据证券交易委员会的报告，宾州中铁为了掩盖1968年及1969年由于合并而造成的岌岌可危的财务状况，曾人为杜撰了超过其实际收入的赢利数据。证券交易委员会提出的指控还有：宾州中铁的董事们曾批准在公司年亏损1.5亿美元并且需要大规模借贷才能保证公司资产流动性的情况下派发高达1亿美元的红利，为的只不过是在众多投资者面前描绘一副铁路投资有利可图的虚假画面。委员会的报告中还披露，为了宾州中铁及其母公司能够进一步"以不正常的增长额度预报赢利状况"，桑德斯和贝文没有把旗下控股子公司的消耗计算在宾州中铁的账上，这些公司中就有高原山谷铁路公司（Lehigh Valley Railroad Company）、纽约–纽黑文–哈特福德铁路公司（New York，New Haven & Hartford Railroad Company）以及公务航空公司（the Executive Aviation Corporation）等。宾州中铁这个庞大的综合体是只见钱出不见钱进，这就出现了为公司运营"掩盖真实情况的需要"，也使得公司内部的人极力搜寻新的会计方法，以期能提高宾州中铁赢利数据。

证券交易委员会的报告继续说："高盛已经掌握了确凿的负面消息，一些来自公开渠道，另一些来自非公开渠道，所有信息都表明这家运输公司的财务状况不断恶化。高盛没有将这些信息传达给投资该商业票据的客户们，而它自己也没有开展全面的尽职调查。如果高盛曾认真留意这些预警信号并且对该公司再次进行评估的话，它肯定能发现其实际情况比公开的状况要差很多。"

在为该报告撰写的前言中，证券交易委员会主席威廉·凯西（William Casey）把该公司的行为描述为"一次次精心编造，一步步老谋深算……为了伪造收入增长甚至加速增长的假象而设计的骗局，该公司频繁改变控股股权关系，不断抛售资产，并且极力回避可能使其不得不报告亏损状况的交易"。证券交易委员会报告中称，"这些操作策略都是桑德斯一手制定的，并且他亲自监督公司的最高管理层坚持执行这些策略"。

1974年5月，证券交易委员会在费城和纽约两地同时提起民事诉讼，指控斯图尔特·桑德斯于1968年和1969年谎报赢利状况并且瞒报亏损实情；指控戴维·贝文不如实说明公司运行情况，并通过内幕交易以50~68美元不等的价格出售了1.5万股股票，所得利润被用于其个人期权交易，共计约65万美元；贝文还从企业基金中非法挪用400万美元；公司雇用毕马威会计师事务所为其编造了虚假财务报告。

证券交易委员会对高盛提出严厉批评，指责其未向客户提供关于该铁路公司财务状况恶化的消息，因而已经触犯了法律。证券交易委员会责成高盛要避免在未来业务中再次触犯法律，与此同时，高盛虽然否认了一切指控，但还是接受了一份同意令①，其中规定公司在日后开展的商业票据业务中不得再作出任何有误导性的或欺骗性的陈述，而且同意为保护购买商业票据的客户利益专门制定一套额外的审查流程。

在证券交易委员会的同意令下达后刚过了几个小时，高盛和证券交易委员会的律师之间就发生了严重的争执，因为高盛接受同意令的行为表明其承认有罪，但是所犯罪责的类型却是值得争议的。高盛聘请的外部律师迈克尔·M·梅尼指出，接受同意令的行为虽然符合《证券法》（Securities Act）当中关于反欺诈的相关规定，但是公司所能接受的仅仅是因疏忽而未能及时向其自身及客户传达宾州中铁真实财务状况的失职责任。另一方面，证券交易委员会的律师则坚持要将高盛的责任根据《证券法》当中跨州诈骗交易的条款定性为欺诈。

高盛内部法律顾问小罗伯特·G·克莱克纳就此事发表了声明："接受证券交易委员会同意令的决定是我们作出的商业决策。我们并没有违反任何法律法规，并且坚信在销售宾州中铁商业票据的整个过程中我们都一直秉承高度的诚信和责任感。"然后，明显是为了转移公众对这些指控的注意力，

---

① 通常情况下，同意令是一种为了加速终结与联邦证券法相关的案件的审理而发布的行政命令。由于联邦法院在其中扮演一定的角色，所以被告必须遵守该命令，但是与法院判决不同，同意令的颁布不代表任何犯罪事实需要被证明或驳回。这种行政命令与无罪抗辩上诉的性质类似，但也不尽相同，因为在两种情况下都不需要明确定罪。颁布同意令的前提是被告一方提出庭外和解要求。

他在声明中加上了暗示性的陈述，说明高盛所作的交易完全符合行业规则。声明继续说："我们支持同意令中关于商业票据业务的所有原则性及实务性的规定。从我们多年的经验来看，商业票据业务总是要遵照这些规则来开展的。"

然而此后事情急转直下。原来由三家投资者提起的诉讼——也就是味奇食品公司，C·R·安东尼公司以及杨克兄弟等提起的诉讼，原本还有核心投资者的参与，但是前三家拒绝了庭外调解——已经在法院排队候审4年了，现在终于到了开庭的时候。

苏利文-克伦威尔专业从事证券诉讼业务的高级律师马文·施瓦茨设想将目前收到的所有针对高盛的指控合并为一个统一的案件，然后作为宾州中铁破产案的一部分在费城同时接受审理。但是原告方由丹尼尔·A·波拉克牵头的律师团坚持将与商业票据相关的诉讼作为独立的案件，所以最终的庭审还在纽约市进行。戴维·贝文、斯图尔特·桑德斯以及其他33位证人，其中包括格斯·利维都被传唤到庭。

随着审理的推进，高盛决定更换一位新的代理人。马文·施瓦茨随即卸任，苏利文-克伦威尔律师事务所的另一位合伙人小威廉·皮尔于1974年9月23日接手了这个案子。他刚为福特赢得了一场反垄断诉讼，当时高盛的案子审理已经进行到第三周。他提出了几个新的论点：一是高盛的客户都是精明的投资者，完全有能力为其自己作出的投资决策负责；二是公司所尽的职责最大限度上只能算是为本票的交易提供了一个平台，而无须尽到任何对该本票进行评估的义务；三是鉴于宾州中铁在社会上的知名度，投资者完全有自己的渠道了解关于这家公司的信息；四是高盛在交易的特定阶段曾向客户传递过必要的消息。格斯·利维曾对一名记者说："这些指控都是毫无根据的，任何证据都不可能证明对我们的指控是真实的。原告都是专业的机构投资者，他们对宾州中铁的了解绝对不比我们少，甚至会更多。"

原告的代理律师波拉克的策略则是把整个案件简单化，明晰化，这样才能使得六位陪审团成员及两位候补陪审——都是蓝领阶层——能够完全明白这个案件的实质，并且能由此达成最终裁定。苏利文-克伦威尔的律师对波拉克的轻视反而帮助了原告一方，他们认为此人还只是一个从不知名的律所出来的未经世故的年轻人，却忽视了此人实际上是一位不屈不挠的十分有能力的律师，而且他下定决心要利用这桩被媒体广为报道的案子做垫脚石，推动自己的事业再上一个台阶。波拉克采取的第一阶段策略就是在陪审团面前重申所有证言，让陪审团成员有足够的时间熟悉商业票据业务的专业术语，对该行业的贸易往来有足够的把握，而不至于在庭审过程中被吓倒。这一阶段就花了整整30天。

波拉克经常当庭向陪审团宣读长篇的证言笔录，特别是格斯·利维的笔录：

问："你是否知道高盛在销售宾州中铁商业票据期间曾获得关于宾州中铁的非公开信息？"

利维："我知道高盛在销售该商业票据，但是我不知道公司是否——是的，是的，答案是肯定的。"

问："你对这种情况采取任何处置措施了吗？"

利维："是问我处理非公开信息了吗？"

问："是。"

利维："我没有采取任何措施，因为我不知道威尔逊到底和大家都说过什么。"

问："你是否知道1970年2月5日，奥海伦曾知会威尔逊（两人都是高盛从事商业票据业务的负责人）宾州中铁可能无法筹措到1亿美元的准备金？"

利维："是的，我知道。"

问："这是否算做非公开信息？"

利维："我想算是吧。"

问："你是否要求过将当时的实际情况公开发布？"

利维："我没有。"

问："你是否知道1970年2月5日，威尔逊告诉奥海伦在未来高盛仅按照国债发售方式销售宾州中铁的本票，而且高盛自己不储备任何该本票？"

利维："这些备忘录里写了，我自然看到过。"

问："这算不算非公开信息？"

利维："我想算是吧。"

问："你是否要求过将当时的实际情况作公开发布？"

利维："我没有。"

问："你是否知道1970年2月5日，威尔逊要求宾州中铁从高盛的储备中回购1 000万美元的本票？"

利维："这些也是写在备忘录里，我想应该算是看过的。"

问："这算不算非公开信息？"

利维："这绝对是非公开的。"

问："你是否要求过将当时的实际情况公开发布？"

利维："我没有。"

问："你是否知道1970年2月5日，宾州中铁答应了从高盛的本票储备中回购1 000万美元的本票？"

利维："这些我知道，也是写在备忘里的。"

问："这算不算非公开信息？"

利维："我想是的。"

问："你是否要求过将当时的实际情况公开发布？"

利维："我没有。"

在审理过程中，有人指出高盛内部对商业票据的研究报告一直是分两种：绿账本（由通过绿色复写纸誊写而得名）是最终要发到投资者手中的，蓝账本是高盛内部密参。更糟糕的是，威尔逊曾在一本内部密参上清楚地手书了一条"铁证如山"的批示："我们坚决不储备宾州中铁的本票。"波拉克对陪审团解释说，公司可以简单地知会它的顾客："我们将要把自己储备的宾州中铁本票回置（即卖回给宾州中铁），所以如果你们也想脱手的话就跟我们说一声。"他让陪审团都明白了采取这样的措施是多么简单的事情。

在盘问过程中，波拉克迫使利维承认了高盛未将自己掌握的重要信息传达给投资者：

问："利维先生，我根据您今早所做的证言归纳，就是说你承认高盛曾拥有关于宾州中铁的非公开信息。是这样吗？"

利维："是的，先生。"

问："你在1969年及1970年间都知道高盛拥有关于宾州中铁的非公开信息，是吗？"

利维："是的。"

问："你并没有下令向商业票据业务的投资者们披露这些信息，是这样吗？"

利维："波拉克先生，我们公司的政策一向如此，我们不会把任何与发行人或者机构投资者相关的信息进行发布。"

波拉克："法官大人，我要求证人对问题回答'是'或者'不是'。"

法官："我认为你的问题要先更改措辞，将问题与本案的原告味奇食品公司、杨克兄弟以及C·R·安东尼公司紧密联系在一起。"

问："利维先生，你并没有命令任何人向本案的原告味奇食品公司、杨克兄弟以及C·R·安东尼公司透露关于宾州中铁的信息，是吗？"

利维："我没有，因为这不符合我们规定。"

波拉克："法官大人，我请求法院对'我没有'之后的回答视为无效回答。"

法官："同意。"

问："另外一个问题，利维先生，你是否在1968年、1969年、1970年三年间都未曾对宾州中铁的信用状况形成过个人意见？"

利维："确实，我主要听取威尔逊和他手下的信用调查员沃格尔的意见，但是在2月5日及6日，更多的是在6日，我跟进了解了信用备忘录，所以我形成了我的个人意见并且了解了很多。"

在另一次盘问中，约翰·温伯格作为公司负责商业票据业务的合伙人说，他曾收到多份绿账本和蓝账本的复本，但是他只是匆匆地扫了几眼，然后就顺手扔到办公室的废纸篓里了。作证时他还是一副理直气壮的样子，要是平时这会让人觉得他的话值得信任，但是这次却在陪审团面前起了反作用。他说："我把这些东西都扔了，我可是个垃圾大王。"波拉克在总结陈词中利用了他的原话，对陪审团对此案的看法产生了很大的影响。

波拉克在总结陈词中开始便强调"此事是对基本诚信原则的考验：对待客户就要像对待自己一样"。然后他利用温伯格大意失言泄露的公司高层对业务监管不利的证词继续发难："在监督和管理利润丰厚的商业票据业务的过程中，我们这位应该负起主要管理和监督职责的温伯格先生在哪里？让我们好好追究一下——用他自己的话说——'垃圾大王'藏到哪儿去了？"

他甚至为陪审团明确指出了达成最终裁决的方式："评断此案的方向很明确：高盛是否知情，以及知情之后是否披露？如果你最终裁定他们是知情的，而且裁定他们没有告知自己的客户，那么这些客户就应当获得全额的偿付。"

在最后冗长的裁决书上，法院裁定确实存在大量"客观数据可以引导任何理智的投资者"发现宾州中铁的本票"并非最优"。法庭对高盛所谓该本票是经邓白氏下属的全国信用评级办公室评级的争辩不予采纳："由一家商业评级机构的分支所作出的个人决定对任何投资者或者本法庭都没有任何约束力。"法官还指出，此案当中存在一些证据证明评级过程中存在恶性循环：因为全国信用评级办公室的评级是建立在高盛继续销售该本票的基础上的，而且高盛也曾保证过宾州中铁的不动产资产没有问题。

1974年10月，由三名男士和三名女士组成的陪审团在经过长达月余的庭审之后一致裁定，高盛知道或应该知道该铁路公司陷入了财务困境，而这些问题能将其拖垮，因此高盛应该承担赔偿原告300万美元的责任，这笔钱就是几位原告在1970年1~4月间向宾州中铁本票付出的投资额，此外还应该追偿近100万美元的利息。

为了给高盛失败的庭审策略作掩护，一位合伙人狡辩称："因为我们当初知道这位法官有反华尔街的倾向，所以我们才申请由陪审团裁定；因为苏利文-克伦威尔的律师向我们解释说《证券法》已经将商业票据排除在众多法律责任之外，所以严格来讲，商业票据不能算做一种证券。但是，这样细微的差别对陪审团而言实在太难分辨，所以高盛才输了官司。"

1975年3月，高盛与盖蒂石油公司（Getty Oil）就其起诉达成了一项140万美元的庭外和解协议。当初诉讼的请求是赔偿200万美元附加50万美元利息，而当时这家公司购买宾州中铁的商业票据才刚刚过了5个月。这项和解协议是以票面价格58%的价格附加利息达成的，差不多是之前任何由宾州中铁破产造成的协议赔偿的两倍。作出这样的决定完全是因为如果交由联邦法院裁定的话，就会与前次一样被判赔付100%本金并附加利息。至此，还剩下20起诉讼，总计约2 000万美元的赔偿要求待审。

1976年10月，高盛又输了另一场官司。纽约的联邦地区法院法官莫里斯·洛特判定高盛败诉，应偿付大学山基金会（University Hill Foundation）60万美元，该基金是专门为洛杉矶洛约拉大学（Loyola University）筹款而设的。

1975年12月，经过9天庭审之后，联邦地区法院法官查尔斯·M·梅兹纳判定高盛赔付50万美元，即富兰克林储蓄银行（Franklin Savings Bank）追索的全额。富兰克林储蓄银行的总裁于1970年3月16日向高盛提出购买请求，当时其提出要购买150万美元的本票，最终得到的是50万美元的宾州中铁本票和由另一家下属企业发行的100万美元商业票据，当时约定的到期日是1970年6月26日。法官判定高盛没有在富兰克林储蓄银行提出购买本票需求时，向其说明自己已经采取了自保措施。判定还说，虽然透漏这样的信息可能会有违高盛对宾州中铁的义务，但是高盛仍然负有不可推卸的责任。它应该要么公开信息，要么终止任何与其有关的交易，至少应该停止向投资者推荐该证券。

"我明白高盛十分不情愿背上扰乱整个国家经济秩序的罪名，"梅兹纳法官记述道，"除此之外，高盛和宾州中铁有着千丝万缕的联系，不论是业务联系也好，还是个人友情也好，它担心一旦宾州中铁倒闭，势必破坏这些关系。但也正是这些未能及时披露信息的行为……才是《证券法》中关于反欺诈的条款专门针对的犯罪行为。"法官还说，他相信"此次案件就是因为忽略了对必要信息的披露而未能做到诚信的典型案例。当高盛销售商业票据时，市场及投资者都认为它对这只商业票据的坚持态度就表明高盛对这家企业仍然具有较高信任度，由此对其商业票据仍然具有较高质量的默认。它未能向外披露的信息其实是相当关键的"。

1977年8月，另外一项判决——本来是对高盛有利的——被彻底地翻了过来。1976年6月，高盛曾赢得了一场由埃尔顿箱板公司（Alton Box Board Company）提起的诉讼，当时的联邦地区法院法官H·肯尼思·文格林认为原告并不是"诈骗案中唯一的受害人"，而是一家"精明的投资者"，因此驳回了其62.5万美元的诉讼请求。但是，联邦巡回上诉法院（Circuit Court of Appeals）推翻了之前的裁决，并责令高盛赔偿599 186美元附加6%的利息，原因是高盛拥有关键的非公开信息而且没有向埃尔顿公开。而就在向埃尔顿出售本票之前8天，高盛已经听说了宾州中铁第一季度可能大额亏损的消息。

格斯·利维的一位朋友I·W·伯纳姆对最后的结果总结说："宾州中铁真的狠狠地伤害了格斯，而且离伤及高盛仅仅一步之遥。"如果所有投资宾州中铁商业票据的投资者都通过法律手段追讨，并且都得到像味奇食品公司、杨克兄弟以及C·R·安东尼公司这样的判决，高盛需要承担的赔付责任会远远超过其自有资金。由于败诉造成的损失使高盛背负了极差的公众名声，对于高盛交易公司失败之后多年重塑起来的声誉来讲又是一次沉重的打击。再加上1973~1974年股票市场大跌，整个公司的经营仅能维持收支平衡。对于一家合伙制企业来说，仅能维持收支平衡的经营状况，外加巨额的现金赔付需求，都可能给公司带来巨大的不稳定因素，高盛的历史完全有可能就在这个时候偏离正常轨道。

但是这样全盘皆输的情形并没有出现。公司在之后多年之间共赔付了不到3 000万美元。

乔治·多蒂在一片黑暗中看到了一线曙光："经历这些案件还是有好处的。所有的合伙人终于能够团结一致，在公司生死存亡的紧要关头携手合作。没有人掀起内讧，也没有人故意找茬儿。虽然面临前所未有的挑战，但是公司也在挑战面前成长起来。另外还有一项不是特别明显的好处：经历宾州中铁一事的历练，高盛的行为风格不再如同华尔街其他公司一样傲慢，事实证明傲慢就是真正伤害这些金融公司的罪魁祸首。"

约翰·怀特黑德后来承认："宾州中铁真的伤害了我们，对高盛的名声危害甚深。毋庸置疑，我们加强了内控来预防此类事件再次发生，同时将信用评估和客户服务两个领域清晰地划分开来。"之后的10年间，高盛都遵照证券交易委员会的同意令开展自己的业务。

高盛持有的优先债权后来以零成本转化成了对宾州中铁的控股权。由于公司所有的合伙人都在70%的应纳税人范围内，高盛蒙受的损失大部分通过保险获得了赔付，因此被抵充。多年之后，当资本收益税降到较低的25%的水平时，该股票重新抬头并且最终得以出售，高盛才从这次失败中彻底解脱。格斯·利维简洁地总结道："我们可能在这件事上弄到最后还赚了一点钱，但是我可以保证，这并不是当初就有预谋的。"

丹尼尔·波拉克不仅是纽约那次诉讼中为原告方争得胜利的律师，还是福斯特-格兰特公司（Foster Grant Corporation）的一名董事。格斯·利维当时也兼任这家公司的董事。在结案之后，有人私底下告知波拉克，他此届任满之后不会获得连任提名了。

之后大约不到10年的时间，高盛与接手宾州中铁铁路运营的联邦政府组织建立了重要的商业联系。1981年，高盛首席铁路行业分析师迈克·阿美利诺在《联邦公报》（Federal Register）上公布了一份官方声明，说联合铁路公司（Consolidated Rail Corporation）可能会考虑上市。这项由政府机构向商业机构的大规模转型将涉及一系列复杂的交易，当然也会带来前所未有的赚钱机会——前提是一切进行得顺利——不论哪一家华尔街的企业作为主承销商都必定获益匪浅。除了宾州中铁商业票据的败笔之外，高盛并没有任何铁路行业融资的经验。阿美利诺认为，哪怕能在该公司上市之前争取到一个政府顾问的位置，高盛都有资历在日后的承销业务中争取份额。他撰写了一份内部备忘录，征询公司内是否有人可以帮忙。几天之后，他就收到了约翰·怀特黑德的回复，说他认识交通部部长德鲁·刘易斯，并且关系不错，他愿意为两人牵线搭桥。

高盛于1982年成了交通部的投资顾问，顾问组的成员有阿美利诺、唐·甘特和埃里克·多布金。后者曾说："赢得生意？那是肯定的。这是我一生的使命。我生来就是要赢的！"

1986年晚期，摩根士丹利试图通过国会立法改变交通部的做法，使自己也能成为联席管理人。但是交通部简单地通过了之前的动议，选派高盛带领其他6家投资银行以均分的份额完成了联合铁路集团85%的股份，约合16亿美元的股票承销。这是当年最大的一笔承销，佣金总额高达8 000万美元。

虽然遭受了宾州中铁案的巨大打击，但是格斯·利维很快就重整旗鼓。"格斯真的是个不可限量的人，我从没有见到过他能力用尽的时候，而且他总是在不断进步。"这是怀特黑德对他的评价。多蒂也同意这样的评价："格斯不断地在改变自己，也由此取得不断的进步。经历大案之后，他还是在不断地成长。他的判断力也跟着成长，当然他办事的效率更是不在话下。"

8

销售渐入佳境

======

20世纪60年代，高盛开始在其最具有竞争力的业务领域崭露头角。换句话说，它在各类证券销售业务中的高效性开始逐渐超越同行业的其他公司。但是在成为公司的优势业务之前，证券销售其实是一个最薄弱的环节。

虽然一直是纽约证券交易所的成员之一，但是在三四十年代，高盛从来没有一支强大的销售队伍。当时从事销售的人员只有五六位上了年纪的快要退休的人——在大萧条时期以及战争时期这些人都懒得换一个好点的工作——他们所能做的就是接一接市场内现有的订单，打发退休前的时间。鲍勃·门舍尔回忆说："当时机构投资者的交易并不活跃，只有一小队上了年纪的人在招呼着他们的生意，这些人虽然什么都得卖——包括股票、普通债券、可转债券以及地方债券等——但是他们推销的方法却没有什么有效性可言。"当时这个被称为证券零售的部门（后来更名为证券销售，再后来称为股票销售部）使得高盛的弱点暴露无遗，但这也为日后公司的发展提供了空间。合伙人欧内斯特·洛夫曼自嘲地说："我们在排名上如此落后，如果要在这方面作出变革，必须全力奋进。"

当时华尔街多数公司内部经营决策层的人不外乎几种构成，一种是"家族"成员，一种是"管钱"的人，再就是重要客户的后代。不论哪种情况，这些人都会围绕着自己的圈子形成一个特定的办公氛围，而且对任何新兴的变革都抵触。对于那些本来就没有什么积淀并且乐于进取的公司来说，哪怕再小的变革也预示着令人感兴趣的业务机会。作为所谓的圈外人，高盛就算承担起作为异类的风险也不会有什么特别大的损失。

因此在50年代，当雷·杨着手组建一支销售团队以应对高速增长的"机构"投资者业务时，这位在高盛内部被广泛认可的带头人没有遇到任何阻力。与此形成鲜明对比的是，很多其他经纪商雇用的零售业务员在面临变革的时期遭遇了公司内部阻力而止步不前，其实无非就是公司内部的利益集团为了维护自己的利益而争斗不休，而且这些内部的明争暗斗在一个时期内还远看不到平息的迹象。

根据传统，从经纪业务零售客户身上发掘的业务机会肯定不是由经纪商掌控的，更不会是经纪商"自有"的。每位经纪人都拼命地维护着由其开发、获利并带到他供职的公司来的客户的户头。每位经纪人从他开发的客户身上赚得的佣金都要与公司分账。具体到选择怎样的公司，就要看经纪人的判断了。判断的标准包括公司所提供的业务空间、数据统计、代管服务、综合运营以及档案记录等服务的质量，当然最重要的是看公司方面想以怎样的比例分账。当时的情况就是这样，不是公司选择经纪人，而是经纪人挑选公司。如果在目前供职的公司得不到理想的分账比例，经纪人就可以随时跳槽到满足他要求的公司去——当然也就会带走他开发的所有客户。

在已经具备相当规模的销售团队的公司里，一位"好的生产者"只会全心全意地为传统零售客户服务，其中包括医生、律师、企业主以及因继承遗产而暴富的人。这些公司的经纪人可能会有接触机构投资者的机会，也就是接触银行、保险公司或者其他类型的投资公司的机会。有这些机会的前提，是这位经纪人与这些机构中的某一位决策者有私人交情。即使在这样的情况下，机构投资者的户头是经纪人不可能随身带走的，而且当年的机构投资者也只希望从经纪人那里得到一些程式化的服务，没有什么特殊的要求。经纪人会明白一个道理：以个人之力是无法扩大机构投资者的交易量的。传统意义上的经纪人在为某家证券公司照顾机构投资者的过程中，并不会刻意追求扩大该机构投资者的交易量，以单个经纪人的身份和能力所能保证的，就是不要在过程中出任何失误。但是时代总是进步的。

　　机构投资者不仅规模越来越大，交易行为也越来越活跃，当然，由他们带来的佣金收入也越来越可观。也正是由于支付的佣金越来越多，机构也要求经纪人提供更加优质的服务，特别是要求经纪人能够为其提供对宏观经济、主要行业以及特定公司的研究服务。传统的个体经纪人无论是从研究能力上讲，还是从其所能提供的服务强度上讲，都已经无法和新出现的机构经纪人相竞争了。

　　市场激烈的竞争使以传统方式开展经纪业务的公司切实感受到了为参与新形势下的竞争而进行重组的必要性。但是，零售业务经纪人仍然会尽一切努力稳固自己的机构客户，就算他的这几个客户完全没有达到利润最大化也必须牢牢抓在手上，因为他们带来的生意哪怕是一小块也是很诱人的：经纪人能从公司获得的毛利润中获得30%~40%的分成。在市场发生变化之后的20年，还有一些主要的零售业务公司在为这些机构客户发生内讧。最后为这些利益争斗所作出的解决方案无一不是勉强地妥协，基本上都是为了能够在短时期内稳定公司的权力制衡机制而作出的决定，明显不为公司长期的业务生存能力而考虑。

　　高盛内部基本没有发生任何因某人"拥有"特定的机构客户而引发的内讧，因为公司内部的零售业务员基本没有被指定专门为某个客户服务。公司可以不受限制地按照雷·杨的思路来组织其机构销售业务，杨也借助这个机会充分发挥了他在这方面的创新才能。他要求公司内所有与机构相关的业务部门都向他汇报，包括研究部、研究销售部（即向机构推销高盛研究报告的部门）以及销售交易部（该部门的业务员通过与其他机构交易者建立联系而获得管理这些机构的订单的业务）。[①]约翰·温伯格赞叹地说："雷真的把我们都调动起来了。他既是一位招聘专家，也是一位培训高手。"除了格斯·利维（经常悄悄把朋友的孩子们安插到销售部门）之外，没有人敢挑战杨在人员任用方面的权威。杨在公司里一直就有态度强硬、为人耿直的声誉，而且在管理委员会这样一个最有权威的组织中也是如此。不论谁挑起争论，销售

---

① 1960年，整个公司有550名员工，销售业务员占74名，这部分人中有36人已经年过半百。

部门的人总是接受杨的最终判断。事实上，他们不得不接受他的裁决。杨一般情况下会说："我听到你的意见了，但是现在，你给我听好我们下一步该干什么。"如果某位参会人员的面部表情告诉他这个决定并没有被完全采纳，他会补充说："你们应该把及时并全盘接受我的决定看做自己能在这里继续供职的决定性条件。就这样。"

鲍勃·门舍尔的兄弟迪克也是公司的合伙人之一，据他回忆："雷·杨知道作为一家服务行业的公司，客户就是上帝。他总会提醒我们把客户放在第一位，因为从长远来看，不论对公司还是个人，这都是有利无害。雷很受人爱戴。他为人谨慎公平，在股票销售交易部门不偏向任何人。他在公司的管理委员会中是销售部门最强势的，也是最为人信任的代表，格斯和L·杰伊都对他非常尊重，大家都知道这一点。"

合伙人卢·埃森伯格回忆说："雷最关心的就是员工的正直和对客户的服务质量。他有一次揪着一个销售受训人员的衣领，把人拖到我办公桌前质问我：'这是你带的人吗？'我说是的，他就丢下一句话，'给你一个小时的时间决定他是去是留'，然后甩手就走了。原来这名培训生刚刚得到了联合化学公司（Allied Chemical）的一个不错的订单，他就禁不住在电梯里向另一名受训人员炫耀自己的成果。雷对员工都有令行禁止的规定，其中第一条就是不能对任何人在任何场合谈论自己的客户及客户的生意。半小时之后，我和这名受训人员也谈得差不多了，我告诉雷我决定留用这名受训人员。雷把我们两人都叫到楼下，粗暴地问那名受训人员：'明白做错什么了吗？'他的回答也让我们知道他确实明白自己错在了哪里：'先生，我知道从此之后不再乱讲话了。'这对雷来说还可以接受，但是仅此一次，下不为例。"

曾有一次，杨打电话给他手下一名销售人员埃里克·多布金，问："你今天中午约客户吃饭了吗？"

"没有，我自己吃。"

"跟我去吃吧，我在城里。"而就是通过这顿午饭，多布金得知自己被派到了芝加哥，一去就是整整6年。6年之后，杨再次给多布金打电话，问他有没有时间共进午餐。"因为我当时还在芝加哥，所以我想怎么也不会是今天的午餐，"多布金回忆道，"所以我问了一句，'明天怎么样？'于是我第二天搭飞机赶到纽约和雷、理查德·门舍尔以及吉姆·蒂蒙斯见了面，因为当时吉姆正在从事一项受证券法规144条限制的股票业务，但是他又要离开公司了。所以，他们想让我接吉姆的工作。我唯一想知道的就是我能不能接他的手做合伙人。他们给我的唯一答复是'那个位子已经有人坐了'，而我知道这么一点也就够了。"

杨很有决断力，这是所有的销售人员都十分欣赏的性格。他一手创建了一支有力的销售队伍，一方面是因为他对销售业务的熟悉，另一方面也是因为所有人都明白他任用人员的标准，即以员工对公司的忠诚度为标准，一切上上下下的调动都只有这一个标准。合伙人吉姆·考兹曾回忆起一个小插曲："我有一次想要炒一个销售员的鱿鱼，雷问我，'你自己被人炒过吗？'我说没有，雷又接着说，'我想你也没被人炒过。你总得记住这么一点，一个人只要被开除过一次，他永远都忘不了，一辈子都会耿耿于怀。'这些方面都体现出雷对销售人员心理的熟悉，也体现出他对销售业务管理的轻车熟路，当然也使得他能够成功地为公司的销售业务招揽来众多的MBA。"

创建高效的销售队伍不仅是高盛为了更贴近客户而采取的一个战略措施，也是为了向客户说明高盛积极的业务态度，更是一个向客户展示高盛业务能力的绝佳渠道。鲍勃·门舍尔对此事的说法是："如果我们能找到入手的地方，有一只脚已经迈进门里的话，我们就有机会向客户展示我们其实是正经生意人，和我们做生意不仅会很愉快，而且能获得业内最专业的服务。我们真的是与客户同生共长，这些客户包括多样化投资者服务公司（IDS）、富达投资（Fidelity）、资本研究公司（Capital Research）、德赖弗斯（Dreyfus）、摩根银行以及哈特福德的一些保险公司。我们一次又一次地提出，'给我们一次机会。别的公司没有一家能做你们的业务，但是我们相信我们公司可以。如果你手头有任何无法成交的大宗交易，我们非常愿意为您展示一下我们的能力。'很多与交易相关的线索需要靠人们一条一条地去寻找，最终串成一个整体之后才能很好地把事情做成。高盛当年没有几个分支机构，但是我们孜孜不倦地寻找着业务机会。我们把一群热情高涨的年轻人集合在一起，这是一群真正热爱证券业务，喜欢销售及交易，并且希望自己能最终成为专业人士的年轻人。我们手下的这群人不怕显得与众不同，而且他们排挤这个圈内'老'人的方式就是保证能在一年或两年之内达到甚至超过这些'老人'以前的业务总量。从此之后，我们的注意力才真正转移到塑造一个真正的交易业务模块上来，而整个过程中我们都知道必须显得与众不同才能取得成功。"

哈罗德·纽曼是一位绩效突出的优秀销售员，他补充说："在60年代的时候被招聘到当时称为证券销售业务线上的人员是一群与人们传统观念中的经纪人不一样的人。我们当时就被看做是一群有高标准的人，我们专注于业务创新，而且我们敢于实话实说。"

高盛最为成功之处，就在于其强大的销售团队有着良好的合作精神。对塑造这种良好文化有着重大贡献的一系列措施最早起始于1963年的一次拉斯韦加斯之旅。多年以来，同样是从事逐步走向成熟的证券销售业务的几位朋友会每年定期去两次拉斯韦加斯——3月带着家眷去度假，10月则是自己去开拓业务机会。这个小团体通常都会包括杨以及另外两名销售员哈罗德·纽曼和戴维·沃克曼。出于销售员的工作性质，纽曼建议杨让他们以团队的形式开展工作——办公室无论何时都要留一人接听客户的电话，另外一人则在外面争取新的业务机会——然后两人以合伙人的身份平分赚得的佣金。"戴维不喜欢守电话，但是我并不介意，"纽曼说，"但是我希望轮到我出去跑业务的时候总能有个人帮我接听我的客户打来的电话。所以我们提出的建议是，只要有一个人上街去跑业务了，另一个人就必须留在办公室里接电话。"

理查德·门舍尔知道，这样的安排会引发很多潜在的问题，他对此提议持完全反对的态度。"利益冲突肯定会很明显，你们不可能试行成功的。由于细枝末节的差异而引发的争议会毁掉你们的全盘生意。"但是杨就是有过人的胆识来尝试这种新模式。这项提议当然也符合格斯·利维关于既注重个人表现，也要注重团队合作的论述。试行下来，这种模式运作得相当好，因此更多销售人员以成对的方式加入进来，然后推行的范围越来越大，参与"合伙"的人数也迅速增加。

在此之前，每个销售员都是单打独斗，工作的方式都是"自己能逮到啥就吃啥"，公司只提供部分补助。鲍勃·门舍尔制定了一套新的团队合作激励机制，专门奖励在机构销售业务中有突出表现的人。首先，门舍尔征得公司董事会的同意，销售业务部门从公司获得的总佣金中提取15%作为应发奖金。然后，他说服每个组的成员同意将机构佣金汇总到一个奖金池当中，以年为单位计算，到年末时每位销售人员都能按照比例从奖金池中获得奖金，这个比例则由门舍尔根据市场状况每年进行调整。因为他明白很难在年初就预测到谁是本年度最佳销售员，所以门舍尔事前截留了奖金池中1/3的资金，然后在年终确定了谁为销售业务作出了最大贡献之后，以他的行政权力从1/3的资金中再提取奖金。后来，参与这种奖励机制中的销售人员约有40多名。随着这种新颖的奖励办法的推行，"每个人都把注意力集中在了一件事情上：怎样使公司的总佣金收入最大化"。鲍勃·门舍尔评价自己这套体系时说："我们所有人都能看到每一张票据的流转，因为销售人员和交易人员面对面坐在一起工作。对于真正有团队精神的销售人员来说，这样的机制其实为他们提供了不可限量的业务机会。"

鲍勃·门舍尔通过集合佣金的方式打造了一支机构销售业务的劲旅，与此同时，他的兄弟理查德·门舍尔把精力全部放到了组建高净值市场销售队伍的工作上。合伙人李·库珀曼（Lee Cooperman）回忆说："迪克·门舍尔（Dick Menschel）的构想是要在销售业务上有所专长。"门舍尔认为在竞争对手能够为特定的买方客户提供专人服务时，高盛也应该能够为专业的买方客户提供与研究、交易、可转债或优先股相关的专人服务。研究报告的销售与销售交易业务是相互分离的，上市证券的销售业务与场外交易的销售业务也是分离的。但是一旦出现五六名销售人员同时服务一位大客户时，他们赚得的佣金都会自愿放到奖金池里，然后按照事前约定的百分比分账。

以合伙人的身份集合佣金的做法逐渐成为高盛特立独行的一种制度。另外一个重要的制度就是，高盛销售人员获得的奖金数额本身就比其他公司高。他们坚信自己是与众不同的人，对自己的努力工作十分自豪，而且他们也明白自己比竞争对手工作的时间都要长，工作的强度比别人都要大。

埃森伯格回忆说，"我们的员工流动率很低"，在当时其他公司的员工流动率普遍超过20%的情况下，高盛仅维持了5%的员工流动率。"有人甚至称我们的员工流动率低得过分。"但是客户们从未对此提出过抱怨。他们喜欢与一群积极向上、有职业素养的销售人员保持长期合作，特别是当这些销售人员总能发掘新的方式来帮助自己时就更愿意依赖他们。当高盛的销售人员与客户间的关系已经成型，并且对双方来讲都能产生良好效益的时候，它的竞争者们在这个领域只能说是刚刚起步，或者也只是处于客户关系的"培养阶段"。高盛与竞争对手之间的差距已经拉开了。在当时，高盛已经成为众多机构投资者最信任的经纪商，这些客户中包括几乎当时所有规模大、活跃度高的机构。

"我们特别注重招聘头脑灵活的人，同时也看中一个人是否真的愿意成为一个团队的一员。"迪克·门舍尔说，"我们进行面试时都谈得非常彻底，一个人要想加入我们的团队要经过多次面试。既然我们都知道被接纳是多么困难，我们对每一个通过层层筛选的新员工都倍加尊敬。一个人要是能成功地通过所有面试，那么我们就能确定此人肯定属于高盛。我们都有着相同的非凡的耐久力。团队精神是最重要的因素。我们永远要互相扶持，我们必须像家人一样相亲相爱。我们拥有同样的对业务机会的追求，并从业务中获得无尽的快乐。"

门舍尔雇用销售人员的过程是很细致的。他的筛选标准一贯不变：候选人必须既有良好的形象，脑子也要好使。如果一名候选人能通过第一轮面试，那么下一次的判断标准就会集中在一个至关重要的因素上：这个人对业务的追求到底有多狂热，他要做到什么程度才会感到满足？拥有家庭经济背景在60年代仍然是华尔街主要大公司选人的首要标准，但这在高盛没有任何意义，甚至只会被看做影响候选者的负面因素。门舍尔只想招聘有潜在动力的人，因为这样的人选才能成为受他严格控制的销售团队的一员。

1968年，纽约证券交易所全天的成交量如果能达到1 000万股，就可以称得上是很好的交易量了，如果出现1万或2万股的交叉大宗交易，那肯定会成为当天人们热议的事。但是埃森伯格在这一年的某个交易日接到一位机构交易员的电话，交易员听上去非常兴奋，因为他供职的一家位于哈特福德的大型机构下了一个超大型的单子：要卖掉5万股美国氰胺（American Cyanamid）的股票！

埃森伯格、鲍勃·慕钦、雷·杨和格斯·利维迅速碰头，并且决定把该笔交易定价在比市场低半个百分点的水平。他们提交了竞价，而那位机构交易者明显对这样的定价很满意，直接回复说："出票吧。"等到报价机的纸带打印出交易价时，埃森伯格为自己的这次胜利感到前所未有的满足。没过几分钟，格斯·利维走过来轻轻地，很认可地拍了拍埃森伯格的后背。雷·杨决定请这位新诞生的英雄共进午餐，这也是难得一见的庆祝方式。

所有一切当时看来都让人满意，但是好事没能持续多久。

午餐之后，埃森伯格回到自己的办公室，见到桌上粘了20张纸条——都是那位机构交易员发来的消息。埃森伯格给他回电。那位交易员急切地说："你可能完全不能相信这样的事情会发生，我也肯定我这次要被炒鱿鱼了。那个单子被我完全搞混了，那不是要求卖出的单子，他们给我的指令是买入。如果你觉得这还不够糟的话，那继续听下面的事情：我多加了一个零。单子上写的是5 000股，不是5万股！"

埃森伯格直接从自己的座位上滑落到地上，哑口无言。他必须立刻向利维报告。但是又能报告什么呢？他一边向利维的座位走一边寻思，他知道只能实话实说。"格斯，出大问题了。那单大宗交易出现错误了。"

"谁犯的错？"

"对方机构的交易员。单子没有一个地方是对的。"

而这个时点上，该股票的市场价格已经攀升了1个点还多，也就是说股价涨了7.5万美元了。

"你对这个人的了解如何？他是傻子还是骗子？"

"格斯，我认为这个家伙就是粗心大意犯了一个不可原谅的大错——没有其他猫腻，但是确实是大错特错。"

"那好。我们就干脆把这个家伙变成我们的大客户。我们来承担这个错误，我们来承担所有可能的损失。"

埃森伯格自然觉得自己的饭碗没了，他正在想晚上回去怎么跟妻子交代。但是他的想法和实际发生的事情大相径庭。一周之内，那家机构的交易员和老板邀请埃森伯格共进午餐："您与高盛让我们真正体会到了什么样的服务才能被称为专业服务。为了表达我们的感谢，我们决定长期选用高盛作为我们的经纪商。"这家机构最终实现了他们的承诺。

阿尔·费尔德在评价利维、杨以及他们下属的销售团队时说："他们不是神，他们也是有血有肉的人。但是如果有压力让他们非得卖出什么东西，他们总是能采取正确的行动。"领导人最应该具备的两种特质：一种是发现人才，聘用人才，组织人才团结协作；另外一种是在岔路口上能够秉承一贯的原则作出决策。只有通过一个人在面临损失的时候作出的选择，你才能真正了解他坚守的信条，人也正是在个人信条的指引下才会坚信自己所采取的行动是正确的。

70年代雷·杨退休之后，迪克·门舍尔接手了公司的销售业务的管理。在销售业务方面公司不任命任何中层经理，所有销售人员直接向门舍尔汇报工作，门舍尔同时掌握了关于所有销售人员、他们的客户、他们与客户间的合作等信息。合伙人戈特说："门舍尔是一位很会激励下属的导师，他对每个细节的记忆都非常精准。他坚持公司的人撰写备忘时必须写清楚撰写人和收件人的中间名的首字母。这或许只是他管理员工的手段之一，但是我们都相信这是他对别人表示尊重的一种方式。"

当别的大公司都忙着撮合销售与交易部门尽全力协同工作，从而实现利润最大化的时候，高盛的证券销售业务和交易业务却是完全分离的，因为迪克·门舍尔和鲍勃·慕钦没法和平共处。他们无论是个人的性格还是工作方式都大相径庭。门舍尔特别讲究办事的程序，注重细节、数据以及准确性，而慕钦则是有一搭没一搭，时不时要些让人容易上当的把戏。正如某位合伙人评论的那样："迪克从来不允许手下的人说脏话，更不能做不道德的事，而鲍勃自己有一间不对外开放的小屋子，一伙人经常聚在一起打牌，讲电影明星的低级笑话。"对于管理委员会的会议，门舍尔事前就会精心准备6~8个小时，然后带上一串关于公司运营细节方面的精彩问题参会；慕钦则会带着一叠没有打开过的准备材料来，或许专门就是为了嘲弄门舍尔，他会煞有介事地让在座的人都观看他第一次打开文件的表演。门舍尔对自己的私人支出都保留着记录，但是慕钦则可能把几张支票随手放在自己抽屉里就忘了去兑付，导致公司的会计无法对账。

20世纪70年代，迪克·门舍尔通过推行一套全面的培训计划使高盛的销售业务进一步与同业竞争对手拉开了距离。新入职的销售人员必须在全公司范围内轮岗进行在职培训，还必须每隔两周参加一次专门的销售业务培训。专业培训课程上既使用案例讨论，又使用角色扮演，所有的培训都被拍成影像资料。整个团队会对每一位销售人员在培训过程中的表现提出意见和建议。培训的过程虽然轻松有趣，但是却不失专业水准。新员工的培训大概要持续6~7个月，之后每5年要再参加一次全程培训。70年代起步时参与者只有十几名，80年代巅峰时期人数最多的时候能有将近40人。进入新世纪之后，由于市场变化造成需求的减少，参与的人数也回落到20人左右。这些培训课程总是安排在周五下午5点半至7点半，而且通常都会开始得很晚，有时会在6点或6点半开始，直到8点或8点半才结束。周五是纽约市惯例性的社交日，门舍尔当时是单身，所以他对于会议时间拖延毫不在意，但是别的销售人员要不是有家人在焦急地等待，要不就是与人有约。很多参与培训的学员认为课程延时是故意的，是专门为了检验销售人员为了追求业务机会到底下了多大决心的手段，同时也能看出一个人对公司的忠诚度。

有一次，合伙人罗伊·朱克伯格面对一大群培训生问："你们怎么看市场走势，看涨还是看跌？"他在会议室里走了一圈，听培训生逐个回答他的问题，每个人都要回答。有人说看涨，有人说看跌——每个人都能自圆其说，有人给的解释还很有深度。最后，他走到一名刚从东京飞抵纽约的日籍培训生身边，这人因为长途飞行已经困得睁不开眼了，上着课都能睡过去。当他的邻座把他推醒的时候，朱克伯格质询的目光正落在他身上。这位脑袋还没完全清醒的培训生脱口而出："我认为是看涨，我永远认为市场是看涨的。"

"很好！"朱克伯格大声地表扬他，"在证券行业只能有一种生存状态，就是只能看涨！永远都要牛气冲天。"

每周五培训的主要特色就是角色扮演，有时要作现场推介，有时要开发潜在客户，有时要服务既有客户，当然由门舍尔和朱克伯格扮演客户，给培训生们出各种各样难题。有的问题是难于搜集信息，有的问题是难于对上客户的胃口，有的问题是难于把握应该采取的策略，还有些问题是以上这些困难兼有。比尔·兰德里思回忆说："就算门舍尔和朱克伯格真的是以虐待学员为乐，我想他们也不可能提出比现有问题更刁难人的问题了，当然也没有什么比这更具有教育意义了。"

一般培训结束时，门舍尔组织的结业测试也是一次角色扮演，他自己就扮演一名大型基金的经理。销售培训生来他的办公室拜访，向他推荐股票，然后就是一番巧舌如簧的推销。通常不过5分钟，一般的销售人员最多说了1/3的话，门舍尔就有可能打断对方，并问："听起来都不错，很有意思。你的功课做得不错，我真的很感兴趣。你干吗不帮我代购1万股呢？"

如果这名培训生记下了这笔订单，然后还接着推销的话，不管他有多聪明或者多善辩，他肯定过不了关。为什么？因为他已经拿到订单了，如果在这种情况下还接着讲就有可能话说过头，甚至可能动摇客户已经下了的决心。如果事情变成这样，销售就泡汤了：话太多的销售员就真的会把自己谈成的生意"放飞"。

通常情况下，角色扮演都是由朱克伯格扮演一位客户，通过电话推销的场景来进行，所有培训生都要在现场听。有一晚，一位已经在项目中参训超过6个月的学员接到了一项新的任务，就是把朱克伯格扮演的潜在客户发展为公司的新客户。由于通常情况下一般人的培训都不会超过6个月，所以这名培训生感到压力很大，他觉得必须通过这次演习的"成功"来证明自己已经掌握了足够的技巧和竞争力，能够成功完成测试并走上真正的工作岗位。

朱克伯格模拟的潜在客户其实很典型：一名拥有一家规模小，但是赢利状况还不错的小公司的年近60岁的生意人。更具体地说，这次他扮演的是一位专门销售家用植物的老板。其实所需的推销也是传统的老一套：说明高盛是一家能够开展多项业务，且每项业务能力都卓越不凡的金融公司，证明高盛在业内享有很高的声誉，并且展示出高盛对帮助这位潜在客户通过投资来增加个人净资产非常感兴趣。公司总是要与客户建立密切的联系，所以销售人员必须懂得怎样在初始阶段为客户提供最好的帮助，以此为日后持续合作建立坚实的基础。

这位培训生下定决心要在这位潜在客户的生意上建立一个双赢的局面，他刚开始的几分钟谈得非常不错，所以朱克伯格决定加快速度，提高难度。

"年轻人，你说你是真心实意地想帮我把生意做得更好，是吧？"

"那是肯定的！高盛的员工都愿意与您一道为了您的事业而奋斗。我们希望能帮您把生意做好，而且是做到最好！"

"你知道我的生意就是给居家布景提供一些花草树木吧？"

"是的，先生。"

"而且你愿意，或者说你的公司愿意，帮我把生意做好。我没理解错吧？"

"是的，先生。我们愿意为您提供帮助。"

"那好，我正好知道你用什么样的方式能帮助我，不过其实你要明白这实际上是我在帮你。你对这种通过帮助我而最终达到帮助自己的提议感兴趣吗？"

"是的，先生！"

"好的，那我们订这样一个计划吧。你把你们公司高层的家庭住址和电话号码整理一份给我，然后我逐个给他们打电话，我会向他们展示我们怎样能把他们的家布置得最漂亮。这对他们而言是件好事，就像你说的那样，当然同时也能帮助我们。你觉得怎么样？"

"好的，先生！"

电话立马被挂断了！"你又失败了！你一句话都讲不对！你给潜在客户打电话只有一个目的——唯一的目的！你只能是去卖投资产品的！你这个蠢货，我不是让你去买东西的，更别说把公司合伙人的信息都免费送给一个该死的卖花草的人，你甚至连合伙人的家庭住址和电话号码都敢给人家！你想过你自己有多蠢吗？算了吧！"

60年代末期，特拉华管理公司（Delaware Management）是费城最大、最活跃的机构投资者之一，也是高盛在该地区最大的机构客户。埃里克·多布金在这个时期被派到费城去进一步开拓高盛与该机构的业务合作，目标就是增加高盛在该机构所有业务中所占的份额。多布金了解到特拉华管理公司对高盛的认可程度已经很高了，所以他必须找到一个特定的切入点才能撬动更大的参与份额，这也是他约见特拉华管理公司最高投资管理者约翰·德勒姆（John Durham）的原因。纽约证券交易所收盘之后，他开门见山地问德勒姆怎样才能获得该机构更多的生意，得到的回答是："你得告诉我你们目前研究推荐的最佳投资组合。"

"我会告诉你，而且不仅仅是随口说说，"多布金回答道，"我每天收盘时都会打电话给你，我会准备一份完整的，而且是独家的股票交易概要，市场上所有精明的基金经理的买卖记录都会完整地呈现给你。"

"你就打吧，秘书会把电话转给我的。"

多布金回忆说："那之后连续10天我都照办了。我每天都为德勒姆梳理一遍主要的机构都在从事哪些交易，但是无论我说什么对方都没有给过一个准确的回音。所以，为了推动工作的进展，我非常礼貌地问，'我最近做得怎么样？'

'还好。'

'约翰，你能说说你到底要这些材料干什么吗？'"

德勒姆一言不发直接挂掉了电话。

多布金继续回忆这段故事时说："很明显，我是白费力气，最后什么也没捞到，我肯定得另谋出路。于是我认真分析了特拉华管理公司的招股说明书以及其持股状况的数据，从德勒姆的角度出发，试图猜出他到底在买卖哪些股票。"

多布金算计着，如果他能大概猜出德勒姆的买卖动向并且向慕钦解释清楚的话，慕钦或许能帮他组织起5 000~10 000股来帮他开展工作。一旦德勒姆咬钩，高盛就可以确实地知道德勒姆到底是买还是卖，然后他们就很容易找到相应的卖方或买方，从而促成可观的大宗交易。"我按照自己的最佳判断给慕钦提供关于德勒姆行动的信息。鲍勃本身也喜欢做这种围追堵截的游戏，很快我们和德勒姆的交易量就越来越大，经典的滚雪球现象（你从事的业务越多，找上门来的业务也就越多）也确实应验了，我们的佣金收入一夜腾飞。我们在大宗交易、期权、可转债方面的业务量直线上升，很快就成为德勒姆和特拉华管理公司的头号合作伙伴。"

还有一次，高盛为一家很少有人问津的中西部公用事业股"组织"了一次20万股的大宗交易——价值高达800多万美元——而他们只找到了一个愿意买那么多股的买方，就是特拉华管理公司。但是特拉华管理公司的交易员并不愿意按高盛的定价交易。格斯·利维坚信当时的定价是完全正确的。其实双方的差异只有1/8个点，但双方都在等对方先作出让步。基尼·默西和利维通了电话，很明显利维给他施加了很大的压力。默西最终决定冒着风险，越过交易员，直接和约翰·德勒姆谈话。

"约翰，我们俩在交易业务上合作也有好多年了。这些年以来，好多交易发生时，你寻求我的帮助我都全力支持你了。这对你来说算不算欠我一个人情？"

"算吧。"

"那好，约翰，我请你在那宗公用事业股大宗交易上提价1/8个点。"

短暂的沉默。

"成交。"

格斯·利维乐得差点没笑出声来，差点没管住自己的嘴。

19 79年，慕钦和多布金共同开发了一种全新的面对利基市场的产品——债转股交易，而且从中获益颇丰。"我们发明了分期销售模式，后来这种模式成为公司的一项主营业务。当时短期资本收益的税率是49%，如果某项收购业务涉及以现金邀约收购股权，那么通过分期销售，出让股权的股东就可以拖延向美国国税局申报个人所得税的日期，因此也就可以获得较低的税率。这样的服务非常容易推销出去，而且我们基本上知道什么样的投资者愿意购买。我们到一流的律师事务所转了一遍，解释清楚我们的分期销售是一种怎样的业务模式，这样他们也就能把我们漏掉的客户带回来。我们在这个过程中认识了很多有趣的人，很多有趣的家族——当（前任国防部长）保罗·尼采（Paul Nitze）的家人决定出让私人滑雪场时我们就帮他'分期'卖掉了。我们最好的一年，分期销售带来的营业收入占公司总收入的3%，同时也为PCS（私人客户服务）部门带来了更多的业务。"

作为一名独立的经纪人，哪怕是市场上最知名的经纪人，都比不上成为一家大机构客户的首席经纪人。事实一次又一次地证明，机构投资者支付的佣金中，12%~13%归属其首席经纪人，大约10%归属第二名，只有8%能落到第三名的手里。如果高盛集中精力成为每一家客户的首席经纪人，而它的竞争对手一般只能做第三甚至第四时，高盛一年下来要比别人多出50%的业务份额，而且赢利比竞争对手要多，因为它的运营成本和对手差不多是一样的。在交易业务上，竞争者们都是半斤八两，所以即使是在世界上最开放、最有竞争性的市场中，任何一家公司都可以打造出为了保护自己，同时也是为了保证公司可持续发展所需的竞争优势。高盛在销售业务市场占比的持续性及其销售技巧的领先性使它成了很多大机构的首席经纪人，而这些大机构所管理的资产规模逐年增加，它们带来的佣金收入自然是越来越可观。与其他任何身处服务行业的公司一样，持续性和稳健的人际关系都是至关重要的。

然而这两条并非全部。高盛的合伙人们在80年代时决定开发超大型客户——世界上最大的100家机构客户。这个客户圈并不像表面数字看上去那么少。美国境内最大的50家机构客户的交易量占纽约证券交易所总量的50%，在芝加哥期权交易所同样庞大的总量中，按美元计算，也占有相当大的份额。这些超大型客户对于新发股票的承销业务来说也扮演着相当重要的角色。

并非所有的超大型客户都在美国，有一位就在中东。比尔·兰德里思曾在伦敦与科威特投资局（Kuwait Investment Office）的约翰·布克曼通电话，布克曼当时能听到背景声音里有慕钦的声音。

"比尔，在你旁边说话的是鲍勃吗？"

"我们正在一起筹划一个为通用电气销售的大单，一共要出手75万股。"

"比尔，是面向市场公开发售吗？"

"是的。"

"比尔，这一单我们全接下了。"

这就是传说中的完美交叉交易——高盛同时为买卖双方服务，从买卖双方都获得佣金收入。这意味着高盛一笔交易就能收获150万股带来的佣金。按照当时的市值计算，这是有史以来最大的一单，而且高盛没有掏一分钱，没有承担任何风险。真可谓天时，地利，人和。一切交易都在几分钟的时间内就达成了。对慕钦而言，钱多得有点让人难以接受。就算他这种性格沉稳的人也被振动了。他需要得到一个明确的交易认证："比尔，我一会儿用加密线路给你打电话。随时准备接。"

科威特投资局很快成为高盛的一个大客户。"他们是优秀的交易员，也是很好的买家。"兰德里思这样评价他们。当然他们也是很好的客户。科威特投资局帮助高盛化解了有可能是高盛历史上最尴尬的事件。当时兰德里思想要把英国一家出版商罗伯特·马克斯韦尔（Robert Maxwell）——一家交易量还算可以的公司——介绍给科威特投资局，但是科威特投资局的经理们毫不犹豫地拒绝了，态度非常坚决。"没门儿，比尔。我们不会和那个人或者是他的公司有任何往来。此事到此为止，永不再提。"再后来，科威特投资局在高盛因为承销英国石油的股票而陷入困境时，通过超大额认购的方式再次挽救了高盛。

1979年一天深夜，比尔·兰德里思接到一通电话，当时已经快到午夜了。"比尔，有大事发生了，非常非常重要的事情。你必须相信我，我现在发誓要绝对保密，什么都不能说，所以你直接穿上衣服马上来希斯罗机场。我会给你准确的地址。这是个没人知道的密室。还有，比尔，你自己一个人来。"

兰德里思起床穿衣，钻进自己的车，一路穿过伦敦无人的街道来到希斯罗机场附近，按照他拿到的地址找到了密室。密室四周都有保镖。有人指点兰德里思下车并引领他进入了一间更为隐秘的房间。这时一名身着精心裁剪的西服、身材不高的人从另一道门里进来，此人是伊朗国王的私人代表。"伊朗国王决定卖掉所有在美国股市中的投资——必须立刻用现金支付。相关票据证明都保管在一家知名的瑞士银行中。因为这次交易不同寻常，所以我们愿意以低于市场30%的价格成交。高盛愿不愿意接受这次'立刻变现'的交易？"

"您的问题我都听明白了，"兰德里思回答说，"但是要代表公司回答您的问题，我还是要和纽约的合伙人们商量一下。我能借用一部电话吗？"当时是纽约晚上7点，但是高盛的人员都还在交易室分析当天的交易情况，并为第二天的交易作准备。幸运的是，鲍勃·慕钦也还在办公室。

兰德里思和慕钦讨论了这件事。交易的诱人自不必讳言：按照30%的折后价，高盛可以购入价值1亿美元的蓝筹股投资组合，然后以大宗交易卖出，至少可以比第二天的开盘价高出40%。公司可以一举获利2 500万美元！

交易的回报很诱人，但所要承担的风险一样巨大。之后没有几天，伊朗国王就下台了。什叶派精神领袖霍梅尼成为伊朗的领导者，以他的实力完全可以造成更大的非金融风险——比如在高盛的办公室、人员的车子或者员工的家里引爆炸药。还有很多"类似"的风险。所以他们达成的最终决定是：放弃。这可能是高盛第一次也是唯一一次拒绝接受一项可以创纪录的交易。就算有别的公司最终接下了这单生意，也从来没有见诸报端。

在之后的八九十年代，股票销售交易部门一直都是公司收入的主要来源，但是随着市场竞争的加剧，佣金费率一再下调，成本增加，电子交易系统逐步侵吞现有交易市场份额等情况不断发生，这个部门的赢利能力逐渐弱化。但是无论如何，在机构经纪人的黄金年代，高盛已经充分利用了所有机会，做到了最好。

9

大宗交易：气势磅礴的风险业务

===

1976年1月的一天上午，鲍勃·慕钦接到一通有史以来任何大宗交易商都梦寐以求的最重要的电话：一份确立高盛在大宗交易业务领域领军地位的10亿美元的订单。高盛将受托执行前所未有的最大规模的大宗交易。

纽约市养老基金的负责人杰克·梅耶决定，把5亿美元普通股的投资组合转成一种具体的能折射股市走向的股权投资组合，即形成一家指数基金。这一重大转变需要卖出5亿美元股份，还要再买进5亿美元的股份。高盛必须以一个单一价格买进全部股票，并按照纽约市养老基金管理人的要求建立全新的投资组合。在此交易过程中，高盛不再担任中间人的角色，而是作为一名"需要承担风险的"当事人。

高盛将面临5亿美元的风险敞口。这样大规模的交易必须获得管理委员会的批准。于是，慕钦和团队成员为应答委员会的诸多问题作好了充分的准备。慕钦回忆说："他们只问了5个问题。每个问题都切中要害，都涉及某个关键的交易因素。回答完问题，大家沉默了一会儿，然后就全票通过。我们终于可以大显身手了！"

慕钦和团队成员整个周末都在用黄色的大记事本分析价格图表、近期的研究报告、历年来他们经手的交易以及所有相关的信息。他们把这些信息综合起来，确定每个主要的投资机构可能愿意买卖什么样的股份。"然后，执行计划就成型了。"

以1976年2月4日的收盘价为基点，高盛向养老基金保证实现近2 500万股交易的最大成本总共不会超过580万美元，其中已经预先计算了由于买入价高于或者卖出价低于2月4日收盘价的可能带来的损失。

慕钦说："华尔街是个很小的地方。一般来说，你有什么大动作别人都知道。这些大动作很显眼，就像世界职业棒球大赛到了第二局，如果所有人都突然离场，你能不注意到这样的变化吗？"为了避免别人发现，尤其是不被竞争对手发现，慕钦和团队成员制订了一份周全的计划。慕钦回忆："我们一致认为，不论发生什么都要保证每天交易的活跃程度，买进和卖出相差不超过500万美元。保密当然是很重要的，走漏一点风声，其他经纪人就会赶在我们前面。所以我们起了个代号：老鹰行动。我们每天都至少卖出一定量的持股，但是对于那些特别敏感的股票，高盛的交易是活跃一天就要沉寂两三天。33万股分成78组卖出，每组100股到1.3万股不等。5周时间，仅在老鹰行动之内，高盛持有的1 200万股分52次卖出，同时分231次买进了相关的其他股票。"

最后一笔交易完成后，慕钦拿起热线电话宣布："老鹰降落了。"3月中旬，纽约市养老基金宣布，高盛秘密完成了有史以来最大的股票买卖。这宗总值10亿美元的交易，纽约市养老基金支付的交易成本只有290万美元，不到交易总值的0.3%。这是有史以来规模最大、操作最复杂的交易之一，也完美展现了高盛在大宗交易上的专业水平。

大部分证券公司都回避大宗交易。实际上，出于种种原因，他们不理解，也不喜欢机构业务。最活跃的顶尖机构投资者们年轻、张狂、衣着光鲜、受过很好的教育。他们被看做华尔街的"新新人类"，令人羡慕。对他们眼中的老家伙们，对华尔街的传统等级结构，他们没有多少尊重。这些新人想得到与以往不同的服务，哪怕需要花大价钱也是如此。比如，他们就愿意花钱购买针对所有公司和产业的深入的投资研究。而且，他们希望证券公司的交易服务水准更高，而大部分证券公司不愿意提供这样的服务，尤其是这些刚刚出道的MBA们。在华尔街成名的证券公司看来，他们太年轻、太张狂、衣着太光鲜，而且薪水拿得太多。

这些新派的基金经理们需要多方面的服务，其中的大宗交易服务好像是一种笨蛋才玩的游戏。大部分证券公司的"资金"合伙人认为毫无理由做这种肯定亏本的买卖。他们是从事经纪业务和承销业务的中间人，不是需要承担风险的做市或交易的直接当事人。购买精明的机构投资者打算卖出的股份是危险的：卖出人可能知道某些重要信息。这些股票也许真的应该卖出，为什么要冒险呢？凭什么让公司有限的资金套牢在没有人想要的股票上，让资金在数天或数周内都无法周转呢？大部分证券公司不喜欢这种交易。从年轻张扬的成功的机构投资者手中买进股份似乎是最糟糕的。知名的合伙人不会自己做交易，他们看不起证券公司的交易员，把他们仅仅看做公司可有可无的员工。这些合伙人有什么理由把家庭的财富托付给那些他们从来不会带到家里吃晚餐的人手上呢？

鲍勃·门舍尔解释："鲍勃·雷曼在雷曼兄弟里有资本。但是如果他把个人财产置于别人的手中，尤其是自己的员工，他不可能活得很惬意。而所有交易员都不过是普通员工而已。大宗交易中，资金一定不能知道自己的主人。你不能介入太多，尤其不能情绪化，应该像一名外科医生给自己的孩子做手术一样。大宗交易是一种买卖：需要作出很多理性的决定。"

纽约证券交易所的佣金费用一般是以100股为单位计费，每百股的费用有固定比率，只会随每股价格不同而不同。自然，佣金费率的水平在当时的零售股票经纪业务中被认为很适当，因为零售活动占据股市的主要部分。20世纪30年代到40年代，市场每天的平均成交量不到100万股，而50年代每天的平均成交量也只略高于100万股。总的来说，佣金仅能用来支付证券公司的开支，所有利润来自承销新股。大萧条和第二次世界大战期间，没有什么承销业务，所以证券公司学会了如何避免不必要的开支。为机构投资者提供服务，尤其是大宗交易服务，似乎带来了非常不必要的开支。

到了20世纪50年代，经纪业务开始出现新的变化。投资者的"典型"形象发生转变。以前是略微富足的个人投资者，偶尔通过零售经纪人买卖一些股票，现在则是一直保持活跃的专业的机构投资者，在股市中不断有动作，每天都买卖许多不同的股票。因为这些机构投资者不断发展，更努力地经营管理自己的投资组合，交易业务的总量及成交价节节攀升。1960年，纽约证券交易所的日均成交量几乎达到200万股。60年代末，由于机构投资者互相竞争，加大了买卖力度，日均成交量增长了一倍，达到400万股。这一数字不断扩大，2007年达到15亿股，是50年前的1 000倍。

过去和现在的机构投资者都不同于个人投资者，由他们决定的交易量都比从前大很多。他们的订单不是100股，而是10万股，他们想快速完成大规模的交易，并且是以确定的价格。他们的新需求为高盛和其他在积极进取、经验丰富的交易员领导下的公司带来了机遇。在这些人的领导下，证券公司创造了一种全新业务：大宗交易。

如果机构的投资组合经理想卖出5万股或10万股，以此筹资买进其他更有前景的股票，他通常会联系某位自己熟悉的经纪人。经纪商们收入很高，每年的佣金常常超过100万美元，前提是他们能够完成机构的高佣金、无风险的订单。如果大宗交易经纪人找不到下家，卖方就会要求他用自己公司的资金买进并持有所有卖出的股票，将可能突发的交易损失的风险转嫁到经纪商的头上。

很明显，大宗交易有风险，因为机构有卖出的理由——常常是不可回避的现实原因，比如收入严重下滑。如果卖出机构发现一个确实存在的问题，赶在其他人之前把一单股票卖给证券公司，人人都知道其他的机构不久就会知道同样的坏消息，开始卖出。那些股票的价格也许会骤然下跌，所以损失可能是突发且可怕的。只要找不到买家，证券公司的资金就会套牢，至少会令公司暂时退出交易市场。鲍勃·门舍尔解释："产品必须快速流动。否则，资金就会套牢。这意味着在得到流动资金以前，你都无法从事交易。同时，被套住的产品会很快腐烂，造成大量损失。"

大宗交易中，时间就是金钱。如果公司A不能快速完成交易，公司B或公司C或D会赶超它们。高额的佣金是按照固定比率提取的，所以总额十分诱人。有一份出售某种股票1万股订单的经纪人可以获得每股40美分的佣金，共4 000美元。如果是10万股，佣金就是4万美元。如果经纪人能找到主动买股的投资者，再完成交叉交易，即同时充当买家和卖家的经纪人，他就能从买卖双方那里同时拿到佣金，总共8万美元。一家证券公司以每个交易日都可以完成一笔10万股的交叉交易，持续一年计算，公司的额外收入将是2 000万美元，而且只有很少或没有任何累计开支。两笔这样的交易就是4 000万美元。每天多一笔25万股的交叉交易，就会增加5 000万美元的收入。正如参议员埃弗里特·德克森（Everett Dirksen）所言，"不久你就看到钱像潮水一样朝你涌来"。

迪克·门舍尔说："格斯是大宗交易的革新者。格斯能做到革新，有两点原因。他通过自己大宗交易的经验，知道成功执行大宗交易的艺术，知道套利业务中的买卖艺术。同时，他知道资本市场业务所需的技术：谁持股，可能要卖；谁可能买，为什么买；市场以前如何发展，将来怎样发展；怎么取得他人的信任，从而能够'执行'具体的交易。"1955~1965年，高盛在大宗交易中几乎没有对手。利维担心其他公司涉足这一领域。为了避免竞争，高盛合伙人常常在公开场合抱怨大宗交易如何的艰辛和开支巨大，从来不说大宗交易实际上有多赚钱。同时，利维比其他大宗交易业务员更勇敢，更有进取心。他的朋友I·W·伯纳姆回忆："格斯当时正着力营造远远大于其他公司的大宗交易的市场份额。格斯喜欢冒险，也了解风险的实质。"

大宗交易成功的"秘诀"是建立好名声，吸引客户，让人们知道不论一家机构什么时候想卖出，你都准备买进，同时不把公司自己的资金贴进去。找到机构交易的另一方常常是可能的，通常在几个小时或几分钟内就能找到，只要不断联系潜在买家就可以。大宗交易要取得成功需要控制风险。首先，买进大宗股票的机构交易员是经纪人相信会公平对待自己公司的机构交易员，如果股票贬值，这些交易员能进行额外的交易，弥补损失。其次，能够快速转手，更新持有的股票。理想情况下，哪里有资金哪里就有业务。一开始的时候，可能券商会扮演承担风险的当事人的角色，但是基本上都可以在很短的时间内就以中间人的实际身份，在不承担任何风险的前提下完成交易。

快速转手的关键是市场信息的通畅和保持与所有大型机构的密切联系。高盛需要有一个能高效进行电话推销的销售团队，能够从全美各地的机构中搜寻潜在买家。此外，高盛还需要一种系统性的措施，知道谁会成为买家，怎样鼓动潜在买家采取行动。一家有卖方客户资源的公司会吸引买家，同样，一家有买方信息的公司就能吸引卖家。在市场活动中，生意拉生意。人们对你的看法十分重要：如果重要的买家和卖家同时选定某家公司，那家公司就会有决定性的优势，能首先接到订单。如果某家公司率先接到电话，尤其是如果接到的电话是关于大宗交易的，那家公司作为被优选对象的名气就会越来越大。

大宗交易商邀请纽约证券交易所的场内专家合作，发展交易的"另一端"，因为这些人定期为传统的零售投资者提供几百股的买卖机会。大宗交易商邀请他们参加一定规模的机构交易，比如1 000~5 000股。大宗交易商也和场内交易员合作（他们是那些在纽约证券交易所内执行交易的人员，他们在买卖的交易量不对等的情况下，能够自由地在"买卖两端"转换身份），欢迎他们为某个交易员提供某股的买卖市场。

为了成为首选的买卖清算公司，广泛、良好和积极的交流沟通是不可或缺的。交流的质量取决于机构接听某个证券公司电话的速度，和他们是否显示信任，开诚布公，谈论他们正在做的和可能要做的事情。另外一个关键因素是说服潜在买家（或卖家）采取行动的能力。要减少被大宗交易套牢的风险，最好的办法是增加订单流，也就是增加证券公司看到的和能够参与的买卖额。而增加高盛公司订单流的最好办法是，与大型机构的交易员和投资经理建立良好的服务关系，让他们相信高盛是首选的大宗交易商——提供机构交易商所需的帮助，帮助他们卖出某种相当棘手的股票。慕钦说："某种程度上，各种因素都是共存的。一群具有卓越才能的人，恰好在市场业务的基本性质发生快速变化的时期走到了一起。团队协作，互帮互助，着眼于如何满足客户需求和如何解决他们的问题。这也是做交易的人最需要的品质。"高盛的团队合作正逐步成为一种公司的文化现象。合伙人基尼·默西解释："我们去做办公室人员不愿做的事情，因为一名销售员针对某个客户需要工作好几周。这也是展示公司真实能力的第一个机会。"

利维推动高盛成为机构大宗交易的领军者，为比以往规模更大的大宗交易（1万股，5万股，或者更多）创造供需环境。利维组织并动员公司的销售交易员与大型机构的高级交易员发展最密切的工作关系，并激励销售交易员赶超其他公司，以更快的速度给更多的客户打电话。除了这种有效的服务组织体系，高盛用自己的钱买卖几乎所有的大宗股票，价值达数百万美元，适应供需情况，"做交易，拉生意"。

随着大宗交易从偶尔的零星行为变成机构经纪人业务最重要的部分，利维在华尔街声名大噪。20世纪60年代到70年代，共同基金和养老基金在资产总额上快速发展，他们将越来越多的投资向股票转移。为了取得良好的投资表现加强竞争，他们提高了股票转手的速度。大宗交易此时开始迅速崛起。快速发展的大宗交易业务集中于那些愿意用自己公司的钱冒险"成为另一端"的经纪人，他们买进机构最想卖出的股份，卖出机构最想买的股份。

不过，华尔街愿意承担大宗交易风险的人还是不多。人们大多沿用以前曾经有用，但是正逐步被淘汰的思维方式来考量交易业务：每笔交易互不相干；你不欠我，我不欠你；买者自己负责，卖者自己负责。如果一名机构卖家到交易商那里询价，交易商和卖家都心知肚明其实他们上演的是一出零成本的对冲剧目——就像今天在期货、固定收益、货币证券和衍生品交易中一样。华尔街大部分公司习惯了按天结算和按项目结算的方式来衡量自己的业务，所以他们不懂得把加强服务和风险资本合在一起创造业务，不懂得把偶然的损失看做必要的成本，以便和主要机构的高级交易员建立长期的共赢关系。他们也不懂每家机构会带来持续发展的佣金业务，从中占得一些大的份额，不断获得佣金才可能财源滚滚。机构的高级交易员需要大宗交易公司满足他们的股票投资组合经理对流动性的要求，而只有为数不多的几家公司能够并愿意不断地提供这种流动性。

利维在做大宗交易上的进取心非常强烈，客户实际上都同情高盛的销售人员和交易员。员工们对利维给他们施加的巨大压力总是嬉笑怒骂不断。一个例子是鲍勃·门舍尔绣了一幅十字绣，把它裱了起来，挂在交易室旁机构销售部门的显著位置：

防人退鬼有绝招
每天交易25万股

格斯·利维不缠身

员工们复制了1 000份样本，送给客户。数百名客户很自豪地把它们挂在全美各地的交易室里。

面临这样的回应，同时越来越多的股票买卖实际上成为大宗交易，所有的大宗交易商都努力和机构高级交易员建立密切的关系。他们飞往波士顿，在洛克-奥伯（Locke-Ober）餐厅共进晚宴，到芝加哥看冰球比赛、棒球比赛，或是钓鱼、打高尔夫、滑雪。他们总是不断地打电话，有时一天之内给同一家机构的同一个买方交易员打50个电话，甚至更多。不久，在机构的交易办公室里就安装了直通高盛交易办公室的热线电话。建立热线联系变得非常重要，以至于曾有一名机构投资组合经理用不同颜色的胶带来管理其与经纪人的关系——那些他认为表现不佳的大宗交易公司的电话线上会被缠上不同颜色的胶带。

经纪业务的竞争主要在两个方面，而这两个方面对最大和最活跃的机构非常重要：研究和交易。研究对各大机构来说越来越重要。大部分个人投资者的买卖行为主要是"无信息"的交易，原因是那些非市场的活动，如红利收入、继承遗产、买房或者交学费。但是机构投资者每天都在股市买卖股票。他们的决定是根据他们手中持有股份与打算买入的股份之间吸引程度的落差来形成的，所以他们需要充分的信息，知道可能应该买卖什么股份。他们需要精确、详细、最新的信息以及透彻的分析，充分掌握那些可能影响一家公司未来赢利能力的重大动向。

格斯·利维创造的大宗交易比任何交易商的规模都大，因为他理解风险，喜欢冒险。在大宗交易的山头上，高盛称霸的主要对手是贝尔斯登。西·刘易斯是贝尔斯登的董事合伙人，大宗交易上的强劲竞争者。他既是格斯·利维的对手也是朋友。两人都决心赢得比赛——输赢不仅仅是荣誉的问题。他们互相竞争，为的就是控制每一桩利润丰厚的大买卖。奥运金牌的取得可能是因为零点几秒的差距，同样，大宗交易定价之间的微小差别也常常是决定性的。因此，利维不断地寻找每笔业务。合伙人戴维·西尔芬（David

Silfen）回忆说："上帝不允许你错过一笔交易，贝尔斯登明白这一点。因为格斯知道周六要和西·刘易斯打高尔夫，所以他不想听到西或者他公司的人嘲弄自己。"格斯也不想听到自己的合伙人嘲弄他在大宗交易中遭受损失。

有一年年初，公司遭受了交易损失，利维告诉机构投资者："我们亏损的唯一原因不是日常的业务，而是库存损失。这也是这门生意的本质。如果你从事交易业务，你知道总有一天会亏本。这没什么，事实上，非常不重要。我们学到了教训。下次，我们不会图好看，我们会加快转手的速度，我们不会单相思。有句谚语现在在华尔街仍然适用：买得划算就等于已经卖出了一半，这就是这项业务成功的法门。"在公司内部，利维更明确地说："好的交易商吃的是草，但挤出来的却是奶。"

除了迎合机构的高级交易员，高盛和其他的大宗交易公司也与投资经理们建立直接联系，因为投资经理能告诉高级交易员买什么卖什么。同时，为了满足机构投资者对信息和知识的需要，一群新的"研究"型经纪人公司开展了以深入的投资研究为重点的业务。他们中的专业分析师通过内容详尽的长篇报告、会议、电话和私人拜访，让投资者知道相关的投资研究。他们的研究能够让最好的经纪人在越来越多的机构交易中取得市场份额。但是，最大的竞争优势仍然是研究和交易上的实力。这也是利维在高盛始终强调的，所以高盛能成为主要的机构经纪商。

利维担心其他公司，尤其是所罗门兄弟会利用其债权交易上勇敢大胆的名气，侵占自己现有的利润丰厚的大宗交易业务。70年代，他的担忧变成了现实。鲍勃·门舍尔回忆："比利·所罗门（Billy Salomon）决定学习股票大宗交易业务，他表示愿意出全资收购我们当时仓位的一半。我们都知道这意味着所罗门兄弟会以他们在债券业务中同样的竞争力涉足股票业务。我当时和格斯商量，我说，'他总要找合作伙伴的，为什么不找我们呢？'所以我们就一起做起了生意。"

利维想获得日益发展的机构业务的"全部份额"，所以他采用了三个大胆的举措。首先，高盛允许所有机构对由高盛完成交易的佣金进行部分或全部分配，作为一种"让步"费用——相当于高盛花钱购买另一位经纪商的研究服务。这样机构就避免了下列活动带来的压力，比如通过研究型经纪人进行大宗交易，为他们的服务提供报酬；或是为了出售共同基金，补偿零售经纪人；或者是为了管理大量银行余额，补偿经纪人公司。同时，这让研究型的公司无从发展大宗交易的手段，也就不会成为对手。

门舍尔回忆："当提出让步费用时，其他公司意见很大……我们接受了现实，对其加以充分利用，我们欢迎做交易的机会，然后把让步的钱汇给其他经纪人。我们坚信每单成功执行的交易都能最大限度地拓宽我们的询价（即将来可能首选来高盛做的交易）客户的范围。"经纪人佣金的费用被交易所定死了，所以让步的份额完全可以商量。数年以后，佣金本身也可以商量。

其次，高盛用自己的资金大量买进机构想卖出的股份，承担购买没人想要的股票的库存风险，直到找到其他机构买家，或者其他竞争对手跳进来"偷走火腿"。利维的团队会不断打电话，立即寻找潜在买家，让他们下定决心，这样可以转手卖出持有的股份。因为有利维的领导和推动，有3 000万~4 000万美元的公司资金被用于买卖股票，由高效的销售团队联系所有活跃的机构，这样，高盛不断刷新大宗交易的纪录。1967年10月，某个交易日收盘之际，利维以每股23美元的价格交易了加拿大铝业（Alcan Aluminum）的115.37万股股票，每股价格比前一个交易日低了1.125%。交易总值2 650万美元，是当时规模最大的交易。1971年的某一天，高盛完成了10宗股票交易，每宗达到或超过7.5万股，其中有4笔交易每笔超过20万股。那一年，主要因为大宗交易，高盛的净利润创下历史纪录。1976年，高盛在纽约证券交易所完成了超过1亿股的大宗交易。

迪克·门舍尔说："评价领导人时，重要的问题是看谁实现了改变。按照这个标准，格斯·利维的确表现不凡，他在发展大宗交易上是个真正的革新者。"利维和他的主要助手们不仅通过坚持不懈的努力打造一项重要且利润丰厚的业务，同时也锤炼了能够从事这一业务的团队。这个团队的核心能力之一是其研究能力，但是研究不是目的，而是发展交易的途径。

利维坚持认为他的销售人员应该经常直接联系投资经理和分析人员，正是他们作出了交易员需要执行的投资决定。问题是，决定是怎么作出的？答案是投资研究，但不是合伙人鲍勃·丹福思领导下的高盛研究部门所擅长的针对"有潜力的小公司"的研究，鲍勃的职责是为合伙人的利益考虑而寻找个人投资方向。研究必须注重大型的上市公司，即大部分大型机构持股最多和交易最活跃的公司。

利维公司里的最大交易客户有德赖弗斯、富达投资、摩根大通和道富研究及管理公司。这些公司的投资经理都承认高盛是他们最大的经纪人，完成了他们经纪业务中的15%，但是在他们需要的关于大公司的投资研究上，高盛没有提供相同比重的帮助。如果高盛不改变，在大公司研究上不能提供更多的帮助，利维公司的最大客户们坦言，高盛难以保留现有的份额。他们会减少高盛的份额——大大减少。

利维知道任何订单流的减少都会损害高盛建立大宗交易另一端的能力，以及保持资金流动性的能力。这种流动性保证了公司即使在艰难境况下仍能在市场上小批量地卖出股份，摆脱套牢。大宗交易的恶化会让高盛亏很多：大宗交易是高盛的摇钱树。因为大宗交易是利维个人专长的业务，是他作为领导的重要招牌能力之一，所以利维的第三个举措是转变研究。和以前一样，利维很快明白了时局并表态："我们在研究上犯的一个错误是，我们除了IBM和某些公司，的确没有重视大公司的研究。这是一个很大的错误。"高盛现在必须在大公司研究上成为领军者，这不是因为谁真的想这样，而是因为格斯·利维说高盛必须这样。

具有机构真正感兴趣的研究结果，高盛就会在时间和准入上获得强大的优势。如果公司的分析人员和销售人员撰写深入的报告，一对一拜访所有大型机构的分析人员和投资经理，以此向默克、西尔斯或者IBM提供建议，这样，假如高盛接到一个卖家的一笔大额定单的话，他们就会更多更快地知道哪些机构最可能成为买家——当然有可能是一个大买家。有价值的研究加上在决策过程中各个阶段的深度服务，高盛常常在很短的时间内就能够预测这些机构的交易员通过其他方法需要很多天才能汇总的信息。提前深入了解潜在的买家和卖家可能作出的决定，让高盛在获得新订单的能力上拥有了强大的优势。

同时，利维决定让高盛成为大公司的投资银行，尤其是那些新兴的大型公司。大部分收购都是由大公司进行的，因此他们到资本市场寻求融资，急切地想知道大型机构的套汇人员和关键人物在想什么、做什么，以及可能会做什么。

1969年，利维以"不容置疑"的方式宣布，从那时起，高盛全部工作的重点是大型公司——他要求几位得力助手发挥领导作用，作出战略性的努力，发展研究、交易和投行业务。这种变化不仅意味着有意放弃公司在投行业务和研究上对小公司的重视，而且意味着高盛打算推行一种其他大型的著名投行已经实现的战略。

对于利维和高盛来说，幸运的是美国的大公司正进入强劲发展期，不仅需要更多的资本，而且需要更多的投资银行服务。机构投资者的兴趣从"小鱼"转向"大鱼"，高盛作好了准备，抓住了机遇。高盛的承销业务快速发展，借用了大宗股票交易推动的机构分销能力。和往常一样，利维大张旗鼓地变革，让一个个大公司信任高盛，更多地和高盛开展合作。

投资银行服务部门在约翰·怀特黑德的领导下效率越来越高。尽管那些大公司是公认的投行业务的领军者，已经形成了事实上的"优势"，高盛仍然作好了在这个业务领域与现有主要公司竞争的准备。此外在史蒂夫·弗里德曼（Steve Friedman）的领导下，兼并收购咨询开始成为一个独立的服务种类。这种服务的赢利性可能会是惊人的。虽然其他部门发展强劲，高盛公司的核心业务还是大宗交易。

"你现在就去格斯·利维的办公室——马上！"取代丹福思成为负责研究的合伙人布鲁斯·麦科恩（Bruce McCowan）上任不久就收到鲍勃·慕钦下达的直接和绝对的命令，让他知道研究在公司等级中的地位。不到半小时前，交易部询问麦科恩关于某种正打算当做大宗交易对象的股票的研究结果。后来一名客户的电话让他忘了这件事。不多久之前，又有人问他有没有研究的最新情况，他说他马上着手做这件事，有答案了再回电话。这样可不行，完全不可以。所以，他接到了命令，到利维的办公室里——马上。

利维的办公室面积不大，由玻璃围起来，位于交易室所在的地方。到了利维的办公室以后——利维在旁看着，表情严肃地抽着雪茄——慕钦戳着麦科恩的胸口，叫他注意了，然后清楚地说道："我说跳，你就说'跳多高？'交易才是公司赚钱的地方，交易是每件事和每个人都必须围着打转的中心。"没有"如果"、"并且"或者"但是"，一个都没有。研究只有为交易服务才有意义。

慕钦等待的时间几乎不会超过"现在"。慕钦在纽约每天上午8点半开始打电话，不过加利福尼亚这时是凌晨5点半，所以洛杉矶的一名销售交易员会在家里接电话，然后再开车上班。有天慕钦有一些重要的股票想卖出，他打了每间办公室的电话，看看他们能给他什么帮助。当他打到洛杉矶时，这名交易员的妻子接了电话，说她丈夫正在洗澡。慕钦气坏了。

20世纪70年代初，大宗交易创造的收入是公司年收入的2/3。在发展大宗交易业务中，格斯·利维得到了很多帮助。其中有两位卓越的人物：慕钦和L·杰伊·特南鲍姆。慕钦负责机构大宗交易，特南鲍姆管理整个交易部门，其中包括场外交易经纪人业务、可转债和风险套利。

约翰·怀特黑德解释说："L·杰伊·特南鲍姆的工作职位低于格斯。格斯从来不会滥用权力，但是你不可能和他位置平等，只能效命于他。他们在许多方面都很相近，但是效命于格斯的压力每时每刻都很巨大，不断积累，很难永远忍受下去。"利维常常打团队成员的家庭电话——上午7点之前和晚上11点之后，甚至凌晨2点。通常他只说："我是格斯，他在哪儿？"

慕钦理想远大，他承认："一半因为工作安排，一半因为自己愿意，我开始力挺格斯的决策。"从最开始，慕钦就忙个不停。他的同事回忆说："如果有其他交易员要去洗手间，鲍勃都会顶上他的位置。"

有一天，利维离开办公室几个小时，某家机构打来一个电话，说要卖出7万股RCA，这在当时是一笔很大的买卖。慕钦回忆说："我不是二把手或三把手。我当时在场，就直接打电话给一些客户，但是我得不到确定的买入竞价。所以我给出了个价格——49.5美元，比之前的卖出价低了0.75个点，然后回电话给一个可能真正感兴趣的机构，问他们是否愿意以这个价格买进。我拿着电话，过了至少5分钟。你不知道那5分钟有多漫长，但是他们买下来了。格斯回来的时候，他难得地赞赏了我的表现。"就这样，慕钦算是真正入行了。

慕钦和特南鲍姆的个人关系不是很亲密，但他们对彼此的工作都抱有极大的尊重。特南鲍姆的母亲和慕钦一样是位桥牌冠军，用特南鲍姆的话说，"（做交易）需要相同的技巧——能够判断所有牌的位置，叫牌的走势，同时能分清各种形势。"慕钦个人观察的结果是，大宗交易中的一个重要因素是记忆力——"训练自己记住各种信息，并且达到能在自己的大脑里形成一个文件柜，对各种信息分类整理并归档"。

各大机构过了很久之后才知道买进股份的时候，请卖方出价是很自然的，就像他们想卖出的时候会出价一样。早些年，他们往往只是卖出股份的时候才会有大宗交易——他们的卖出也往往是在市场报价的底端。慕钦解释："活跃的机构交易——改变投资组合的惯例及流程都处于形成时期。所以，假如你有一单想以每股49美元转手2.5万股的交易，你很难以那个价格找到其他的机构购买。找到交易另一端的概率很低，但是这也创造了机会。一旦大宗交易成为一种广泛开展的业务，而不是偶然的随机现象，那么就算我们自身持有的股票本身不会带来利润，我们创造的交易量及由此带来的佣金（扣除买卖的损失）一般来说也会变成赚钱的买卖。"

大宗交易真正的风险在于情况突变，大宗交易商买进或卖出了一宗股票，可是找不到另一端。慕钦说："这门生意最难的地方是有问题的股票买卖。如果你能卖出长期微跌的股票，买回短期微跌的股票，很好下决心。但是如果没有一个明确的解套机会，或者价格变化得越来越离谱，这就很痛苦。你会犹豫，然后祈祷。你希望一切好起来，或者作出错误的判断，相信一定会变好。在这种情况下和格斯·利维一起工作是最容易出彩的。"

慕钦记得利维曾经帮助过自己，"当时是1965年，我在成为合伙人之前最困难的时候"。有家机构想买入大约10万股摩托罗拉的股票，询问是否有卖出报价。慕钦提出以高出上次交易一个点的价格卖出，对方承诺说会买进。他说："你永远不知道哪笔交易是不能很好做市的交易。具体谈到这笔交易，高盛当时没有接到任何卖出摩托罗拉股票的单子。严格地说，我们是完全空仓的。我的操作很糟糕，股票只是台轧路机，不会停下来。我们以60美元左右的价格完成了交易。如果我记得没错，我们为了做空最后的那些股份，每股花了109美元或者110美元。这是重大损失——7位数的重大损失。我当时想的不是将来还能不能当上合伙人，而是能不能保住工作。我真的很担心会因此被解雇。当然格斯得知消息以后也非常惊愕。不过我没有被解雇，不久以后，我就成了合伙人。"

员工们把慕钦看做教练，因为他秉持亲历亲为的管理风格。慕钦会把利维对他做的事情几乎照搬到团队成员身上。他说："也许听起来有些俗套，但是这门业务真的像一个橄榄球队。我像是比赛经理，或者是四分卫。只有好的球队才会有好的四分卫。我喜欢把自己看做好的四分卫。一名好的四分卫能察觉到边锋什么时候在拼命拦截，什么时候只是一般性防守。你必须每天都精力充沛地从事这门业务，你必须精神抖擞，并且让其他人也总是打起精神。你必须激励人们。如果你自己没有动作，甚至是灰心丧气的话，你永远不会从电话里得到什么好结果，不会带来大单子。"

像其他处于这个职位上的人一样，慕钦对不同的人说的话会略有不同，但他能牢记这些不同，记得对每个客户曾经说过什么，所以他的把戏永远不会被客户看破。有一次，鲍勃·鲁宾说："鲍勃在公司内有很强的魅力。有时候如果市场超出了控制，鲍勃会推动交易完成，热心帮助别人，把事情往前推动。"合伙人比尔·兰德里思补充说："在SSI开放线路通信系统中，鲍勃·慕钦的投入和对全球销售部门的推动是非常有力的。"如果他没有对这项事业的热爱，生活将变得令人沮丧和烦恼。慕钦坦言："我的确热爱这项事业。我觉得要做好，就必须全身心地投入。这不是一门科学，不存在做事的正确途径，没有具体规定好的方法。每笔交易都不同，你永远不知道接下来会怎样。除了能赚钱，当你做成大买卖时，当事事顺利时，你还会欣喜若狂。"慕钦喜欢冒险，喜欢打电话给机构交易员，喜欢出价购买大宗股票——任何大宗股票——赶在交易日快要结束或者价格开始上扬的时候。

慕钦笑着说："我们有些最糟糕的买卖是因为自负。形势恶化时，尽管合伙人很出色，支持你，你还是会感到孤独绝望。你总是会感到情绪要么很高涨，要么很低落。所以，我情绪高涨的时候就控制自己，告诉自己明天是不同的。情绪低落时，我也控制自己，不让情绪更坏。之后我再总结失败的教训，不断取得成功。"

利维很少表扬别人，但是他说："鲍勃是我认识的业界最能促成交易完成的人。"一位重要的机构高级交易员回想起那些慕钦经手的交易的接收方所承受的压力时说："慕钦是华尔街最有进取心的人。他哪怕上天入地也要抓牢一笔交易。"

利维重视那些对高盛最有利的事情。这一点偶尔会让他在交易中处于下风——在证券交易委员会推动佣金实现议价过程中是最明显的。60年代末期，司法部反托拉斯局认为固定佣金是垄断行为，发出了警告。反托拉斯局写信给证券交易委员会，问为什么固定佣金不被废除，而且市场通行做法表明，各个证券公司经常为机构客户打折。由于没有任何准备，证券交易委员会匆匆忙忙地组织了一项对机构投资者及其相关经纪人活动的研究。利维既是高盛的领导者，也是纽约证券交易所的主席。所以，他因为一仆二主而陷入矛盾。大部分证交所成员希望尽可能长地，最好永远保留固定佣金。证券交易委员会的一位精明强硬的工作人员，基尼·罗思伯格（Gene Rothberg）[①]知道另一家主要的大宗交易公司为了特殊的利益反对让步费用。他从中看到了机会，给了利维一个选择：让步费用其实是一种价格谈判的形式，所以利维要么同意实行佣金议价，要么放弃让步费用。

既然"在什么位置说什么话"，同时高盛当时的让步费用高达数百万美元，利维很快看到高盛放弃让步费用就会日子好过得多，所以他着手做这件事。但是，他没有想到这件事成为政府最终强迫券商"自愿"接受议价佣金的支点，他也没有意识到谈判在战略上失败了。

---

① 此人日后成为世界银行最强势的一位财务官。

在和政府进行的第二轮谈判中，利维又输了：他支持议价佣金，因为他以为假如废除固定佣金的话，而且高盛在大规模复杂交易中处于无可争议的领军位置，那么佣金肯定会上涨。他只知道其他公司是赶不上高盛的，所以如果佣金可以议价，高盛将自然扩大市场份额，坚持为更困难的交易收取更高的费用。利维后来可能也看到佣金会下降一点，但是他仍然相信高盛会赚钱，因为他坚信高盛会扩大市场份额。1975年美国劳动节的数天前，利维拜访了各大机构，自信地说："如果佣金降低20%以上，我们会得到所有的业务。"他错了。大宗交易佣金可议价之后的头几天里，高级交易员比尔·德文（Bill Devin）从富达投资打来电话："我们得到的佣金报价降幅超过了20%，而且是优质公司的报价。"从此开始了佣金连续30年的持续下跌，从40美分一股降到了不到4美分。

在高盛雄心勃勃的发展中，不断有例子说明高盛一直在寻找交易机会——控制市场，一方面使交易额最大化，一方面在交易上领先对手，占到先机，例如公司"内部人士"出售股票。出售内部股受到证券交易委员会第144条规则的严格约束，不能超过纽约证券交易所任意连续6个月内交易总量的1%，除非买方的报价未经任何中间人诱导。在迪克·门舍尔的倡议下，高盛发展了一种专门业务，向持有受限于"规则144"股票的个人大股东展示机构大宗交易的活动。那些持有规则144限制股票的公司主管接到高盛的电话，没有感到恼火或是生气，他们觉得这些电话是邀请他们参加大宗交易，也有可能得到那些很有价值的自主出价。

作为高盛规则144业务的负责人，合伙人吉姆·蒂蒙斯只给那些持股至少2 000万的股东打电话，从而保证主要业务量。为了尽可能了解整个市场，他让一个华盛顿人每周送来报告。这个华盛顿人每星期骑着摩托车赶到证券交易委员会的总部，抢在最前面拿到定期发行的内部人士股票活动报告，因为这份报告只能在交易所总部拿到。在纽约市，他组织了一个新型的信息网络，全公司的业务发展项目都是建立在这个网络之上。他让高盛成为规则144业务的领头羊，并且为私人客户服务经纪人提供有价值的新业务的线索。在他们的帮助下，曾有一名企业主管因为成功卖出一单规则144受限股票，腰包里突然有了500万美元现金，实际可能是1 000万美元或更多，他因此获得了再投资的机会。

高盛开拓的另外一个市场是公司回购自己普通股的业务。高盛发展的这个专门业务不需要投资研究，不需要用自己的钱冒险，能为公司其他业务提供机会。大部分经纪公司都把股份回购看做不重要的业务，但是高盛却让这门业务成长为高回报、无风险的业务，年均收益达到1亿美元。

通过大型商业票据业务，高盛能定期联系各公司财务总监。如果高盛打电话说提供大宗股票，那些计划大规模回购自己股份的公司财务总监们格外高兴。他们认为大宗交易比以几百股为单位买入更方便、更经济。而且，他们可以避免一天内价格的波动。如果高盛接到了大宗股票回购订单，就会搜索机构市场，寻找有意的下家——创造另一个"交叉"大宗交易的机会。

70年代初的一天，股票交易纸带贴满了交易室的墙壁。一条纸带上出现"NSI 10万股"，蒂蒙斯看到后惊呆了。这原本应该是他的诺顿·西蒙普通股的大宗交易。诺顿·西蒙承诺这是公司股份回购计划的一部分，他也找到了一个有意出手的卖家，原本可以完成一笔完美的交叉交易，拿到一笔7.5万美元的佣金。更重要的是，几乎就在一周前，蒂蒙斯自信地向交易室里的团队成员保证，他把一切都准备好了。而且更重要的是，他也向格斯·利维打了保票。

尽管丢了这笔交易，他现在也必须面对利维。但是他首先拿起电话打给诺顿·西蒙公司。对方的财务总监接听了电话，他平静但是直截了当地说："交易纸带上刚才出现了NSI 10万股。可是5天前，你说好了跟我做生意。你要说清楚怎么回事，因为我要向格斯解释。"蒂蒙斯当时已经不是普通职员，而是高盛的合伙人。

"吉姆，我们欠贝尔斯登一笔买卖。这次交易是回报他们的最好办法。我知道我们当中有个人肯定会被格斯臭骂，但骂你比骂我强。不错，我骗了你。"

蒂蒙斯放下电话，站起身走过漫长的交易室，来到那间茶色玻璃办公室。

他站在门口，利维没有抬头看他。蒂蒙斯站在那里，等待利维像平常那样点头示意，但什么动静也没有。时间一点点过去，蒂蒙斯知道利维不会理他。

利维从桌子后面站起来，走过蒂蒙斯身边，好像他根本不存在一样。然后他走到交易室的中间，默默地坐在鲍勃·慕钦的旁边。利维没让他走，蒂蒙斯就站在那里一动不动，心里明白：利维不会跟自己说话。

蒂蒙斯感到了彻底的失败，他穿过空旷的交易室，走向自己的座位。经过鲍勃·鲁宾（利维喜欢的人之一）的桌子时，平常很少说话的鲁宾说了句拯救他的话："他只有对信任的人才那样。"利维给他的教训是明确而难忘的。永远不要放松对交易的执行，直到交易完成。

25年后，蒂蒙斯对这件事的回忆，以及如何完成交易的教训，依然十分清晰。

10

投行业务的变革

福特股票的发行对高盛和西德尼·温伯格都是一场胜利，也帮助约翰·怀特黑德启动了其职业生涯。在合伙人兼朋友约翰·温伯格的帮助下，怀特黑德带领高盛进行了决定性的企业结构变革，并将高盛从一家处于华尔街中低端的投行打造成为领军全球的公司。富有天赋、睿智、灵活、英俊、口气柔和的怀特黑德是华尔街领袖的样板，而且他对自己和高盛都雄心勃勃。有个竞争对手后来总结道："约翰做到了这个时代投资银行家的极致。"

成功人士和成功的企业很少喜欢改变，特别是对于多年以来稳定增加个人财富的来源更不愿作出改变。他们不喜欢被打断，并且钟爱具有稳定性、持续性和可靠性且他们个人最为了解的业务，以及从他们个人角度来说最好的行为方式。投行业务一直在其传统道路上前行并且给不少人带来大量财富。在过去的50多年里，华尔街的模式被非常小心地发展着，而且包含了越来越多的细节并逐渐变得稳定起来。在华尔街，没有什么比对于公司客户关系的尊重更为重要的行为守则了。

在70年代，骄傲的华尔街传统投行不会去兜售业务。合伙人吉姆·戈特解释道："没有人去招揽生意。那样做没用，只有老同学最有用，一切变化都很慢。比如，保罗·高尔文（Paul Galvin）创立的摩托罗拉雇用哈尔西-斯图尔特公司（Halsey Stuart）的原因是因为高尔文先生与斯图尔特先生的私交不错。这一直是操作业务的方法。投资银行指望客户自己找上门来。"

即使在70年代后期，像摩根士丹利和第一波士顿这样的精英投行还会给特定的公司，甚至墨西哥政府，送去印制精美的邀请函，告诉他们很欢迎他们拜访公司并就成为客户的可能性进行商谈。

在所有的领先投资银行中，各个合伙人拥有自己的客户公司，他们通常在这些公司里面担任董事。这样他们总是预先知道公司有哪些融资需求，能够从融资的结构设计到时间安排全程参与，并且能够将希望提供服务的对手排挤出去。承销团由各投行进行组织，而各投行的效益又都依赖于每个合伙人的生产力。在这个自食其力的世界里，他们满怀妒忌地看守着自己的特定客户，他们的收入完全依赖于自己能够拉到的生意。

怀特黑德回忆道："追溯到四五十年代，'历史上的'承销团得到非常严肃的对待而且是神圣不可侵犯的。如果某一投行在一次特定的银团承销中成为主导，那它终身都会是主导。改变非常少见。我还记得我当时非常痛恨我认为非常老土和在才智上根本赶不上高盛的库恩-勒布和迪伦·里德（Dillon Read）被当做华尔街'优质投资银行集团'的领导，而高盛根本没有机会插足。根本没有人愿意面对现实并改变这些历史形成的固定结构。"

为公司的每位客户提供深入的服务是极为重要的。客户没有太多可选择的余地，而且价格竞争几乎不存在。更重要的是，除了公用事业之外，几乎没有任何公司在资本市场上进行股权和债权融资，而且即使进行此类融资，他们也肯定不会放弃长期习惯使用的银行，而冒险与其他公司进行交易，特别是类似高盛这样名气一般的小型二流投行。

在福特首发项目中合作时，怀特黑德赢得了西德尼·温伯格的信任。尽管他当时还不是合伙人，他已经得到温伯格的同意就高盛应该进行的新业务进行研究。该研究于1956年1月20日得到授权，于几个月之后完成。不过，根据他的朋友约翰·温伯格的建议，怀特黑德小心地将这本关键的报告保存在他的抽屉里，直到他获得升任合伙人的承诺。①这份报告解释了仅仅依靠个人力量的风险。怀特黑德非常清醒地说道："在西德尼·温伯格的时代，

---

① 获得合伙人的地位需要怀特黑德缴纳5 000美元，高盛很清楚这是怀特黑德所有的资本。

想动摇他的船是不可能的。"

怀特黑德的内部文件支持完成公司结构性的改革，该改革可以及时并决定性地使高盛成为全美范围内和世界性的一流投行，而且还会使他们在投行领域内的所有主要竞争对手也采取类似的改革措施。

重新定义业务和再造公司——常常是对自身业务模式的实质性改变——是高盛急速成长和扩张的主题。不过高盛总是用看似顺畅的连贯性掩盖其希望提高竞争优势和增加利润的野心。

对于某个公司最高的恭维莫过于其竞争对手改变策略和组织结构，以效仿该公司的业务战略和实施战略的方式方法。如果竞争对手认为他们正在进行调整的特定业务是其战略的核心，并且以前的组织结构仅仅是其高级管理人员获得权力和影响力的道路，效仿的恭维会变得更加具有实质性。在高盛，西德尼·温伯格就是在旧有结构中十分成功的人。通过独特的方式，他成为掌控传统架构的人，而且这也使得他成为高效和有力的领导者。在这样的情况下，他凭什么要对新的改变抱有开放态度呢？凭什么让他支持那些重大变革呢？

在前途未卜的环境中，怀特黑德建议将执行和承揽分离，并且让高盛的人在承揽业务（维护客户关系）和执行具体交易中选择一项。尽管同时从事两种业务已经成为华尔街的惯例，高盛的任何人都不得脚踏两条船。一组人员除了承揽业务，其他事情一概不干。对于投资银行家来说，这还是个全新的观念。对于很多人来说，包括很清楚自己多么重要的西德尼·温伯格，这样做肯定是在烧钱，而且还不会有任何效果。谁能和只为其销售对象提供服务，而且为此而感到骄傲的西德尼·温伯格或者华尔街领先投行的顶尖合伙人抗衡？每个人都知道，任何投行业务都是由最高级别的管理人员完成并且由经验丰富的资深合伙人管理的。温伯格很自然地认为，他有着开发客户关系的独特能力和技巧，这些能力和技巧是商业票据销售人员不可能具备的。像其他传统的投资银行家一样，温伯格相信只有能够执行交易的银行家，才能够完全理解如何提供建议，而且他将向其他公司的客户承揽生意视为不专业的表现。西德尼·温伯格一点儿也不认为进行改变会带来任何好处。

对于最后终于收到怀特黑德的内部文件，他肯定没有回复，而且当温伯格听说该文件被装订成册并附上蓝色封面送交给高盛的每一位合伙人时也不太高兴。不过，由于怀特黑德的建议得到了温伯格的亲笔批示，它自动成为下一次合伙人会议的议题。在温伯格决断地作出"怀特黑德有些疯狂的点子"的开场白之后，怀特黑德还是顶着压力解释了他的计划。

他提出的建议非常简单：先指出温伯格为高盛带来的巨大成功，并且对于温伯格正在老去的事实只字未提。怀特黑德解释说：如果有10个人出去承揽业务，而他们每一个的生产力只有温伯格先生的20%，那么，作为一个团队，他们为高盛带来的业务就是温伯格的两倍。

在介绍将销售服务职能与生产职能相分离的模式时，怀特黑德使用福特这样的生产企业作为例子。最成功的汽车销售人员从来都不去车间参与生产，只是尽量多卖车并且为客户提供服务，因为这是他能够做得最好的。而其他人也同时在进行他们能完成得最好的工作：造车。"生产和销售截然不同，"怀特黑德说道，"建立关系并带来业务是一种职能，而执行特定的交易则是另一种不同的职能。不同的职能需要不同的技巧、动力和个性。大多数人的技巧、兴趣以及品性各有所长，而管理人员就需要给每个人安排合适的角色，既符合他最大的兴趣，又能让他最好地完成工作。"

对于怀特黑德，华尔街长期以来遵从的一家投行为一个客户提供所有服务的惯例有两个层面的问题。第一，兜售和推销都不是自贬身份的行为，都是一个杰出机构应具备和认可的能力。要达到下列目的需要花很长的时间：成为每个特定机构客户可以利用的业务机会和其业务问题的专家；理解这些问题和机会如何随着时间和环境的改变而发展；使客户的所有相关人士都完全了解并且相信高盛提供高效服务的特殊能力；对于大型交易，客户在选择投行方面能自然而然地作出坚定的决策——高盛。

第二，将销售和生产分离，能够确保生产技术被最好地运用于生产过程中。生产最好的产品是提供最好服务的关键，而且对于任何一个投行业务人员来说，要让其完全掌握和灵活运用所有产品不太可能。

在会上，温伯格即席简单地表明了其疑虑，其态度明显是不支持的。怀特黑德回忆道："他基本上就是忽略了整个建议。不过，非常重要的是他没有否决这个建议。"由于没有进行正式投票，也就没有直接的反对。由于没有直接反对，怀特黑德大胆地作出了执行的决定。他解释道："既然没有投票，我们就没有被正式反对，所以我继续。"

温伯格从未支持过怀特黑德的理念。

吉姆·戈特帮助高盛在中西部积聚力量，并且执掌重要的芝加哥地区总部多年。他解释道："在实际执行过程中，存在与书面建议或多或少的差异，这正是高盛得以发展以及投行业务能够发展成为一个产业的决定性条件。"怀特黑德也认可："当然，我们花了十多年时间并犯了一些错误之后才理顺了整个业务，但是这有着明显的不同。我们知道高盛必须采取一些变革才能在业务中获得竞争优势。"吉姆·温伯格也注意到："大部分伟大想法的发展都很缓慢，而且伴随着不少幸运的瞬间并积聚力量。只有等到最后，它们才以神来之笔的形式表现出来。"

怀特黑德早期的第一步，就是邀请两名商业票据销售人员将高盛的一些其他产品增加到他们的销售领域中去，因而对高盛来说，没有增加可能引来反对的任何成本。"（对于这两名销售人员来说，）作为销售人员，他们自然对扩大机会表示欢迎。"怀特黑德说道。（数年后，他承认从公司的商业票据销售业务入手是个"廉价的开始"，不过他也别无他法。）怀特黑德很快就从其他业务部门调入人手，例如加州的艾伦·斯坦、中西部的弗雷德·韦因茨。当时，他们仅把这个业务单元简单地称为"新业务部门"，后来重新命名为"投资银行服务部"或简称投行服务部（IBS）。投行服务部在发展关系和争取业务方面很快就变得越来越高效，而在执行交易方面的成功也使得他们成为产品专家，从而信心倍增，认为他们对于各自的产品了解的深入程度和专业程度在业界都是最好的。核心的问题变成：公司的关系经理们应该关注哪方面的工作，以保证其生产效率最大化？

"我们观察整个市场，上百个最大的企业都被领先的华尔街投行锁定了。"怀特黑德说，"大部分都有一个主要的投资银行家，他常常是该投行的合伙人，也在公司的董事会任职，并决意保护其投行和公司在所有可行业务方面的关系。所以，在早期要让它们改用高盛的机会很小。但是还有很多其他的公司，于是我们将焦点放在了它们身上。"进入70年代中期，高盛关注《财富》500强之外的中小型企业以及其他更小的公司。怀特黑德的团队刚开始的时候就是与500强之后的500家企业合作。该名单很快就扩展至1 000个，后来又追加了1 000个，然后再追加了2 000个。随着越来越多的人加入投行服务部，每个人跟踪的企业由200个降为100个，因此高盛能够对越来越多的企业进行越来越深入的研究。1971年，全美共4 000个赢利超过100万美元的企业每家都由一名高盛的投行人员负责跟踪是否能有业务机会。在1979~1984年的5年间，高盛增加了500个客户，客户数量翻了一番。在那个时代，华尔街的所有主要投行都被竞争的现实逼迫接受怀特黑德的机构改革观念。

在积聚了商业票据的销售经验后，商业票据的销售人员们理解了忍耐、坚持和程序方面的规律。在与潜在发行人进行业务往来之前，他们必须建立全面的信用档案以便在客户来电表示希望发行商业票据时能够迅速作出反应。弗雷德·韦因茨回忆早期的经营时说："一名投行服务部员工会给购买委员会写报告，介绍公司基本情况并解释资金用途，然后与公司的竞争对手、供应商以及客户进行深入的核查，以了解该公司及其管理层的状况。我总是在打新的电话，我们希望开发客户关系并且为每个客户做到最好。我们知道如果能够为每个客户做到最好，其他业务机会就会接踵而来，而我们还能得到客户的推荐。与我们竞争承销业务的公司包括布莱斯（Blyth）、美林、第一波士顿和麦当劳。"

但是，怀特黑德可不想仅仅获得商业票据的销售确认："我一直在看我们还能不能卖点其他东西。所以我可能会在一家企业身上看到可能性，比如定向发行债券，并说：'泰德，为什么我们不能给这些人做私募？'泰德就会在下一次与客户会谈时试一试，并且记在他的电话记录本中。然后我会对鲍勃和其他人说：'你们注意到了吗，泰德已经开始和某公司谈私募的事情了？看上去很不错。'很快，鲍勃就会打电话回来，说他开始向他的客户推销私募服务了。"在和投行服务部以及鲍勃的交谈中，怀特黑德多次有意提及鲍勃的主动性。

怀特黑德认为自己对销售行为进行着严密的监控，他回忆道："我阅读所有的通话汇报，常常都会给出这样的反馈，'你有没有试试向他们推荐A服务？'或者，'你提过B服务吗？'很快，就有一个销售人员接到一个为某公司进行分红政策研究的任务，费用是25 000美元。钱倒是不多，但是确实是以前从未期待过的。一份庆祝这次卓越成就的内部文件被送达给高盛的所有合伙人。这场胜利成为高盛当年劝说某些公司在发行业务上不再使用雷曼兄弟而转为使用高盛，或者在其一直使用的投行——摩根士丹利之外将高盛作为联席管理人的最好说辞。这些小小的胜利都被作为伟大的成就而进行庆祝。"

怀特黑德很乐观而且意志坚定。他在回忆那些年代时说道："很快，我们就得到了做另一宗交易的机会，并且在更大范围，以更明显的方式进行庆祝。我们一直这样干，直到整个团队都致力于销售越来越多的产品线。"在怀特黑德持续而谨慎的"饿死失败者，喂饱胜利者"的管理模式下，整个投行服务部逐渐得到全身心投入的建设性教育：首先是对特定的行动和交易，然后扩展到整个战略，最后发展至整个高盛文化和对于一项新的、组织严密的业务模式的全情投入。

由于将关系管理从观念上提升到与执行交易同一高度，怀特黑德能够招聘到业务能力强的员工，以有效地寻找业务机会和分销新产品的思路。这给了高盛超越华尔街其他投行的决定性竞争优势，同时还带来了日益增长的在企业界和客户群中的强大能力和专注的好名声。其他投行很难望其项背，甚至其竞争者都直呼其行业"机器"。

怀特黑德微笑着回忆业务的建立过程："我们当然要捍卫和保护自己的客户，充分利用我们作为其惯用投行的优势，并且会对一名刚刚上任的客户公司的CEO说，'先生，对于更换贵公司长期往来的投行，您想都不用想了，因为在您来之前我们和贵公司已经做了好几代人的生意。您当CEO也就几年吧，但是高盛和这家公司的合作关系肯定会一直保存下去的。'但是，对于其他投行的客户，我们的语调肯定会截然不同：'摩根士丹利认为他们是谁啊？说他们拥有你们？你们可是一个独立公司。你们完全有权选择你们认为能力最强的投行，而完全不必被已经过去了的历史束缚住手脚。'"

怀特黑德的第一项任务就是将投行服务部打造成为能够成功发起、开发和建设大量公司业务关系的组织。第二项任务，也是需要同时完成的事情，是将投行服务部在高盛内部的地位提升至与传统的占统治地位的买方业务部门平行的高度，尽管在这些部门内部有不少对投行服务部的怀疑和反对。在地位上的平等有赖于强大的招聘能力以及能让优秀和雄心勃勃的专业人士将投行服务部作为其终身事业的制度。有好几年，怀特黑德亲自率队到哈佛商学院进行招聘。他总是在寻找能够获得更多机会、能力突出的商业银行家，而且他也招聘来自其他投行的人员，特别是那些经过良好培训、经验老到、富有进取精神，但在原公司感到难以施展才华的年轻人。怀特黑德会给他们获得自己客户的机会，并将他们提升为副总裁。

弗雷德·韦因茨回忆道："在约翰·怀特黑德决定实行建立新部门的计划不久之后，吉姆·温伯格劝我申请改做商业票据销售。商业票据不太赚钱，但如果有个公司的赢利超过了100万美元，这却是个与正在等待时机进行公开发行的公司接触的好机会。当然很明显，这必须是经过西德尼·温伯格批准的优质公司。高盛也试图招聘商业银行家，因为他们知道如何给客户打电话获得金融业务，给他们支付的年薪是12 000美元。由于成本控制非常严格，作为内部调动人员，我也只有7 500美元。根据商业票据销售的模式，我们根据地域来进行组织，纽约有5个人，波士顿有2个，费城有1个，圣路易斯有1个。我负责俄亥俄和印第安纳，当然，不包括温伯格先生在这些地区的客户。我们一直在尽力将我们的业务和新业务部门的运作合理化。我们知道我们去的地方没有多大油水。但是摩根士丹利和第一波士顿基本掌握了最靠前的100家公司。尽管高盛在前100家公司中的客户寥寥无几，但是在100家以后的上千家公司中，我们却拥有很多客户。我们不停地召开小组会议，以商讨如何提升我们的业务。"

怀特黑德回忆说："由于当时在投行行业中改变客户关系是极其困难的事情，去打破这个规则的任务自然让很多人望而却步。我们会通过每年增加多少新客户和失去多少老客户来评价我们的表现。在一年的工作之后，我们可能会增加3个或6个客户，差不多也就在这个范围内浮动。"一开始好像收效甚微。新业务获得了所有的赞誉，而空间又很大，即使是小小的胜利也会被大张旗鼓地庆祝一番，不过业务的实际流入量并未增长太多。商业票据的赢利可以"资助"新业务机构发展的期望看起来只是水中月而已。就像乔治·多蒂所观察的，"高盛新业务的成功发展肯定不是一夜之间就能实现的。有好几年，他们都在亏钱，那也是其他投行没有效仿的原因之一。谁愿意去效仿一个与设想的情形差别如此之大的实验呢？显然我们这种做法看起来一点也不管用。"怀特黑德的创新用了10年，并且经历了大量错误才成功。西德尼·温伯格从来都不喜欢这个改革方案，也从来没有表示支持。怀特黑德说："直到温伯格去世之前，这项新业务仍然排名第一。"

怀特黑德将他的工作重心越来越多地放在了管理事务上，特别是商业计划上。1963年下半年的一天，强势并且极其敬业的领导人格斯·利维向怀特黑德表示对于大量雇用新人带来的风险十分担心，他说现在每年的日常开销已经达到了1 200万美元。"每个月我们要赚起码100万美元才能达到收支平衡！"

怀特黑德宽慰他说，现在已经有一些计划会将这些可怕的成本负担转由日常和可预期的运营成本来承担。一开始，怀特黑德表示说，他希望投行部门每个月至少做一次私募业务，并且拿出一叠纸，写下"12 × \$50 000"来记录这条业务线每年的预期收入，而该业务线当时是高盛的主要业务线。然后他再加上商业票据线，接下来是第三种服务业务，直到他最后得出预期的600万美元赢利的数字，全都来自投行。

然后他问利维："你估计你那边的收益会有多少？"当时利维亲自掌管着套利和股票经纪业务部。根据不是十分明朗的竞争形势以及对这些情况的快速反应，利维对于经纪业务部最大的25个客户每家能够产生的佣金进行了估计，然后对紧随其后的50个客户进行估计，再加上套利部门的数字。随着每个新项目的出现，怀特黑德就将它写到本子上。在发现总数超过了之前让人不敢设想的1 200万美元后，怀特黑德对于来年的业务有了一个粗略的估计，并在最顶上写下"1964年预算"。由这次简要的预算会议作为起始，这种预算的纪律就成为高盛的里程碑。收入很快就攀升到2 000万美元，税前利润达到了600万美元。

随着承销量和并购业务等投行业务开始回升，以及机构投资者成为股票市场的主导，投行业务在60年代开始改变。更重要的是，大型公司希望能够有一家以上的投资银行为其提供服务，并且在承销过程中开始使用联席管理人制。投资银行家们逐渐开始失去其"锁定的"客户。

投资银行家传统上很为他们作为能够执行所有交易和提供任何客户需要或想要的服务的通才而感到自豪。怀特黑德的组织性创新就是分而治之。每个银行家都专注于其特长，高盛就能够一次又一次地为客户提供最优质的服务，最后达到能在任何地方提供服务的水平。专家组合——一名产品或服务专家和一名了解公司业务极其关键人物和决策方式的员工——能够击退传统投行的通才银行家。这种做法一开始只是偶尔有效，渐渐地就是一次接一次的成功案例了。

"很快这个系统就进入了良好的运行状态，"怀特黑德回忆道，"这个团队的威信随之而来，随结果而来。"如果高盛的其他人对于这个团队的地位还有所怀疑的话，那么这种怀疑决定性地被怀特黑德成功地劝说西德尼·温伯格的大儿子吉姆离开他干得非常成功的欧文斯-康宁玻璃纤维有限公司加入投行服务部而得到化解。另外，随着时间的推移，投行服务部团队的一些人被提升为合伙人。

在一名投行服务部新业务关系经理获得业务之后，他会将执行的所有责任移交给一名该类型交易的专家。该关系经理则继续负责跟进客户对于交易是否满意的反馈，并发掘新的业务机会。同时，执行专家在积累足够多的经验后会成为其专业的领导。客户关系专家会源源不断地将更多更有意义的业务带进来，而产品专家可以将各自的时间、技能、精力和特长集中在为客户服务上。怀特黑德这样总结道："当我们的销售人员知道他们代表着最好的产品、最有经验的和最有能力的产品专家，在向客户推销某一具体业务时，他们的语气是自豪而又具有说服力的。而且他们也知道他们可以将执行全部移交给公司的产品专家，自己则继续将所有的时间和精力放在他们最擅长的业务上：与每一位客户密切合作，以确保带来最好的业务。"他们知道自己的特长，也很清楚他们的客户会得到'最好的执行'——夸自己同事总是要比自己夸自己要容易些。"

关系经理只干自己擅长的活儿，而产品专家也只干自己干得最好的事情，这样的组合形成的合力给了高盛决定性的"不公平的"竞争优势，还为其在公司客户的心目中建立了非常专注和能力超群的良好名声。渐渐地，而且非常稳定地，产品专家对他们的关系专家们也建立了信心，因为这些关系专家真的了解他们的公司，非常善于寻找和开发业务机会，而且他们只有在客户对于产品的特性非常感兴趣时才会给他们打电话，因此客户关系专家总是觉得自己很有用。而关系专家也逐步对他们的交易专家建立了稳定的信心，因为他们相对于其他投行的交易专家来说更富有经验，而且非常了解市场上最近类似产品的相关情况——这在新业务中增加了他们的可信度，给他们较大的竞争优势。最后双方都发现能够完全依靠对方，这就形成了良好的合作愿望。这样的互相依赖也非常符合高盛团队的合作精神，以及用"我们"代替"我"这样的理念，这一切都源于萨克斯家族，并且得到格斯·利维的持续支持，以后由约翰·怀特黑德和约翰·温伯格继续延续下来。

在地域专注之上的行业专注在合伙人迪克·费伊（Dick Fay）于60年代开始专注于金融公司起成为高盛的机构性行为。后来，同为合伙人的伯特·索伦森（Burt Sorenson）开始专注于公用事业。当加拿大人巴里·威格莫尔（Barrie Wigmore）于1971年加入高盛时，怀特黑德的战略目标是逐步加快招聘类似于巴里·威格莫尔这样的员工的步伐。这样的员工希望在其职业生涯中获得特殊的成就并且愿意为此长时间地工作，甚至周末也工作，他们将变化看成是令人兴奋和非常有意思的事情。最开始的计划是让威格莫尔与退休将军查理·萨尔茨曼配对，查理·萨尔茨曼在应西德尼·温伯格之邀加入高盛前在国务院任高职。当时已经60岁的他还有一两年就要退休了，所以安排威格莫尔作好准备，在一两年内接手其客户。但是变化还没有开始，怀特黑德就决定最好让威格莫尔负责开发高盛在巨大的公用事业领域内的业务。

当时的公司债券发行市场被公用事业公司占据，但是高盛既没有固定收益研究也没有债券销售力量。更为重要的是，大部分公用事业发行都是通过竞争性投标进行，而高盛一向对那样的微利业务不感兴趣。不过怀特黑德还是看到了这个行业未来发展的巨大潜力。

对于怀特黑德来说，公用事业企业蕴藏着巨大机遇——不是因为它占据公开发行量的一半，不是因为无论经济是否景气它们都是华尔街主要的发行人，不是因为它们的数量众多，不是因为它们遍布全国，也不是因为公用事业是如此重要，摩根士丹利、第一波士顿、美林、怀特韦尔德和所罗门兄弟都视其为提高声望的业务。在怀特黑德的眼中，由于高盛几乎没有公用事业方面的业务，因此这代表着巨大的机会——"毫无限制的机会"。怀特黑德在解释机会时说，威格莫尔可以自行发展其策略，他不需要花时间去维护现有客户，想去哪就可以去哪，想干什么就可以去干什么。

高盛在70年代初期唯一参与的公共事业业务就是电信。实际上，AT&T并不算是公司的客户，它是格斯·利维的客户。AT&T习惯以权证的方式发行普通股，这就自动产生了包含"假定发行的"股票的套利机会。由于利维是公司套利交易部门的主管，他自然成为承销业务的重要参与人，并且由于其股票定价专家（在每次发行前AT&T需要就其股价进行咨询的专家）的名声而与AT&T打成一片。

利维曾经是内森·洛克菲勒竞选委员会的财务主管，后来成为纽约电话公司的董事，因此他的公司经常在AT&T的承销商名单上被列为联席管理人——不过从未被列为牵头管理人。利维和AT&T的财务总监关系极其密切，因而尽管高盛缺乏零售分销渠道而且债券业务很弱，他们在AT&T每次发行前都会接到电话通知——这是高盛非常引以为傲的业务。所以，AT&T成为一个开端。不过接下来该是谁呢？从储备上来说，威格莫尔的战略地位很弱：对高盛至关重要的大部分机构客户对公用事业股票不感兴趣。而高盛又没有传统上习惯购买公用事业股票的小型零售客户，甚至高盛自己也兴趣不高。销售部的头儿，雷·杨明确地表示反对："我们根本没有公用事业股票的销售业务。"公司1970年在公用事业方面的总收入仅为25 000美元。尽管所有的公用事业公司都有其惯用的投资银行关系，而且它们也以厌恶改变融资源出名。改变既定的关系非常困难。同时，高盛对于公用事业方面起起落落的具体法规一无所知——这些法规非常重要，而且各州之间都有差异。威格莫尔对于评级机构如何运作毫无概念——除了认识到它们都非常重要。威格莫尔也不认识公用事业方面的律师，但是他很清楚他需要认识他们。威格莫尔不认识任何公用事业公司的管理者，他们也不认识他。

巴里·威格莫尔的家远在加拿大的萨斯喀彻。不过在高盛内部，事情正在发生变化。在怀特黑德的领导下，投资银行部正在变得更加雄心勃勃。新业务的开拓人员给现有客户和潜在客户打电话寻找业务机会，而公司内部各专业部门受到鼓励提供各种各样的新点子。由于实行不平行招聘方式，很多聪明的年轻人得以激发出各种新想法。

结构性的变革总是会遭到反对并且难以成功实施，而且所有关系银行家都是通才的现象在高盛已经有多年的历史。这从管理学的角度来看非常重要，因为由于机会此起彼伏，可以非常容易地调配人手。这样的传统还在高盛的战略中增加了两个基本要素：较低的固定成本，和在机会到来时，为实现利益最大化提供足够的可调配资源。其他投行的人会说，"这是为了我们的声誉"、"这是为了我们的排名"、"为了保护我们的关系"或者"这显示了我们的投入"。不过，这在高盛行不通。高盛总是很明确且持久地比其他投行更加关注利润。

高盛一直都非常进取，从威格莫尔在80年代早期一次积极的约会经历就可见一斑：

"不好意思，威格莫尔先生，我一天的时间都安排满了。"

"那您一天一般是从什么时候开始算起？"

"6点。"

"要是我早上6点差一刻过来，您有空见见我吗？"

为了与公用事业公司建立业务关系，威格莫尔知道他只能采取智取的方式并且要依靠创新。因此，他从各个方面使得其产品具有差异，并且想方设法将公司的资本用于开发公用事业业务。作为外来者，他对于创新能带来的突破作好了准备。威格莫尔的团队由30位专业人士组成——分析师、投行服务部关系经理和产品执行专家。每个周一的早晨8点，他们都会一起吃早餐并且进行开放式的讨论，就该小组业务的方方面面进行汇报，并从其他部门邀请同事来探讨新的思路。尽管每周的细节不太一样，但是程序安排都是相同的：有什么新的或者正在改变的现象？竞争对手有什么妙招值得我们学习？有什么可以开拓的机会？

他们鼓励每个人都带来新点子，不管新点子有多离谱都会进行验证。威格莫尔回忆道："这对于业务和士气都很重要。我们试过所有的点子。有些一开始就毫无希望，有些看上去非常疯狂，但是有一些是有用的。参与捕猎的过程的确很让人兴奋，而且当我们发展成为获胜者时尤其兴奋。很快，我们在业界就建立起了信息灵通并且富有想象力的名气，越来越多的人想和我们聊聊并听听我们对于开发新业务有什么见解。"

大部分新点子都用在了急需资金的电力事业上。这些有用的新点子包括：

- 高盛承担了核燃料行业第一笔使用商业票据作担保的融资租赁业务。在这些交易中，高盛购买了一个核燃料专业子公司宽街服务公司（Broad Street Service），并且用银行信用证担保的商业票据为其提供资金，然后再将它租赁给公用事业公司。这项业务利用了高盛在商票据和租赁业务方面的特长，而这些特长恰恰又是其竞争对手少有的能力。类似的机会也存在于设备租赁业务中。
- 污染控制收益债券也大大受益于高盛在免税融资方面的实力。
- 利用私募部门的进取精神开辟新的机会。当某一机构投资者告诉高盛，某一私募专家希望获得某一特定种类的债券时，威格莫尔的团队会很快接触市场上的公用事业公司，并问他们："你们愿意以一个特定利率借入1 000万美元吗？"这是一种不同寻常的方式——与由借款人准备好发行的文件以及启动整个程序的传统方式正相反，这种方式运作良好并且使得高盛很快就成为这个快速增长的资本市场部门的必要中介。

- 通过荷属安的列斯销售的欧元债券为美国公用事业公司进入正在发展的欧洲资本市场提供了另一个专业市场，并帮助其建立了名声和信用。

- SAMA（沙特阿拉伯货币局）在70年代晚期进行了大量的现金投资，而它对利率的关注程度远远不及它对信用质量的关注。通过合伙人托马斯·罗德（Thomas Rhode），公用事业公司团队为沙特阿拉伯货币局安排了很多高端美国公用事业公司2~5年的私募。

- 需要建设煤电厂的公用事业公司可以与煤炭公司协商长期的供应合同。由于常常需要各种挖掘设备，煤炭公司不一定能够负担动辄上亿美元的高额投资。而煤炭公司也不可能有足够的应税收入，以使用从投资中获得的巨大折旧。解决方法非常容易：公用事业公司通过高盛安排这些煤炭供应商的融资。这样，又一项能够提供给潜在客户的高利润特色业务被开发了出来。

这些创新都很成功，而且给公用事业团队带来了可观的利润，不过他们仍然仅仅将力量集中在债券市场上。进行创新可能为高盛在公用事业业务上赢得生意，但是普通股融资才是公用事业的血脉，并且最终决定该公司将使用哪家投行。不过他们的努力面临着来自公司外的巨大阻力——竞争者提供深入的服务并且极力捍卫其业务——以及来自内部的反对。不过，在内部最强烈的反对者雷·杨退休，由迪克·门舍尔领导销售部后情况有所改变。门舍尔抱着开放的心态听取威格莫尔的建议："销售人员对于公用事业了解不多。如果你能给我们一个人——兼职都可以——我们就可以向他讲授公用事业的知识并由他转达给销售团队的其他成员。我敢说我们肯定可以在公用事业股票上做些好买卖。"幸运的是，门舍尔派了塔夫特和公用事业团队的人一起工作。塔夫特后来成为美国领先的电力行业股票的机构销售人员，而且接着成了高盛股权资本市场部的负责人。

通过与研究部门的合作，塔夫特和威格莫尔开发出了一套可以每天使用电脑运算的简单易用的销售工具。它能够根据排名顺序，从每种公用事业股票与公用事业平均收益的历史关系来显示偏差。如果认可这个简单的假设，即市场在对每个公用事业公司相对于全行业的定价是正确的，而其反作用力则会将"漫游者"带回正常状态，那么"低"买"高"卖就可以赚到钱。红利收入能免除85%税负的意外事故保险公司就学会了使用这个信息。他们逐渐成为使用这种模式的客户，当然，是高盛的客户。

高盛由于已经奠定了在大宗交易上的领导地位，下一步的工作就非常简单了，起码现在看起来是这样：向其了解购买意向的机构兜售大宗新发公用事业股票，比起需要组织多机构承销团以及在全国进行路演等的零售业务非常简单而且费用低廉。现在，只需要通过一家投行——高盛，公用事业公司就能够以极低的价格在一天以内融到5 000万~1亿美元的股本，再也没有通常的"市场不确定性"。而且整个公用事业的发行成本极低：只需要1%~2%而不是传统的3.5%的承销费用。

下一步就是持续的发行。高盛劝说公用事业公司每年进行大量的发行，不光是能够达到通过储架注册方式（一次登记声明就可以覆盖相同证券今后的多次发行）获得低价融资的目的，还能随着发展进度充分地利用市场优势。威格莫尔回忆道："我们一开始发行中期票据，当时只是公司在商业票据业务的成熟曲线上的一步而已。"

至少从现在来看，进入长期债券业务之后，开展股票发行业务是一个非常自然的发展过程。如果有一个机构投资者对于购买某一公司的10万股普通股表示出兴趣，这条信息会被直接转告给发行人。由于股份发行不会面对联合股票承销所带来的压力，因此发行机构的股票能够获得理想的定价。高盛因此获得了高效进行机构投资者交易的名声，也增强了公司的整体声誉。

在汤姆·塔夫特（Tom Tuft）的领导之下，通过使用这些新型的承销工具，高盛在股权投资领域获得了新的尊重。这种尊重可以帮助高盛在每次承销过程中获得较大的份额，而且高盛也极力争取。转折点是佛罗里达电力和照明公司的项目，这家公司在业界一直被认为是最聪明的公司，其当时准备使用高盛、美林和所罗门兄弟为其大额增发进行非联合发行。威格莫尔回忆道："高盛当时对于这些股份的销售是绝对关注，而另外两家则对此次销售不太关注。这的确给了我们大好的机会。首先，我们将我们的所有份额都销售一空。然后，我们拿到了美林的份额，并且全部销售一空。接着，我们去问所罗门，他们告诉我们说还有80%的份额没有卖出。所以，我们把他们的份额也拿过来全部销售出去。"

这样激进的行动自然让美林和摩根士丹利那样的老牌承销商非常难受，因为高盛开始在蚕食"它们"的客户，但是对于高盛来说绝对是好生意：没有承销风险，没有占用资本金，而且从未中断已经建立的关系。"公用事业公司也很喜欢这样，"威格莫尔回忆道，"所以它们也开始给我们其他业务。这很好，非常好。"

高盛在美国国内分销公用事业股票的经验和效率为其在英国开展业务带来了很好的机会。英国自1979年玛格丽特·撒切尔的新政府上任后开始致力于私有化。如果高盛能够从英国政府手上赢得这些大额而且很高端的任务，那就能帮助高盛在伦敦和欧洲大陆的发展往前迈出一大步。高盛有一些优势。首先，对于在公用事业进行大量投资的英国机构投资者来说，高盛不是陌生人。在苏格兰，位于爱丁堡、邓迪和格拉斯哥的机构，特别是公用事业的承销客户都知道高盛，高盛也认识他们。更重要的是，高盛开始具备为投资者拥有的公用事业公司进行承销的专长。就像威格莫尔说的那样，"我们是真的了解投资者，我们也了解市场"。威格莫尔再度上演了展示高盛竞争力的经典剧目——红眼航班往来两地，在伦敦与英国财政部高级官员进行午餐会，然后下午马上返回纽约。英国财政部从他们的行动中明确了这样一个信息：高盛对业务非常投入。

几乎同时，与鲍勃·鲁宾经常合作的汤姆·塔夫特在墨西哥和西班牙的公用事业私有化中获得了成功。公用事业团队在输气管道行业也获得了同样的成功。由于高盛在电力设施行业仍然比较弱，威格莫尔从管道行业开始，因为该行业的不少工业性的传统思维非常符合高盛的传统技巧。幸运的是，管道行业的专业投行怀特韦尔德公司正在走下坡路，而其他投行在管道业务开发方面也进展缓慢。在管道公司的新业务排名中，高盛从完全不入流迅速跻身第一位。"不过，一开始，"威格莫尔说道，"我们打电话时可是处处碰壁。"幸运的是，这些管道公司认为自己属于工业行业而非公用事业行业，因此他们喜欢高盛这样在工业生产企业承销业务方面比较有经验的投行。

随着管道公司开始尝试多元化经营，威格莫尔看到了可以将其并购技巧用于燃气行业的机会。然后在80年代中期，恶意收购逐渐流行。威格莫尔有一个发现："管道公司就像呆坐着不飞的鸭子——极易成为恶意收购的对象。它们的数量让人吃惊。"所以他向管道公司提出警告："你们要么进行管理层收购，要么就会被恶意收购。"这些警告提出的时间恰到好处，甚至超出了他的预期。1984年，当城市服务公司（Cities Services）被迫出售其燃气管道业务时，吸引到了令人吃惊的20个出价者。"这件事情的含义再明了不过了：整个管道行业现在都动起来了。而我能说的也很明显：'看好了！机会来了！'"

作为第一支为单一行业投行客户而组织起来的团队，公用事业团队打破了高盛传统的地域模式，因为其高度专业性带来了更丰厚的利润。1985年，美国自然资源公司（American Natural Resources）和沿海电力公司（Coastal States Power）的合并创造了公司有史以来获得的最大单笔收入。然后就是北方天然气（Northern Natural Gas）与休斯敦天然气（Houston Natural Gas）的合并。公用事业公司的并购开始大爆发。擅长并购业务的投行专家，比如麦克·海勒（Mack Heller）、迈克·奥弗洛克（Mike Overlock）和彼得·萨克斯（Peter Sachs）也加入了战团，而且开始进行业务转型。随着交易量的持续上升，高盛有理由成立越来越多的针对行业的团队。戴维·洛伊申在油气行业非常成功。乔·温德一开始先进入银行业，而且很快扩展到整个金融行业。其他的专业团队还包括电信、零售、医疗和林业产品，每一组都有足够大的规模，以灵活地抓住其所在行业的业务机会。

怀特黑德的临时性专家组合，确实无法被"一人单干"的明星系统和将每个人的时间和经验分配在执行各种交易和开发大量客户关系中的陈旧模式所阻挡。

对于高盛来说幸运的是，在70年代投行产品大量增加之前，其投行业务部就建立得非常完善了。随后，投行业务在承销和并购业务上的数量都开始增加。随着发行人逐渐开始使用联席承销商以及在承销中使用其他具有专业经验的投行，各投行的绑定客户开始被松绑。 随着大型成熟的机构投资者的参与，股市和债市的专业化程度变得非常高，那些过去呼风唤雨的投行不再占据主导地位。市场本身也由于活跃的机构投资者的参与变得更快速、廉价、定价更准并且能够及时对创新作出反应。各个公司能够根据不同的需要选择不同的投行，并且为每一单业务挑选最好的投行。

这样的开放环境直接扩大了怀特黑德所供职的高盛的能力范围。其他投行的人员也许从个人角度看更加专业，但是他们不可能掌握所有的特长，而当一个传统的投行人员执行交易时，他也没有时间出去兜售业务或者使用其附加服务捍卫其客户。高盛从设计上就有其竞争优势，而且随着时间的推移，这种优势逐渐增强。不论竞争对手的人员如何聪明，他会发现要跟上投行服务部这台机器已经越来越难。

怀特黑德的投行服务部组织结构也使得高盛能够在新产品和新业务方面成为低风险、高影响力的"快速跟进者"，让其他投行去试验新点子，去承受那些可能是昙花一现的创新过程中的成本和痛苦。高盛研究可以实用的部分并加以发展，很快通过上千个客户进行筛选以确定新产品最好的业务对象，然后利用投行服务部作为传输渠道将所有的交易专家输送到各条前景光明的业务线上；后来居上的他们能够很快做更多业务并且成为新业务中公认的专家，而且比那些首发创新的竞争对手的销售业绩还要更好。

西德尼·温伯格开发客户关系和执行交易的个人方式使他成为他那个时代最好的投行家，但是他的方式在业务面临巨大变革的60年代、70年代和80年代不再适用。具有讽刺意味的是，西德尼·温伯格掌握的投行业务模式遭到他的追随者约翰·怀特黑德的抛弃。每个人在高盛获得成功都有其特别的方式。中介业务，特别是非常活跃而且变化莫测的金融批发业务，必须经常变革自身以及业务模式以预先抵抗最强大、最富有技巧和最具有进攻性的竞争。经济学家约瑟夫·熊彼特精确地将其形容为创造性破坏，甚至被破坏的就是企业自身的业务。

可以理解，怀特黑德对其带入公司的项目和交易以及他开发的客户关系感到非常骄傲，他认可他的宗旨和最持久的贡献来自他的机构创新，特别是在投行部门的组织上。他同时也是一位非常高效而且积极进取的一线业务竞争者。

怀特黑德最好的一名客户在了解了竞争对手的介绍后，认为该建议适合其公司而决定用这家竞争者公司。怀特黑德非常吃惊，并立即给该客户公司的首席财务官打电话。在一阵寒暄之后，怀特黑德转入正题："我刚刚才了解到你关于某项融资业务的决定，既然我们被投资者作为你们的首选投行，不知道你是否同意我们可以成为这次发行的共同管理人。我很确信如果我们两家协同作战，你们肯定更能得到市场的认可，甚至还能得到更好的报价。"当然，既然没有任何损失而且还有些潜在利益，客户说如果另一家投行能接受的话，他们也没有问题。

怀特黑德然后给竞争对手的银行家打电话。"我们跟这家公司合作好长时间了，对于我们来说，如果你们在这次公开发行中成为独家高级管理人，我们会很难堪。我已经和我在这家公司的朋友说过了，他们喜欢你们在特定融资领域的主动性，而且他们对于我们两家成为联席发行管理人没有任何意见。当然，我们都知道在华尔街不少公司之间也互相帮忙。而且，坦白讲，你们也应该看到作为公司一直聘用的投行，如果不将我们排除在外会有不少好处，而这对于高盛也非常重要。"怀特黑德还想进一步解释，不过电话另一头的银行家已经明确了解他要传递的信息，知道他应该接受事实，而且应该立即接受事实："约翰，为什么我们不现在就同意进行共同管理？"

在客户公司的总部，怀特黑德和竞争对手的银行家与首席财务官碰面，以决定交易的各种条款。明显认可对方是发起此次交易的投行，怀特黑德非常绅士地说道："你们先说说你们的定价吧？"诱饵已经放出而另一方的银行家开始上钩。"我们认为上市的利率应该是15.5%，在这个利率水平上我们可以融得2 000万美元。"

"能说说你们怎么定价的吗？"怀特黑德紧接着问。所以另一方的投行家解释了他的原因，并非常明确地表示他们对于这个建议已经经过慎重考虑，这是能够获得的最好价格，甚至还有点高了。这就将他自己限制住了，而且让怀特黑德很容易取胜。"在高盛，我们对于这次发行和市场的看法不太一样。如果这个价格是我们的竞争对手能出的最好价格，高盛能够为我们的优质客户下调25个基点。"两周后，高盛成为这次发行的独家管理人。

当两人在一年之后相遇时，竞争对手说道："约翰，你给我上了一课——很昂贵的一课。"怀特黑德回答道："这在短期内看可能很昂贵，但是如果长期来看，你学会了永远也不能如此开放地对待你的竞争者。你还年轻。在以后的岁月里，我可以肯定你会从这次经历中受益的。"

很快，怀特黑德就邀请那位同行到高盛的内部餐厅共进午餐。这次他的兴趣是这个人本身：怀特黑德想知道他是否有兴趣加入高盛。这种私下的猎头并不少见。在那些日子里，怀特黑德发展出这种管理模式，并且大力鼓励投行服务部其他的同事和他一起招聘竞争对手现有的最好人才。这种观念很快被固定下来：为投行服务部招聘到打败它的投行的最好人才往往比失去该交易更为重要。

怀特黑德很早就认识到，利益分配或者论功行赏非常容易造成内部不和。为什么这些关系专家会感激其交易专家对公司的贡献，而交易专家又为什么会感激其关系专家为整个公司所作的贡献？所以怀特黑德在报酬方面建立了双赢的方法，以避免冲突，加强团队建设，以及鼓励每个人都专注于如何使这个密集型的组织能够进行良好的运作：交易的两个方面都能得到100%的认可。如果指定给墨菲（Murphy）的客户与高盛做了一桩交易，不论墨菲有没有干活儿，他都将获得满分。所以没有任何理由绕过墨菲或者非常不光彩地背地里询问对于完成这桩业务墨菲是否应得60%或者50%的报酬，或者甚至只拿30%的报酬。"权责完美明晰化的做法"很容易伤害感情，并使人们从100%的客户服务中分心。

在每次交易之后，就会有一封内部的报告详细指出每位银行家的贡献。这样所有人的贡献都会得到认可，并且所有人都能够看到公司的成功中其他人贡献的重要性，这非常清楚地表明了公司对于团队精神的高度重视。怀特黑德解释道："能干的人都希望得到对他们的技能和成就的认可和尊重，这甚至超过了他们对于金钱的渴望。他们需要并且非常在意别人的认可和尊重。"

每当接近年度薪酬考核的时候，怀特黑德会给投行服务部的所有人员发信询问建议："我们必须知道你今年都干了些什么。"每个人都会准备自己的报告，怀特黑德和其他人将会认真研究这些报告。当其他投行关注"产出"——交易数量和利润时，怀特黑德在高盛建立了一套制度。根据该制度，投行家的奖金有一半取决于其他人对于此人给予他们帮助的评价，这种薪酬机制非常强烈地鼓励每个人关注如何使这个紧密合作的团队运作良好。这些评价在写完之后被收集到被讽刺地称为"抨击手册"的册子里。为了鼓励员工跨越组织中的各种界限，凡是能够打破组织界限的团队合作将得到极大的奖励。对于个人成就也是如此。"我们当然都很关心真正的团队合作。"怀特黑德说道，"所以对于你能够给其他人如此的信任，我们非常高兴。我们只想让你知道，我们非常感激你所做的一切。"

"**如**果说格斯·利维的管理模式有什么失误，那就是他不愿意授权。"怀特黑德说道，"格斯不是一个精于计划的人，他是个走一步看一步的经营者。对于格斯，当天上午要做的事情算是短期计划，而下午要做的事情就算是长期计划了。他觉得华尔街一直在不停地变，所以非常难以计划，甚至根本不可能作计划。你只能在机会出现时才能把握住它们，他的成功完全来自他作为交易员的本能。不过我们其他人都是往前看，并且思考我们将会采取何种行动。"

公司的业务计划明确表示要将合伙人的精力集中在公司的发展之上。为比竞争对手更接近市场，公司每年的年度计划会在1月和2月召开，而其他公司则一般于10月和11月召开。为了避免将人员从业务线上调离，这些计划会都在周末召开，实际上是一连三个周末。在这期间，大家对计划进行演示、质疑和更改，直到行动计划得到批准。这是硬币的两个面。一面是合伙人积极而又深入地融入公司运作的方方面面，使得利维成为高效的领导人。但是另一面如此简单，是对相同固有业务的提升预测，并没有将可能的变化和革新考虑在内。有些计划过于谨慎而有一些则太过激进——这取决于每个部门领导的个性。为了克服这些问题，每年的财务报告会对计划中的实际赢利与实际开支进行对比。"很快，过于谨慎的人和做白日梦的人的年度计划和实施都有了改进，并且做得越来越好。"怀特黑德说道。到后来，这些报告变得非常成熟，而其开头部分曾经非常冗长。在坐下来对一条又一条业务线的年度计划进行审核后，怀特黑德决定到："老天啊，这是我最后一次坐下来审核奥尔巴尼和底特律的计划书。"他随后将公司的计划程序下放给各部门执行。

为持续地追求其战略目标，怀特黑德将有纪律的计划和有所保留的宽容结合在一起。他会毫不犹豫地向别人提出要求。理性胜过感性的他在公司里面从来没有亲密的同事。他得到了他人的尊重而不是爱戴。他并不是特别招人喜欢，被认为经常刻意和他人保持距离，所以他在背后被人称为"大白鲨"。他从来不像其他需要赞誉或者认可的投行家一样被甜言蜜语欺骗和冲昏头脑。怀特黑德事无巨细，非常负责。为了保证完成销售报告和支出报告，怀特黑德有一次就直接指示财务经理停发包括合伙人在内的所有人的工资，直到销售报告和支出报告按规定准备好。

"投资银行家对于公开批评比私下批评要敏感得多。"在高盛建立国际业务早期发挥过关键作用的合伙人罗伊·史密斯说，"他们可以接受私底下的批评，但是永远不接受公开的嘲讽。约翰会在公开场合挖苦银行家们，他们一点都不喜欢这种做法。他们恨这种做法。"

怀特黑德不止设计和配备了他高效的团队，他还极力让它很好地运转。他对一个又一个银行家说，"你能做到的"，而且一直给予暗示，"如果你坚持，你肯定能做到"。史密斯说："约翰在做这些事情的时候，几乎是以帝王的态度对待下属的。我一生中没有碰见过其他人这样做。这很棒。他会告诉你他希望你怎么做，给你别无选择的明确信息，鼓励你相信自己一定能办到；然后继续给你鼓励，还很可能会使你享受整个过程，特别是让你感受到如果你全身心投入，你就一定会成功。"

"我们既没有什么大主意，也没有什么坏点子。"怀特黑德在表示其对高盛的发展很满意时解释道，"我们知道，要完成我们在市场地位的改变需要花一代人的时间。日复一日地做着成千上万的琐事，尽你所能坚持往你认为最正确的方向前进，这就是管理；激励每个人朝着这个长期的目标共同协作，

这就是领导力。"怀特黑德从来都不浪费精力，他从自己对于长期目标的投入以及对于稳定和理性的方法的不懈坚持中积聚力量。高盛的发展并非植根于伟大战略之中，而是源于长期坚持进取的动力。"在我们几乎是持续地进行变革的过程中，我们也犯过很多错误，"怀特黑德认同道，"但是那些从来都是小错误，而且在对公司造成危害前就被阻止。我们从来不觉得我们的前进是由于一些超级明星或者几次重大的并购而得到的。"

如果高盛意图涉足某项业务，那么它很愿意将这些挑战交给前途光明的年轻员工。"如果我们需要从公司外部招揽人才——当然，这个不常发生，我们尽量避免雇用整个团队或小组。我们更愿意找到最好的人，认识他们并将他们单独招入公司。这些新到高盛的个人会了解高盛的文化并融入高盛，要不然他们在高盛就无法工作。对于新技术和新的金融产品，我们总是希望能富有创造力，但是我们从来不认为我们要在所有方面成为第一。我对于其他投行首先想出新点子绝对高兴，因为我很有信心，我们这个超级营销组织会完善该产品并且在推销过程中占据主导地位，而如果新产品无效则该投行还会声名受损。我们相对谨慎地控制着我们的发展，这样事情不会失控。"

怀特黑德记得格斯·利维说过："我们很贪婪，不过是对长期资本积累的追求，而非为了眼前利益。"怀特黑德说："格斯想干那些长期有利于高盛的事情，而且从不掩饰在这方面的贪婪，但是他不愿意在短期利益上显得贪婪……嗯，你可以解读一下他的话的含义。"

就如乔治·多蒂所指出的那样，"格斯绝不愿退休"。1976年10月26日，像往常一样，操劳过度的利维在洛杉矶参加完五月百货公司的董事会后马上乘航班回到纽约，之后又参加了一天的高盛内部会议，随后还与纽约港务局的人又开了一次会。在会上，他心脏病突发。一开始没有人注意到，都以为他呆滞的眼神是由于过于疲劳或者是在分心思考某一问题，但是他倒下了。他在西奈山医院昏迷几天之后，于11月3日去世，享年66岁。约翰·温伯格说道："知道自己心脏不好，格斯过度劳累导致死亡等于是自杀。不过他肯定也不愿意过另外一种生活。"

在利维昏迷期间，温伯格去探望他时，一位年长的印第安人悄悄地进入房间。温伯格先说话："你好，我是约翰·温伯格，利维先生的老朋友。我有什么能效劳的吗，先生？"

"不用了，谢谢你。我是来帮助利维先生寻找来世乐土①的。不用您帮忙，谢谢。" 这名印第安人还记着利维很久以前为他的部落提供的服务。他将带来的祈祷毯铺开并且开始低声祈祷。在利维去世两天之后，他卷起毯子像他来的时候一样静悄悄地离开。

鲍勃·慕钦在格斯·利维手下工作了19年。他们的关系从业务角度来看非常高效，不过这一切都来自他们每天进行大宗交易业务所承受的压力。利维习惯每天早上召集9个地区的办公室召开电话会，共同商讨当天的业务。慕钦一般都是第二个发言的，现在只剩他一个人了。

慕钦非常直接："你们都知道了，格斯·利维昨天因为心脏病去世了。回头我们会有时间专门怀念他的贡献。现在，按照他的要求，完成今天的工作是最重要的。这也是格斯想看到的。"慕钦然后开始布置一天的工作。

在利维的葬礼上，超过2 000人聚集在曼哈顿第五大道的伊曼纽尔教堂。祈祷由大主教库克主持，利维的老朋友，华尔街的领袖I·W·伯纳姆致悼词。美国最富有的人、民主党纽约最有权势的人之一、州长纳尔逊·洛克菲勒也致了悼词。他在悼词中不断地重复一个主题，牢牢抓住了大家的注意力："格斯·利维是一个了不起的人！"

一名前合伙人回忆道："格斯总是比较暴躁，不过也总是非常公平。如果你错过一桩生意，他会让你因此胆战心惊好几天。但是你知道他是希望你能够干好，而且如果你需要他，他会随时出现。有一个感恩节后的周五，我带着我的小儿子去公司看看。我给伊内兹打电话，问问我们是不是可以去交易大厅看看，她回电说午饭时间可以去。当我们过去时，我注意到格斯的座位是空的，我们就走了过去。正好他走了过来，很自然地问我们在干什么。我把我儿子介绍了给他。格斯和他握手，然后我们就离开了。回到家，我儿

---

① 来世乐土：北美印第安人过去所迷信的天堂。——译者注

子画了一幅他拿着大雪茄的画并写上'大格斯·利维'。几天后，我问伊内兹如果我把那幅画给格斯如何，她说是个好主意。几年后，在格斯逝世之后，她在清理他的桌子时还发现了那幅画。这些年他一直都保留着。"

在与约翰·温伯格共同成功地继任了利维在高盛的领导地位之后，怀特黑德的高层次战略和政策的有效性与其对于客户运营的关注非常协调。合伙人牧原纯（Jun Makihara）说："约翰一贯非常清晰和深入地了解运营状况。当我们将快速增长的连锁餐厅TGIF（即星期五餐厅）推荐给我们的执行委员会并且向他们展示该公司快速发展的各种数据时，约翰说道：'我从来没有去过他们的任何一家餐厅，不过这肯定是个一时的潮流。它可能来得快也去得快。我们需要仔细观察，每个月向我们这个委员会报告同一家店的销售状况。'他确实知道该关注哪些事情。几个月后，问题开始显现，不过仅仅显现在约翰让我们注意的那些方面。当约翰·怀特黑德这样的人检验你的工作时，你能够学到很多东西。"

往前看，怀特黑德没有任何进行变革的大计划，仅仅是在改进。"我们会继续进行国际扩张。不过我们也要小心，以防公司增长过大而失去我们大家珍惜的人与人之间的亲密。"

后来，有些人可能会说怀特黑德有意而谨慎的方式与高盛应有的激进不协调，这部分是因为市场的竞争性正在增长，部分是因为正是怀特黑德和温伯格对高盛所做的一切才让其能够变得如此具有进取精神。史蒂夫·弗里德曼说："约翰·怀特黑德认同IBM的方式。与最大数量的客户发展超级强大的关系，同时对新产品和服务的推出则要保守，因为它们不一定都管用，而你又不想损害和客户之间能够有机会在将来多次进行业务往来的关系。这就要求在产品推出上要谨慎，不做过大或过于具有突破性的创新，因为如果你不去努力寻找创新，你肯定无法发现它们。最常见的判断就是：别去搞创新。实际上没有人想要创新。创新者都冒着职业风险，而有风险的结果就是双方都不满意。"

1985年，在高盛工作38年之后，怀特黑德被要求担任乔治·舒尔茨

（George Shultz）的助理国务卿，直到1989年上半年。然后他开始担任一系列权力巨大的公共职务——纽约联邦储备银行主席，曼哈顿下城开发公司主席——负责"9·11"之后的重建和振兴，以及不少教育、艺术、国际和社会机构的受托人。他的公司活动仅仅限于AEA投资公司（AEA Investor），在那里他"能够看到不少和我年纪相仿的老朋友"。

"卓越"，这是怀特黑德桌上一个标签上的小字。他在高盛工作期间一直保留着这个小标签。他在国务院工作时也把它放在他的桌子上。国务院有很多说法语的人，他们中的一些会问："这是个名词——还是个头衔啊？"①

---

① 原文"excellence"在法语中为名词，既可以指"卓越"，也可以指派驻主权国家的官员。——译者注

11

业务原则

20世纪70年代末的一个星期天下午，约翰·怀特黑德独自一人在他新泽西的家中在一个笔记本上洋洋洒洒地写着。他所写的内容是他对高盛公司影响最深远、最显而易见、或许最重要的贡献。在写的过程中，怀特黑德后来回忆道："我尽量使用直白、简练的语言，避免拖沓和说教。"几周前在思考高盛的成长时，怀特黑德注意到，尽管公司的员工流动率只有5%，但是业务的稳步增长为高盛带来了每年15%的员工增长率。这样一来，只需要三年时间高盛就会有超过一半的员工是"新人"。考虑到这一现象可能带来的问题，怀特黑德有点不安。随着公司稳步扩张、不断向多元化业务发展，并且有那么多新人加入，通过传统的一对一"学徒制"来传递高盛的核心价值观的模式不仅时间上不允许，同时必定会受人员数量的制约。如果不采取相应的行动，公司的核心价值观将无法被成功地传递给日益壮大的多元化员工团队。怀特黑德认为，高盛独特的文化是其成长与成功的关键所在，而公司的成长与成功又为其独特的文化带来了风险。

"我们究竟怎样才能把信息传递给所有新加入高盛的员工，使得他们理解并接受我们的核心价值观，让公司的价值观成为他们自己的价值观，从而体现在他们每天做的每件事情当中呢？"怀特黑德曾为这一难题绞尽脑汁。

怀特黑德把他认为存在但没有明文写出的高盛原则收集起来，对它们进行了为期几周的思考，然后在那个星期天的下午全部白纸黑字地固定了下来。那张单子上有十项主要条目，但是怀特黑德很快从虔诚的天主教信徒乔治·多蒂那里得知，这么做看起来有点亵渎神圣——单子上的十条原则看起来就像是《摩西十诫》，所以后来又补充了几条。

在经其他一些合伙人修改之后，《我们的业务原则》被印制并分发给高盛所有的员工并按家庭住址寄送给他们的家人。怀特黑德解释说："我们当时正好还在印发公司年度报告，于是我又把《我们的业务原则》附在年度报告的首页并送到每个高盛员工的家里。而且，为确保万无一失，我们还在信封上特别注明'交某某及其家人'。这样员工和他们的家人就能读到《我们的业务原则》，并且会觉得自己能够为高盛这样的公司工作是多么值得骄傲的一件事。由于很多员工对工作非常投入，常常无法陪伴家人，我们认为他们的配偶子女一定很高兴看到他们家人工作的公司究竟如何，他们在工作上展现出怎样的价值观。我们发现这样做很受欢迎，一些员工的配偶还写来令人感动的回信。"

往后，高盛在每年的年度报告里面都会特别提到这些业务原则。例如，公司1990年的年度报告中写道："我们的业务原则是神圣不可侵犯的。他们是我们一切工作的核心。我们在90年代主要的任务之一，就是确保这些价值观在我们日益复杂的、国际化的公司里为所有人所了解和认同。团队合作、诚信、客户利益永远至上以及这些原则所代表的其他核心价值观是我们竞争战略的中心，它们代表了我们每个人所希望为之工作的公司本身。"

尽管多年以来，公司的规模、组织架构以及业务都发生了重大变革，高盛的业务原则——除了因为政治正确性而进行小幅改动——一直得以坚守。高盛的业务原则在公司里成为大家的精神支柱，在每年的年度报告中都得以体现。以下就是今天高盛奉行的业务原则：

1. 客户利益永远至上。我们的经验表明，只要对客户尽心服务，成功就会随之而来。

2. 我们最重要的三大财富是员工、资本和声誉。如三者之中任何一项遭到损害，最难重建的是声誉。我们不仅致力于从字面上，更从实质上完全遵循约束我们的法律、规章和职业道德准则。持续的成功有赖于坚定地遵守这一原则。

3. 我们为自己的专业素质感到自豪。对于所从事的一切工作,我们都凭着最坚定的决心去追求卓越。尽管我们的业务活动量大而且覆盖面广,但如果我们必须在质与量之间作取舍的话,我们宁愿选择做最优秀的公司,而非最庞大的公司。

4. 我们的一切工作都强调创意和想象力。虽然我们承认传统的办法也许仍然是最恰当的选择,但我们总是锲而不舍地为客户策划更有效的方案。许多由我们首创的做法和技术后来成为业界的标准,我们为此感到自豪。

5. 我们不遗余力地为每个工作岗位物色和招聘最优秀的人才。虽然我们的业务额以10亿美元为单位,但我们对人才的选拔却是以个人为单位,精心地逐一挑选。我们明白在服务行业里,缺乏最拔尖的人才就难以成为最拔尖的公司。

6. 我们为员工提供的职业发展进程比大多数其他公司都要快。晋升的条件取决于能力和业绩,而我们最优秀的员工潜力无限,能担当的职责也没有定式。为了获得成功,我们的员工必须能够反映我们所经营的地区内社会及文化的多元性。这意味着公司必须吸引、保留和激励有着不同背景和观点的员工。我们认为多元化不是一种选择,而是一条必行之路。

7. 我们一贯强调团队精神。在不断鼓励个人创意的同时,我们认为团队合作往往能带来最理想的效果。我们不会容忍那些置个人利益于公司和客户利益之上的人。

8. 我们的员工对公司的奉献以及对工作付出的努力和热忱超越了大多数其他机构。我们认为这是我们成功的一个重要因素。

9. 利润是我们成功的关键,它能让我们做到优越回报、充实资本、延揽和保留最优秀人才。我们的做法是慷慨地与那些创造利润的人分享它。赢利性对我们的未来至关重要。

10. 我们视公司的规模为一种资产,并对其加以维护。我们希望公司的规模大到足以经办客户想得到的最大项目，同时又能小到足以保持服务热情、关系紧密与团结精神，这些都是我们极为珍视，又对公司成功至关重要的因素。

11. 我们尽力不断预测快速变化的客户需求，并致力于开发新的服务去满足这些需求。我们深知金融业环境的瞬息万变，也谙熟满招损、谦受益的道理。

12. 我们经常接触机密信息，这是我们正常客户关系的一部分。违反保密原则，不正当或轻率地使用机密信息都是不可原谅的。

13. 我们的行业竞争激烈，因此我们积极进取地寻求扩展与客户的关系。但我们坚决秉承公平竞争的原则，绝不会诋毁竞争对手。

14. 正直及诚信是我们经营的根本。我们期望我们的员工无论在工作上还是在私人生活上都要保持高度的道德水准。

怀特黑德说："我只不过是把我所记得的高盛赖以生存的原则写到了纸上并加以推广。"之后，怀特黑德以他一贯的韧劲将这件事情推行下去——每个部门的主管都被要求组织他部门的所有员工集中学习这些原则。"客户利益永远至上"，"只要对客户尽心服务，成功就会随之而来"，"我们的一切工作都强调创意和想象力"。大家对这些原则在各部门工作的现实意义进行开放式小组讨论，这样每个人都能够了解这些抽象的原则如何被整合到他们的日常工作当中去。讨论可能像这样进行："假如，在为大宗股票交易竞价的时候，如果价格对我们的机构客户非常合适，它是不是高盛出手购买的合理价格？如果在我们买进之后，价格下跌了怎么办？"这些讨论中，比较正式的部分会被详细整理好并由部门主管提交给公司管理委员会审阅。即便是非常崇敬怀特黑德的人都会怀疑这类规定是否能得到大家的完全遵守，但是你再也难以找到第二家能够连续很多年如此注重落实企业原则的组织了。

罗伊·史密斯解释说："我们的业务原则不仅与公司的风格或文化息息相关，它为应当如何开展业务和如何成为真正的专业人员作出了一系列规定。考虑到约翰当时只是一名重要的合伙人，还并不是公司的老大，敢于提出并推广这一系列成功原则实在是相当有胆识。"说到这一点，连怀特黑德自己都对这套原则在公司获得如此的重视感到吃惊。他说："因为人们很容易就可以比较华尔街各个巨头的投资银行业务，高盛对道德的高度重视就能为其带来正面的影响。"

批评者常常认为高盛的业务原则条款太多。一些人指出，没有人能够同时实施这么多的条例并保证每条原则都得到足够的重视。正如多年后史蒂夫·弗里德曼所说，"当你半夜被弄醒正迷迷糊糊的时候，你能马上说出几条原则来？三条？也许四条？这些才是我们都应该注重的原则，我们应该将这些原则铭记在心"。也有些人很欣赏这种综合、全面的体系。正如罗伊·史密斯所说，"那些原则是对公司经营战略的全面总结。在证券行业——也几乎可以肯定地说，在所有行业——没有任何一家其他的公司能够制定并且实施这些原则，因为他们没有足够的决心做到所有这些。但是那些简单的陈述却描绘出高盛最核心的本质，正是因为有这些原则高盛才会如此成功"。

这些业务原则不但是高盛的宏观战略，它们还为具体的经营方案提供指导。吉尼·菲弗说："我对高盛组织文化的认同显然还没有达到宗教信仰的程度，因为这些原则是做生意的好办法。"虽然有些其他的银行类企业试图采用从上至下的管理和控制，但是基于规则的管理不可能跟得上证券业务变化的速度，也不可能透过很多在不同市场中不同业务线上的各种复杂情况来作出基于核心价值的决定。有了基于这些原则的管理，责任就都落实到每个在业务前线的个人头上。既然他们知道这些原则的内涵并且了解他们业务具体的现实状况，他们就要为了解并且以正确的方式做正确的事情而负责。做正确的事情可能碰到的困难是在情景并不明朗的灰色区域当中作出困难的决定，并且通常情况下都会是在灰色区域当中某个细微的地方——在原则的指引下，他们完全可以不经长时间的苦思冥想就迅速形成行动计划。行动必须要迅速。业务原则明确说明并要求实施松紧适度的管理，将决策权广泛地分布在公司的各个地方，而不需要什么事情都要高级管理层来进行最终批准。如果列出所有可能用到的规则就肯定会罗列出一大堆的东西，就如同编制了又一本美国国税局纳税手册——这样就使得大家要花无数的时间才能掌握全部内容。因为行之有效，这些业务原则已经成为公司的精神信仰。

不安于现状的怀特黑德之后在1970年又为投行业务发展制定了一套指导原则或策略，这就是所谓的十诫：

1. 不要把时间浪费在我们并不很想发展的业务上。

2. 通常情况下由老板——而不是助理财务总监来作出决定。你知道谁是老板吗？

3. 拿到一流业务和拿到二流业务同样容易。

4. 你如果只是空谈就什么都学不到。

5. 客户的目标比你的目标更重要。

6. 获得一个人的尊重比和一百个人有泛泛之交更重要。

7. 如果有要完成的业务，那么赶紧去完成它！

8. 有身份的人喜欢与其他有身份的人打交道，你成为这样的人了吗？

9. 没有比让客户不高兴更糟糕的事情了。

10. 如果你拿到了业务，那么你应该用心打理好它。

高盛真正的文化是一种将赚钱的动机与被中国人、阿拉伯人和传统欧洲人所熟知的"家庭式"价值观结合在一起的独特混合体。高盛比华尔街上任何其他的公司都更像一个部落：要想成功，就要找到一个愿意指导你、支持你和保护你的"导师"。团队协作是非常必要的。像芝加哥的吉姆·戈特和特里·马尔维希尔（Terry Mulvihill）、波士顿的史蒂夫·凯、纽约的雷·杨、弗雷德·克里门达尔（Fred Krimendahl）和L·杰伊·特南鲍姆，以及费城的乔治·罗斯（George Ross）都是特别受人尊敬的高盛文化代言人。诸如"我们那帮人"之类的表达是很常见的。正如特里·马尔维希尔对年轻合伙人所说的，"你要参与到每个员工的生活大事中去——无论是结婚典礼、葬礼还是戒酒仪式。你要早早地出现，以确保你能够融入下属的生活并且向众人展示你的社交能力"。高盛的合伙人出席员工的婚礼、葬礼和其他家庭活动的次数比任何其他公司的都要多。高盛要求合伙人对公司和其他合伙人保持绝对忠诚。虽然有时候合伙人之间会有些许的不协调，包括个人成见和不时的摩擦，有一堵无法穿透的静默之墙使得在外人看来高盛几乎没有什么内部的争斗。在这一点上，少有大公司能够望其项背。公司内部人员和局外人的"你"、"我"之别在这一点上表现得尤为突出——即便是为公司工作多年的合伙人，一旦他们离开高盛，就会很快从内部人士转化为外部人士，之后便被迅速遗忘。虽然这可能会强化内部的联系，但是这对高盛来说显然错失了一个机会，而对个人来说也是一种损失——他们在职业生涯中为高盛奉献了最宝贵的年华，但是现在却几乎被遗忘。

对于"如何对公司最有利"这一关键问题的答案一次又一次决定了关键的战略战术决策。虽然部门的利润非常重要——部门的赢利最终会代表合伙人在公司合伙制中所占的比例以及合伙人个人的地位——但只要能为全公司赚钱，大家还是会常常向其他合伙人妥协。

保持个人低调几乎是公司文化的核心。其他公司可能会特意夸耀或强调的大多数事情在高盛都会被刻意淡化。例如摩根士丹利会竖起大型的霓虹灯标志，人们从好几个街区以外都能看到上面显示的股票报价。而在纽约、伦敦或者东京，除了衣着光鲜的青年男女早出晚归地匆匆穿行于办公楼，你几乎注意不到高盛的存在。

萨克斯家族认为公关不是好东西，也不愿意抛头露面。这就是当时约翰·怀特黑德提议要编写印制高盛年度宣传材料的背景。怀特黑德解释说："这些为达成妥协的必要限制看起来有些严格：没有财务数据，用最普通的纸，一张我们所提供的服务的列表。并且，在苏利文-克伦威尔律师事务所的建议下，我们禁止使用'银行'或者'投行'的名号。报告开头一句话这样写道：'高盛公司处于当今投资业务的领先地位。'背面仅仅写着，'成立于1869年。'"

沃尔特·萨克斯并不十分赞许怀特黑德的邮寄年度材料的计划。那些薄薄的报告不应该被邮寄出去，而只应该在合适的时候亲手交给别人。谦虚和低调是高盛的一贯原则。

高盛在自有资金超过3 000万美元的时候，而在对外宣传材料中唯一涉及的财务数据只会很谨慎地提到："有超过2 000万美元的资金"。高盛直到其资金积累超过1亿美元的时候还依然使用这一说法。

高盛的确也发布年度报告，但是除了两位最高领导，所有其他员工都会作为团队中的成员而不是领导人出现。公司公关部门人员的主要职责就是将有关公司的文章报道数量最小化，杜绝有关个人的报道并且维持谦虚谨慎的形象。多年担任公关部门主管的埃德·诺沃蒂甚至连正式员工都不是。虽然他全职为公司服务，但是他有自己单独的办公室和电话，并且对外仅宣称自己是一个外聘的顾问。

公司的规章制度并不仅限于纸面上的文字。**赢利永远都是高盛的一项原则。高盛从不追求虚名。实际上，越是有来头的客户高盛的收费越贵。评判所有的银行家成功的标准只有两个——服务客户和赚钱。两者永远都是最重要的，从不例外。要强势。**如果你为了与竞争对手争夺头名或者为了保持现有业务而必须下调佣金的话，那永远只能为了第二种原因作出让步。

成本控制也是相当重要的原则之一。坐飞机经济舱。雇员精简化，因为如果你有最好的员工，那么你就能做到减员增效，利润率也能提高。

开诚布公也是一项重要原则。这一点是通过保证信息流转做到的，这样可以使得每个人都能及时了解市场动向与公司状况，部分是通过公司特有的扁平组织结构来做到的。在70年代，高盛开展了一项合伙人每月例会活动。任何其管辖业务表现出众或较差的合伙人都应该在会上说明哪里有不同。如果这些不同之处反映了某些问题的话，那么他们还应该准备提出解决方案。大胆的推销显然也是一项原则。同样，比其他公司的员工都努力工作更长的时间也是一项原则。

刻意承担风险，并且要成为在新兴市场上第一个承担并管理风险的人，也是一项原则。在投资银行业，高盛一直通过小心地扮演"快速跟进者"的角色来避免风险。然而在大宗交易业务上，当大多数竞争对手都尽量避免或最小化风险的时候，高盛却总会抢先出现在新市场上。因此，高盛能够获得很高的风险调整后利润，并且长期在每个市场中取得成功。

高盛的资本不断增长，但是公司却总是需要比现有资金更多的资本，因为高盛人总是那么具有敬业精神。供求之间的紧张关系带来了一种有建设性的原则。

在权威和责任之间独立或自由地决断，这也是高盛的原则之一。有一次，年轻的合伙人巴里·威格莫尔和一个强硬的客户谈判服务的条款，他的一位同事在谈判进行中离开会场跟总部打了个电话。公司的管理委员会当时也正在开会，于是那位同事就把电话放在了免提上。听完那位同事对谈判的描述后，委员会决定不接纳这位潜在的客户，而当时威格莫尔正在和客户进行谈判。当那位同事回到会议室说明公司高管层的决议时，31岁的威格莫尔说："不行！这关他们什么事？为一项服务定价是我的责任。"高盛的风格由此可见一斑。

一线员工必须独立承担责任，因为他们了解得最多。但是独立并不意味着每个人都各自为政。这里所说的责任，也包含承担任何可能给公司其他部门带来消极影响的责任。

12

同名双雄

格斯·利维在公司内外的影响力处于顶峰之际，他的突然去世给高盛摆出了一个亟须求解的难题——究竟应该选择谁来担任下一任高级合伙人呢？或者，更确切地说，在两位约翰之间，应该选择谁来领导高盛呢？约翰·温伯格很受人欢迎，他行事果断，管理着公司大多数重要企业客户关系（其中大多都曾经是他父亲的关系），因此在很多人眼中原本就属于西德尼·温伯格的高盛应由他的儿子来接管。约翰·怀特黑德年纪更大，在高盛的时间也更长，但虽然有人力挺他执掌高盛大权，也有人对他心存疑虑。这两位约翰能够和谐共事，并对彼此非常尊重和爱戴，但他们都是最优秀的人选。如果硬要通过竞争在这两位天生的领导者中选出一人的话，那必定会损害公司的利益。

约翰·怀特黑德长期以来在战略规划方面具有领导力，他在投行业务方面的创新也越来越成功。他在华盛顿和投资银行协会的地位也非常显赫，并且他还主动在公司内推广管理制度革新，在招聘、公关以及组织和升级内部运营方面开展了一系列行动。所有这些都让他在其他人眼中成为无可争议的第一选择。但是怀特黑德知道，要继承高级合伙人这一职位，他必须得到他的朋友约翰·温伯格公开的支持。怀特黑德知道有很多合伙人非常喜欢温伯格，因为温伯格性格温和且重感情，而他却显得冷峻而让人不敢太过亲近。

公司外部的人一致认为怀特黑德精于战略，是一位思想上的领袖；而公司内部的人则更喜欢温伯格。正如一位合伙人所说，"约翰·怀特黑德显然是非常优秀的战略家，但他却缺少了一点'亲和力'，而这对伟大的领导人来说是必不可缺的"。

雷·杨说："约翰·温伯格比公司里任何人都更加了解人性。和他的父亲一样，约翰和大家相处得非常好。多数人都信任他和他的决定。约翰·怀特黑德则野心勃勃，并总有自己的计划。我们大家都很有野心，但是我们的野心都是为了公司本身。约翰·怀特黑德更关注他个人的成就以及他的善举所带来的认可。约翰·温伯格后来为慈善事业所作的捐助也许和约翰·怀特黑德一样多，但温伯格总是以匿名方式进行捐赠。"

用"三流绅士，一流绩效"来形容一贯冷峻且健谈的怀特黑德再合适不过。在专注于制度与策略的制定时，他总是思维冷静并且与其他人保持一定的距离。而与其相对照，温伯格在专注于交易时则具有天生的直率和坦诚。怀特黑德让人敬而远之，温伯格则让人信赖和亲近。高盛的所有人都了解温伯格在每一个决定上的态度和这样做的原因，但很多人都不了解深藏在怀特黑德圆滑外表之下的究竟是什么。非常具有讽刺意味的是，怀特黑德这位难以接近的"贵族"在当年还不得不边打工边读书，而温伯格这位容易亲近的"普通人"却生来就家境优越，从美国迪尔菲尔德中学到普林斯顿大学到哈佛商学院，可谓一帆风顺。

在利维去世之后，大家都希望这两位领导者能够解决好继任的问题。怀特黑德对温伯格提出了一个很理性的解决方案：两人轮流担任公司最高领导人，"我先来，然后你继续"。因为二人之中他更资深，所以他现在应该接替利维，等过些年再将高盛最高领导人的权杖交给温伯格，而自己可以在政府或某家大型企业里继续发展。

但是温伯格不同意这么干。

怀特黑德也立即作出回应，他提出了另外的解决方案：他们俩可以担任联席高级合伙人，共同执掌公司大权。于是，这场很容易演化为"有你没我"的个人争斗最后变成了管理层最伟大的联合。如果坚持要从两者之间取一人的话，很可能在公司还很脆弱的时候在内部引起分歧。谁胜谁负还很难说，并且无论怎样对于任何一位领导人来讲都非常不利，特别是当这样做会引起任何感情上的不快时更是如此。温伯格以其天生敏锐的直觉迅速作出决定，他同意了这项不平常的提议。对于很多首次听说这项非同寻常的计划的人来说，这样的管理提议看起来很不合常理且难以成功。

实际上，为这项独特的提议埋下伏笔的正是格斯·利维。利维早就认定这两位约翰能够联手接替他。之后，利维顺着这条思路进行过更加深入的思考。L·杰伊·特南鲍姆回忆道："有一次我问格斯，谁能够接替他的工作，他告诉我说两位约翰可以。然后我告诉他：'格斯，这么做不好吧。你必须让一个人有最终拍板的权力。'"后来在1976年，利维意识到高盛的合伙人分成了两派——有些合伙人希望温伯格继任，而另外一些合伙人则希望怀特黑德继任。于是利维宣布说他不想在他们俩之中作出选择，并且强调"我们几乎所有业务的成功都一贯有赖于团队合作"。而正缘于此，两位约翰都很快被利维任命为联席执行官。据公司内部人的风传，利维心脏病发作的那天在桌上留了一个便条，上面写着两位约翰共同接替他的好处。

在宣告利维心脏病发作的官方声明中，温伯格和怀特黑德被任命为高盛的联合执行主席。而一周之后，他们就宣布将共同担任高级合伙人和联合执行主席——不是如其他人所想的那样两人各自承担公司一半的责任，而是两人共同承担作为一个整体的公司的责任。在建立这种双人领导制的过程中，两位约翰充分发挥了他们友谊的优势。而他们之间的友谊，是通过很多年来一边在松树街的小店吃着鸡肉沙拉三明治，一边讨论着当他们最终执掌高盛时要做些什么的时候形成的。他们俩只要有一方有强烈的意向，另一方就会作出妥协，因此他们在战略和政策上能够保持广泛的一致性。最终决定共同领导高盛对于两位约翰来说是那么自然，即使这么做在华尔街上并不常见。

温伯格后来回忆道："在（哈佛商学院）上学的时候，有一年暑假我曾在麦肯锡工作过。是我父亲想这么做的，那是个很不错的主意。我在那里认识了麦肯锡的高级合伙人马文·鲍尔（Marvin Bower），他对组织运营非常了解。当他听说约翰和我想以联合主席和高级合伙人的身份共同执掌高盛的时候，他说那么做肯定不行。他还说等我们把整个公司弄得一团糟的时候，他会来帮我们收拾烂摊子。他是个了不起的人。但是我们最终还是成功了。"

　　与所有成功的家长一样，两位约翰保持着非常亲密的关系，他们相互尊重又分工明确——一个主内，注重对内部的管理工作，另一个主外，注重对外和客户打交道。通过经常交流沟通，他们避免了相互竞争。温伯格曾说："虽然我们是很不一样的人，但是我们却相处得很和谐。我们的办公室离得非常近，以方便我们随时沟通。我们经常往对方的办公室跑，连我们办公室之间的地毯都被踩坏了。我们像管理大学学生组织一样管理公司。约翰·怀特黑德和我在各种事情上都有相似的思维，我们几乎天天都通电话，并且在每个周日的晚上我们会一起讨论明天在管理委员会上的日程以及就我们将做的事情达成一致。"

　　在所有高盛人的眼中，怀特黑德和温伯格从不相互竞争，他们只会一致对外和华尔街上的其他公司竞争。他们下定决心要让高盛处于所有投行的领导地位。他们工作的重心非常明确：招聘最好的人才，发展更多更好的长期企业关系，充实资本，严格控制管理规章，强调团队协作，避免重大失误，扩展业务，不断加大市场占有率，提升员工素质和客户质量，提高利润率和可持续发展水平，练好内功，尽量减少个人出镜率并且壮大公司的名声，不断加速各项业务进程。在两位约翰接管公司几年之后，一位重要竞争对手说："高盛公司作为一个整体，正是由他们这种能够明确工作重心的业务素质所推动，这种企业文化得以持续贯彻并且效果很好。"

　　两位约翰心怀壮志而又行事谨慎，在业务拓展上他们倾向于采取"迅速跟进战略"并且不欢迎英雄或明星形象在公司内出现。温伯格说："你要想当明星，想天天出现在报纸上什么的，高盛是不会欢迎你的，因为这和企业文化不一致。如果你真这么做了，大家都会说你爱秀。如果你想事业成功的话，那么你就应该适应这里的文化。"高盛禁止办公室政治。合伙人鲍勃·斯蒂尔（Bob Steel）回忆道："有两位约翰在，大伙都知道不要胡来。他们丝毫不能容忍玩弄政治伎俩。有两位约翰这样强有力的、受人尊敬的领导者，大家都不敢越雷池半步，特别是在有损于别人的方面更是如此。大家在公司里没有所谓最喜欢的人。有两位约翰在，你就知道不要胡来或者排挤别人。他们俩可是谁都不惧，处理起犯事的人来绝不手软。"

两位约翰做事是非分明。他们在第二次世界大战中服役过，对道德标准有深刻的理解。（他们知道）要改变过去对个人行为规范 "不管不问" 的宽松做法，必须对某些人作出迅速、果断并且公开的处置，即使是炒掉合伙人也在所不惜。有一次，一位才华横溢的年轻合伙人在压力很大的情况下要赶出一份文档交给客户，当他看到打字员交上来一份不合格的文稿时，他大发雷霆，对打字员破口大骂。约翰·怀特黑德在炒掉那位合伙人之后，对另外一家公司的CEO说："有时候，我真的很讨厌自己的工作。"几年之后，约翰·温伯格炒掉了一个部门的头儿，因为他和秘书有染，在被要求对温伯格作出解释的时候也没全说实话，之后这事被媒体报道，闹得沸沸扬扬，对公司影响非常不好。有外遇之类的事情如果能做得很私密那还可以容忍，当然怎样才叫做私密有不同的标准。曾经有个家伙非常得意于他的"个人艳遇"，他经常把这些故事通过公司专用的无线电散播，就连司机都拿从收音机上听到的他的"英雄举动"来开玩笑。有一次一位漂亮的小姐又来公司找他，整个交易室的人都笑成一团。

合伙人罗伊·史密斯说："保证大家遵守职业道德就像是看管动物园。好的动物园需要狮子和老虎，但是你又必须管好它们——至少让它们有所节制。"在高盛，大家都表现得非常专业，就像方阵里面的士兵一样。"我们就像一群拼命拉着大车的马。不要抱怨，吃足食料，然后继续回到岗位上来拉车。"那时高盛的战略有点像宝洁公司：没有太多的创新，但是在执行上显得非常专业而有技巧。每当竞争对手发布了一款新的产品，高盛就会迅速学习并掌握如何能够做得更好——他们试图将产品尽可能完善，然后再将改良后的产品通过投行服务广泛而有效地推广开来。高盛与企业客户拥有非常好的投行业务关系，因此经改良的产品能够迅速被接纳，并且以赢利多少和签约先后顺序有效地推广到更多的潜在用户那里。这样做常常能够很快为他们赢得市场的领导地位。

两位约翰发现他们在1950年接管的公司有很多不完善的地方，例如竞争力不够强，（工作）不够激动人心，（地位）不够重要等。但是竞争的压力还是降临在他们头上。他们俩都曾经上过战场，也都明白长期保持己方的行动比竞争对手大胆而迅速，对一个组织的成功至关重要。两人都充满雄心壮志，希望自己的公司能够成功。与竞争对手相比，他们都处事低调，行动大胆。他们相信在任何竞争中失误最少的组织是拥有最好人才的组织，相信最想赢的人一定会赢。他们总想超越对手，在各个层面上取得胜利，因为他们知道他们最强的竞争对手也会那么做。

他们伟大的联席合伙人关系和友谊自怀特黑德进入高盛的第三年，事业正蒸蒸日上的时候开始了。当时西德尼·温伯格曾告诉怀特黑德，他的儿子约翰会在哈佛商学院上学的第一年和第二年之间的暑假来高盛实习，并且希望怀特黑德能够指点一下他。一年之后，约翰·温伯格全职加入了高盛，从此两位约翰便开始了他们长达35年的朋友般的合伙人关系。他们俩在同一天升任公司合伙人，并且在他们的职业生涯中一直都持有相同比例的股份。

当年，这两位年轻人曾经将他们的办公桌背靠背地摆在壁球场里。每天，他们都一边在店里吃着鸡肉沙拉三明治一边自由地谈论，交流思想。他们几乎无所不谈，包括他们认为公司应该如何运作以及他们对公司现状的不满。怀特黑德解释说："我们当时觉得工作只是打发时间，没学到太多东西，也没有发挥我们全部的潜力。约翰和我都决心以后要让公司里的年轻人承担更多的责任。"通过彼此间的交流对话，他们俩越来越信任彼此，互相学习到很多能够使高盛更强更好的方法。"我们发现在很多很多事情上我们的想法都是一致的。我们对于高盛拥有同样的希望，我们也都非常欣赏和尊敬西德尼·温伯格，我们也会为他的失望感到难过。"

公司内部严密的监管使得高盛内部的争斗比华尔街上其他公司都要少。高盛被人称誉为"一个有机生物一样结合为整体的公司，而非闲散地聚在一起的一群人"。尽管如此，为争取升职，特别是升任几个不多的合伙人职位的竞争还是非常激烈。所有加入高盛的人都很能干并且很勤奋。那些成为合伙人的员工必须对公司有更多的付出，他们必须更加努力，投入更多的时间来工作，让自己和家庭承担更大的压力。

吉姆·戈特说："高盛是一家拥有交易业务的投资银行，摩根士丹利也是。所罗门兄弟是一家拥有投行业务的交易公司。在高盛，银行家们通常掌控着公司大权，从投行部升任合伙人的比其他部门都要多。但是重点是大家都在一起工作，或者几乎所有的时间都在一起工作，因为在任何情况下大家都要共同应对压力。团队协作（包括不欢迎明星，因为明星会让其他人显得黯淡）的概念是由格斯·利维所定义的，但是真正将其发扬光大的还要数两位约翰。"

合伙人罗伊·史密斯说："我们在办公室里都显得很不起眼，在充当个人英雄方面我们都表现得很低调。我们都不怎么喜欢所谓的英雄，因为我们知道只有团队协作才能带来成功，而且也不会让我们的自负心理过于膨胀。我们以近乎奇迹的效率完成工作，并且到最后也看不出太多个人的痕迹。很多时候，我们都感到自己在公众面前没能最大限度地树立个人品牌与形象。"

高盛高度重视团队协作。大家都注意回避类似"这是我做的"或者"我赢得了那个"里面的"我"。所有地方都用"我们"——"这是我们做的"或"我们赢得了那个"。就像一位合伙人所说的那样，"大家非常回避用'我'这个词，一些人甚至连眼科医生都不去看。"[①]团队协作对于客户和公司内部的人来说同样重要。福特汽车公司的主席菲利普·考德威尔（Philip Caldwell）这样理解为什么高盛如此杰出："首先，他们精通自己的业务。其次，他们几乎没有什么内部斗争。"两位约翰一直致力于锻炼优秀人才的领导力和管理能力。很多年轻的"未来领袖"都被安排在同一个团队里，分派到各种管理岗位上来检测他们协同工作的能力，以及他们如何协调共同的权利与责任。

另外一种促进团队协作的方法就是在绩效好的年份共享红利，在绩效不好的时候保护员工利益。为了让大家分享公司的成功，合伙人会拿出公司15%的利润建立一个奖金库，这个奖金库按照"利润比例"分成，由各个部门共同监管。除了工资和奖金以外（以及未来成为合伙人的可能性），利润分享也是为公司在将来招揽人才产生巨大吸引力的一项经济因素。70年代中期股市萧条，公司当时虽然只能够勉强维持收支平衡，但是也坚决不裁员。

---

① 英文"我"（I）发音与"眼"（eye）相同。——译者注

并且，高盛不但给大家发出不错的奖金，还给年轻的合伙人以资助，帮他们渡过难关。在关键时刻为大家做实事是两位约翰所构建的组织的重要特点。

合伙人李·库珀曼说："平衡是关键。高盛比任何公司在战略与组织平衡方面都要做得好。综合业务带来了不错的效果。高盛成功的关键在于公司不但拥有很好的平衡和优势，而且它还会将平衡带来的好处在全公司范围内分享。每个人都奋力划桨，而大家的力量又汇聚在一起将公司推向前方。每个人都是团队中的一分子，大家都非常信赖自己的团队。当然，也可能会有些许的政治因素存在——随着公司的壮大，也许政治因素还在增加——但是与任何其他的公司相比较，高盛在政治上存在的问题不大。对合作的肯定以及合作的速度是衡量团队协作与配合的指标。我们所指的合作不仅针对部门内部的合作，也针对跨部门的合作。"库珀曼还举了个简单的例子来说明这个问题："华尔街一家大型企业的一位律师有一次想要一份关于高盛参与项目融资计划关键人物的介绍，他向正在负责这个项目的销售员询问应该怎么做。销售员告诉他，'我来帮你处理'。这位律师本来以为要等一两周才能拿到结果，然而非常出乎这位律师意料的是，他在当天就接到电话说已经确认好约见的事宜。像这样的事情在高盛实在非常常见。"

高盛拥有相对扁平的组织架构，几乎没有什么层级制度。公司非常强调团队协作、互动以及迅速广泛的部门间交流沟通。给新入职员工上的第一堂课就是告诉大家如何"发布"消息。我们常常会问，有没有人能够用得上这条消息？公司有自己的文化，这种文化是基于所有人，也即生产者的管理，以及富有活力、追求卓越的环境之上的。罗伊·史密斯说："我们把自己当做金融世界里的专业运动队。我们都很有竞争力，并且努力工作、刻苦训练。我们精通自己的业务并且都想做到最好，成为世界冠军。"不断进取对成为冠军是无比重要的。同样，这也需要用另外一种视角来加以平衡，这样才能保护公司和个人不会出格。当被问到什么会与公司的战略不一致时，鲍勃·鲁宾一语中的："个人主义、骄傲、自视清高。如果你有这些表现，那么你就有问题了。"

乔治·多蒂说："在六七十年代公司还不大的时候，发现聪明的人还不难，你能够看到哪些人作了很多贡献，哪些人只是在旁观。"但是随着公司不断成长壮大，更加结构化的沟通就显得很必要了。充分认识到鼓励团队协作并且保证每个人都参与到重要的交易中去的重要性，并且知道其他人的贡献有多么重要，怀特黑德和温伯格坚持要大家写"贡献记录"以说明每个人所作出的贡献，并且所有相关人员都会看到这份"贡献记录"。然而，多蒂也会感到苦恼："有两种记录会让我不高兴。第一是自夸'啊，我太厉害了'的那种；同样糟糕的还有'啊，我的手下真厉害'那种，因为记录者显然是在自夸说因为有我这样一个优秀的领导才带出了这么好的团队。"然而，发现并且公开每个人贡献的决心将这种误解最小化了。每个人都了解团队里的其他成员对取得成功有多么重要。并且，这样做不但表扬了每个人独特的贡献，实际上还鼓励了务实的谦逊。团队协作的精神和忠于组织的团队成员共同铸就了高盛对内和对外的整体性。

"敬畏之心和责任感也很重要，"库珀曼回忆说，"你永远不会想把可能或本该完成的事情留着不去做。你的责任就是要保证自己在每一位客户面前拿出最好的表现。你总会有做得更多、更好的压力。高盛不会给工作出色的人献花或颁发奖章，但公司管理层却会很快注意到你需要提高的地方。约翰·怀特黑德甚至有时会显得苛刻。我永远无法忘记他在一条备忘录中所说的：'我们非常欣赏你所带来的业务，但是我们还需要你为高盛带来更多的业务。'"

"两位约翰认为大家努力工作、承担重任是应尽的责任，"合伙人罗伊·史密斯回忆说，"他们坚信承担更多的责任对你有益——最好是超过你正常能力的一半以上，因为这样就意味着你积累了更多的经验，学到了更多，了解了更多。你的学习曲线会比别人更陡，你也会更快达到更高境界。这样一来，由于你努力工作，精通业务，你就能够更好地帮助客户完成其他公司所不能完成的交易。"怀特黑德也说过类似的话："高盛非常欣赏努力工作的人，因为你做得越多，得到的锻炼也就越多，学到的东西也就越多。在我们这个不断变革的行业中，你将能够获得更好的技能，比你公司内外的同行有更深入的见解。"

在两位约翰的领导下，高盛有时候会被人批评为革新缓慢或者过于谨慎。但是温伯格反对说："我们认为自己并不慢。我们觉得自己就像龟兔赛跑中的乌龟：我们会到达终点，但是我们不会被未经证实的想法冲昏头脑。当你在合伙人制度下承担无限责任时，你就会非常谨慎地承担业务风险。尽管我们以行事有计划而著称，我们大多数时候都是看到机会然后采取行动，一步一个台阶，通常情况下并没有很明确的方向，更别说是目的地了。约翰专注于规划和管理，而我则专注于客户。约翰很有远见，也很强硬。他通常都会很明白地告诉大家应该怎么做。"

尽管高盛能够在业务上引进重大战略行变革，但是它的战略眼光具有一贯的连续性。1983年，怀特黑德是如此描述公司的目标的："我们长远的目标是成为真正的国际投资银行和经纪商。我们要在全世界范围内拥有像在美国那样多的客户，我们要在伦敦、巴黎、苏黎世和东京成为备受尊敬的公司，就像我们在纽约、芝加哥、洛杉矶所做的那样。"

"所有投资银行都希望开拓'连锁'的赢利业务，"罗伊·史密斯说，"问题在于如何能够在全公司范围内在风险可控的情况下达到赢利最大化。当然，每个人都在寻求最大的赢利能力。我们有成千上万的员工，每个人都在平衡自己的风险和收益，短期利益和长期利益，个人利益和公司利益，长期客户关系和特定偶发交易，因此我们在管理上面临重大的挑战。因为有如此之多不断变化的冲突和挑战，要想维持和谐和平衡是有困难的。"最大的风险是像格斯·利维、两位约翰以及处于各个部门领导岗位上的人们一样，感到被组织约束或对组织感到失望。有创意的天才需要突破常规，与众不同才能够真正地创新。但是组织越壮大，它就会越坚持寻求秩序和稳定。两者都需要，但是这两者又相互冲突。管理好这些冲突才是证券行业里管理的真谛。

挑战越来越艰巨。高盛把握住了很多机会，获得了不断的成长。然而随着公司逐渐壮大，想要招聘或利用好甚至是留住特别有才华和创造性、开拓性的人才变得越来越困难。随着组织的僵化，难免会有一些优秀的个人被排斥出去，即使这些人曾经绩效卓越，为公司的成长作出了很大贡献。因此，管理层的困境在于组织的连锁化——这对长期风险调整后收入最大化的实现至关重要——必须不受短期的具体紧急交易的影响。史密斯说："避免为短期利益而行动，必须要与其对立面相平衡。如果你太保守，你就会失去优秀的员工——甚至他们根本不会加入你的行列。如果你不够保守，个别员工就会失控，他们可能作出对个人有利而对整个组织有害的行为。组织和业务越复杂，管理这一重要角色就越难平衡。"

在按照他们的理想构建高盛的过程中，两位约翰经常会招募关键人员进入高管层。其中，引进吉姆·温伯格和乔治·多蒂就是他们俩引进人才最成功的案例之一。吉姆·温伯格是一个有原创思想、有时候甚至有些逆向思维的思想家，他从来都不造作，非常真诚而又卓有见识。在公司政策和战略方面，他是他弟弟最亲密也最客观的知己和顾问。在一群对业务有很高的热情，同时能够严格自律的人当中，吉姆·温伯格是最谦逊、最实际，也是最胸有成竹的人。而且保护弟弟的隐私对他来说简直就是一种天性。他曾睿智地发现了很多能够走向领导岗位的人才，而且他一向都很低调。他常常乘坐地铁，有一次在洛杉矶一家豪华的餐厅里，一位上校误以为他是服务员，问他："你们这里有没有更便宜一点的东西？"

多蒂是60年代加入高盛的。在负责公司运营和财务纪律的时候，他处事严格而又精明。多蒂曾经先后在莱布兰德-罗斯兄弟-蒙哥马利公司担任过高级合伙人。他曾主要负责包括大通曼哈顿银行和迪伦·里德等在内的客户，也很有名气。"我当年差一点就成了我们那家会计师事务所的高级合伙人。当时我46岁，感觉世界都在我手中。只有一个人可能和我竞争那个职位，而且他还说如果我想做的话他很乐意让我来。然而，我对于库珀斯还是有所保留。我对那家公司喜欢'八面玲珑'的人当合伙人感到失望。你知道，像那样的人你挑不出他们的毛病，他们做事情也按部就班。库珀斯是不会让有个性或者犯过错误的人当合伙人的。当然，他们也有很多优秀的人才。而高盛则很不一样。约翰·怀特黑德和我都曾经当过军官，我们就如何建立一个真正伟大的专业公司进行过长谈。我们相处得非常愉快，而我也觉得他一定能在高盛干出一番大事业。"

多蒂非常了解并且善于管理那些平时被投资银行家们不屑一顾地称做"笼子"的各种部门。这给怀特黑德留下了深刻的印象。这些部门每天都要处理数以百万美元计的现金和有价证券，所以他们内部安全措施做得相当严密。怀特黑德知道要作出决策并最有效地实施，就必须仔细将它布置好并且交给西德尼·温伯格管理。于是怀特黑德将多蒂介绍给温伯格。多蒂回忆说："西德尼当时说要请我吃午饭，他来得正好。然而我告诉他我还是有一些疑虑。他问我：'不是关于宗教的吧？'我是一个爱尔兰天主教徒，于是我告诉他和宗教没关系。我家人当时早就计划好要去度假。于是我就向他保证说回来就给他答案。我妻子当时的第一反应是：'（高盛的名字）听起来像是一家家具店！'她首先想到的是正想着萨克斯第五大道百货（Saks Fifth Avenue），但是事实就是如此：高盛在当时还并不是特别有名。高盛没有我当时所知道的一些公司赚钱多，但是这家公司却更专业，总是努力为客户做到最好，因为他们相信如果公司真正解决好了客户的问题，从长远来看就一定能够很好地发展。这听起来可能有点像是陈词滥调，但是这一点才是真正使高盛受人尊敬的原因。其他的公司无论是当时还是现在都更加看重金钱利益。"

从入职那天起，多蒂就拥有很高的地位和权力。他直接进入了公司的最高管理委员会，拥有公司第四大合伙人权益，仅次于格斯·利维和两位约翰。他之所以拥有如此大的权力，是因为他为组织结构日益复杂化的高盛建立起一套完善的管理知识体系，而其他人没有那种知识；也是因为运营效率和有效性正成为公司在一个快速发展、日益复杂的行业中作出战略选择、实现目标并与其他组织竞争的决定性因素；还因为多蒂很严格、不屈不挠，并且做事沉稳。

即使是在设立内部财务管理部门上，两位约翰也相当大胆。他们曾经从美林公司聘请了一些财务经理，因为他们觉得高盛可能会从竞争对手那里学到高级的财务管理系统。不过结果使他们大吃一惊，因为他们发现自己的竞争对手原来一点都不复杂。两位约翰也从公司内部发掘人才，他们任命乔纳森·科恩（Jonathan Cohen）为合伙人，因为他们可以完全信任科恩。约翰·温伯格有一次开玩笑说："乔纳森，到我们走的时候，你知道的事情多得足以让我们干掉你。"

人们认为怀特黑德和温伯格作为公司的领导者显得有些保守，而多蒂则在内部运营管理方面显得更为保守。怀特黑德回忆说："尽管我非常尊敬乔治，但是他对于新事物简直是太保守了。有好几次，我都不得不把他拉到一边跟他说，'乔治，新主意在它们处于萌芽阶段的时候是很脆弱的。你一定要小心，因为更多的人不是帮助有希望然而现在弱小的东西成长为真正的有用之才，而是会把一个好点子弄砸'。他总是会游说其他的合伙人对我们想实施的计划加以抵制。"怀特黑德笑着又补充了一句："他有时候也会弄得我头疼。"

多蒂是个大管家，而对他来说最重要的事情就是财务管理。他严格控制花销。所有合伙人的退税要么通过公司进行，要么就在公司的严格监控下迅速处理。"我们不希望看到任何人偷税漏税。有一次我看到鲍勃·雷曼一年挣好几百万美元，但是却只交25 000美元的税，当时可真把我气坏了。我不希望此类事情影响高盛。我们规定合伙人不许在公司没批准的情况下进行无担保借贷。我们要求每个人在任何时候都全心投入自己的工作。我们不想让任何人整天都在操心还债的事情。对这类事情，公司的政策和我们的措施非常简单：'怒目相向！'"

多蒂知道所有大型证券公司总是会存在挖角、舞弊、欺诈或滥用职权等风险。作为一名经验丰富的审计员，他知道避免大麻烦的最好方法就是不断对小问题刨根问底，要想早点得到信息必须依靠员工主动提供。多蒂解释说："知道有些事情不大对头的人不会主动开口，除非他们知道你想听并且会认真听。在最平常的交谈当中，他们会给你留下一点口头的线索——如果你在找线索的话。他们希望你能够顺着线索往下探索。一些最为正直的人反而没有受过太多教育。如果他们知道某件事情有问题，也知道你在查这件事，他们会把你往正确的方向引导。当我们建立庞大的交易室时，我们特意将其设立在一层楼里，并且只设了一个男洗手间。当你站在小便池边，便人人平等。你可以谈论任何你觉得不对劲的事情。那时候我一有空就去洗手间，并且去之前还要宣布一下，'伙计们，我上厕所去啦！'然后我慢慢起身，所以大家要跟上我很容易。我在选择可信任的人的时候格外小心。"

多蒂负责与每位新合伙人讨论他将出资多少这类敏感话题。新合伙人通常作为一个"阶层"分享公司相同比例的赢利，但是每个人都有一张不同的个人资产负债表，因此每个人的出资能力也就不同。有些人家里很有钱，有些则没有。投资银行家们通常会在公园大道买上一套漂亮的房子以装点门面，而交易员们则相对较清贫。具有讽刺意味的是，所有的银行家都会在自己可承受的范围内选择最豪华的"门面"，而交易员们通常只会买最便宜的。在全面考察一位新合伙人的个人财务报表之后，乔治·多蒂会决定让他为公司出资多少。多蒂常常会充满质疑地问："这是你所有的财产吗？"

"是的，先生。"

"你确定？"

多蒂的工作就是找出合适的金额，使得每一位新合伙人都感到其出资的风险，同时他也会让他们以合伙人的身份在公司作出重大决策时具有一定的话语权。正如多蒂所解释的，"你参与分红的多少和你对业务的贡献相关，而你出资的多少和你个人财富的多少相关"。

多蒂定下的规矩不仅限于出资多少这一问题。当吉尼·菲弗成为合伙人时，两位工人来到他旧金山的办公室检查家具。"嘿，我说你们为什么查这个？"

"多蒂让我们来的。"

于是菲弗给在纽约的多蒂打电话："你什么意思？"

"作为一个合伙人，你只能有固定种类和数量的家具。你办公室有的家具超出了规定数量。那也没关系，这是你的选择，不过你要自己付钱买下来，公司不负责提供。"

"但是我搬进来的时候就已经有了。"

但是多蒂才不理会这些。你必须接受高盛对合伙人的管理条例。

对新当选的合伙人，两位约翰通常会唱一场经典的"红脸黑脸"的戏，温伯格总是会扮好人，给每一位新合伙人以微笑和热情的拥抱："你太棒了，我们一直认为你会成功的。我们非常高兴你能成为合伙人中的一员。欢迎你！你一定会为公司作出重大的贡献。好样的！”

然后怀特黑德就会把那个新合伙人拉到一边，对他摆出严肃的态度："你必须和我们大家一样，明白自己正加入一个很有能力并且工作努力的人群当中，这里全都是华尔街的精英。你必须跟上大家的进度，你要玩命地工作以取得好成绩。今天宣布你成为合伙人只不过是开始，因为高盛的合伙人会承担更多的责任，我们希望合伙人能够作出很大的成绩。你前面的人设立的标准非常之高，你后面也有大批年轻有为的人想升上来。公司希望做到最好，因此我们也希望你能将个人最好的一面展现出来，而这就意味着从现在开始你将接受挑战，你需要不断提高你的产出，在任何方面都设立很高的标准。我们会从一点一滴上密切关注你，特别是现在你已经是一位合伙人了，所以一定要努力取得好成绩和实际的成果。向我们大家展示一下你的全部才能……如果你没有做到这些我们是会知道的。我们在高盛可不是闹着玩的。我们希望你和所有其他人每天都为争取成功而努力。"

话说得很重，而行动则比话语更为响亮。高盛没有终身合伙人制。表现不够好的合伙人会被扣除其在公司所占的份额，甚至会被毫不留情地直接撤下来。温伯格说："你要想在这里混下去，就必须非常努力地工作，放弃很多业余生活——坦白地说，有时候你甚至要放弃一部分家庭生活。要做到这一点，你必须拥有雄心壮志、充满激情。这里的每个人工作都很努力。如果他们不努力了，就不得不离开。"一位合伙人解释说："对高管来说也没有例外。如果他们被挤出去，那么就算出局了——他们所占的合伙人份额会在他之后最优秀、最积极进取的人当中分配。在这样一个不断向前的、类似于达尔文进化过程的机制下，亲切、和善的人并不总能够胜出。"然而，正如一位竞争对手所说："令人惊讶的是，高盛的人还是会对彼此很和善，至少在外人看来是如此。"

温伯格和怀特黑德的目标不仅限于赢得客户、获取管理权和做成交易，他们还为增加高盛的市场份额、增加高盛管理的财富占他们客户财富的比例，他们不断进取以期取得更大的胜利。他们这种强烈的进取心使得一些竞争者把高盛看做猎食者。一位竞争对手的银行家说："这就是高盛综合征——我的就是我的，你的也有一半是我的。"高盛不仅把华尔街上的其他公司，甚至是国际同业视为竞争对手，两位约翰眼睛还盯着商业银行。怀特黑德的一项重大贡献就是他成功地游说政府延长《格拉斯－斯蒂格尔法案》的有效期，这项联邦法案使得商业银行几十年无法染指证券业务。

两位约翰个人表达的方式很不同，这一点在高盛的年度投资银行大会上可见一斑。当有人问道，"为什么高盛对商业银行参与到我们投行业务当中感到如此担忧"？温伯格非常简明直白，他说："因为他们会搞得一团糟。"然后怀特黑德就站起来，以其一贯的博学而雄辩的口吻从文化的显著不同、资本、人员、管理以及战略重点等方面进行长篇的解释，最后他停下来看了看温伯格，笑着说："就像约翰所说的那样，他们会搞得一团糟！"

"两位约翰从来没有起过冲突，"鲍勃·斯蒂尔说，"至少从没有人见到他们有任何冲突。他们虽然彼此很不一样，但却能够做好自己。温伯格有很强的本能意识，表达也很直白；而怀特黑德是自我约束和细致谨慎的完美代表。他们对彼此的成功一点也不感到嫉妒。"

两位约翰能够为所有的决定拍板，但是他们还是非常尊重他们所构建的强大的管理委员会团队，这其中包括吉姆·戈特、弗雷德·克里门达尔、乔治·多蒂、迪克·门舍尔、史蒂夫·弗里德曼、鲍勃·鲁宾以及鲍勃·慕钦等人。管理委员会成员对两位约翰尊重他们的意见这一点也非常欣赏，因此他们也会认真对待各自的责任，从不唯命是从。然而，大家都理解各个部门的领导都会以不同的方式管理各自的业务。高盛内部有一种类似议员制的管理法则，比如哪个人的管理范畴中间有问题，他会自己解决，别人不会太多"插手"你的具体责任。这一点直到后来鲍勃·鲁宾和史蒂夫·弗里德曼才为之带来变化。

很多年后，有人请怀特黑德解释高盛成为被华尔街公认的管理最优秀的公司的"秘密"，他说："我们坚持做好各自的业务。这使得我们能够把时间都花在不断完善我们所做的事情上，而不受到做不熟悉的业务的干扰。我总认为，将你已经做得不错的业务的市场份额从30%提高到35%要比从你完全陌生的领域中开拓5%的市场份额要来得容易。我们严格控制增长，因此也就不会脱离我们熟悉的领域。"

怀特黑德说："我们在重大战略上从不赌博冒险，我们对已经取得成功的地方投入更多资源，帮助获得成功的人在已有的基础上做得越来越好。"新想法能够获得有限的试验支持，一旦被证明是有价值的，这时两位约翰就会帮助这些获得成功的人。耐心、谨慎以及不懈的坚持，这些都是两位约翰领导的特质。他们不断前进，并且"步步为营"，这些进步最终使得市场份额和公司名望得以建立。温伯格和怀特黑德都特别注意不因为预期可能的业务增长而加大投入和人员开支。他们尽量避免犹豫不定的风险。就像鲍勃·鲁宾所说的那样，"我们管理业务的办法比较愚钝，但是却是有效的"。

就业务和与人相处而言，两位约翰总显得"无处不在"，他们从不与业务或者其他的合伙人相隔绝。斯蒂尔说："你绝对不可低估这两个人的价值。他们的办公室处于所有业务的核心——经典的约翰加约翰的组合。其他公司高管的办公室都在不同的楼层，于是随着业务不断增长，高管们的接触也越来越少。"

高盛以其偏好跟随、行事谨慎而不是创新而著称，这一点刚好与其坚持低调的战略风格相匹配。有两个将高盛与摩根士丹利相对比的例子可以说明高盛的成功之处。1989年，摩根士丹利鲁莽地宣布将调整它的机构证券经纪业务——它将重点关注它所管理的150个最大的账户，这些账户占其机构证券经纪商总业务量的80%；同时，它还将所有其他的机构证券经纪商业务账户转交给零售经纪商业务部门。这一决定立即受到了很多愤怒的机构证券经纪商业务客户以及媒体的抨击。高盛几乎在同时也采取了同样的改革，然而它却在几个月的时间里悄悄地通过与每个机构证券经纪商业务的客户举行答疑会，细致地对客户说明 从机构销售员手中最小的账户转化为个人账户销售员手中最大的账户反而会提高服务水平。1993年，摩根士丹利公开在媒体上威胁说，如果纽约市和州政府不答应其大幅减税的要求，它将会把总部和业务搬到康涅狄格州的斯坦福去。而高盛则在此之后得到了相似的减税条件，但却是以很低调的方式获得了这一优惠。如今，这两家公司还都在曼哈顿。

　　鲍勃·慕钦说："标签这东西，贴上去就难以揭下来。我觉得高盛就显然是被人标注为谨慎或者过于谨慎的类型。这一点在80年代后期逐渐发生了改变。"史蒂夫·弗里德曼几年之后与鲍勃·鲁宾共同接管高盛，他在回顾两位约翰的时代时，也证实了这一想法："我认为从历史的角度来看，这是一条中肯的批评。但是最近几年来说并不是如此。我们一直站在创新的前沿。现在的高盛和过去相比已经很不一样了。"

　　在一次公司发展的年度总结上，怀特黑德和温伯格注意到金融业发展越来越快，也越来越复杂。他们认为只有这样的组织才能够和很好地适应这种环境："今天的金融活动正变得越来越灵活，也越来越国际化。在这样一个环境里，传统的投资银行关系——就像过去我们长期坚持的那样，在进入市场前作好充分的准备——已经面临着很大的压力。无论是在国内还是国际，要想为客户提供最好的服务，投资银行家必须非常了解市场，对市场的变化非常敏感，能够迅速调动相应的资源展开行动，拥有并愿意投入资本以完成交易，并且在证券的设计和营销上展现天才般的能力。这是一个考验投资银行公司勇气的环境。拥有最优秀的专业人才和资本、涉足所有市场、组织合理并且高度专注的公司才能够取得领导地位。无疑，投资者和发行者都会青睐表现出以上这些能力的公司。"他们充满自豪地接着说，高盛"在为客户提供的40余项投资融资服务当中正处于最高或领先地位"。

　　在高盛这样的公司里，重大且影响深远的变革往往不表现为突然的行动。相反，它会以持续的、波澜不惊的方式不断追求自己的理念。核心理念也许表面上显得有些本能，但却是基于一种深入的理解。这种理解使得充满意志的伟大领导者能够激励很多人跟随他一起为共同的目标而奋斗。如果说，高盛在温伯格和怀特黑德联合管理之下的转型期显得并不是特别有创意或革新意义的话，那么在20世纪70年代和80年代，高盛就已经对市场机会、竞争对手的行动以及环境的变化有所反馈了，而到了90年代，高盛已经为业务上的重大变革作好了准备。在约翰·怀特黑德和约翰·温伯格当初成为联合高级合伙人的时候，高盛的利润只有5 000万美元，而到温伯格1990年退休的时候，这一数字已经达到了8亿美元。

正如读者们会一次又一次地看到戏剧化的情形，高盛当时正进入一段急速转型期。部分转型来源于外部——机构投资业务的爆炸性增长、大宗交易的不断增加、由于企业集团出现和有被意放宽的反托拉斯活动带来的不断增长和加速发展的并购活动，以及来自像摩根士丹利、第一波士顿、美林和很多国内国际银行的竞争的加剧。部分转型来源于公司内部——高盛招入了大量非常专业、受过良好训练以及雄心勃勃地等待机会的人。部分转型来源于为创造性、风险担当以及企业精神所支付的不断增长的报酬，而这也带来了更多的成功，使得人们相信努力工作、一流的客户服务以及自律能够带来丰厚的回报。还有部分转型来源于两位约翰打造高盛这一杰出企业的决心——他们激励大家努力工作，以为客户提供超一流的服务、学习并改进其他公司最好的创意、坚持人人都为团队而努力。部分转型来源于投行服务系统的战略能力。部分转型来源于鲍勃·鲁宾和史蒂夫·弗里德曼对取得重大成就的肯定和奖赏，这使得整个公司都加速发展，信心得到提高，对知识、关系以及资本等战略资源能更好地应用。

所有的金融中介机构都必须适应供需变化。大多数公司都被动地逐渐接受或调整适应必然发生的变革。失败的企业通常都是因为接受或调整得太慢，而成功的企业则都能够主动甚至大胆地去适应。成功者对绩效表现拥有高标准，他们有长期的目标、战略性的思考和行动，乐于放弃不景气的业务并努力寻求创造性的赢利业务。成功的企业坚持长期的理念和政策，他们在成功完成战略性计划和创新时展现出强烈的愿望，他们每天都坚持一流的执行，因而卓越已经成为他们的习惯。就像是一直在追求其命运的归属一样，高盛不断向成为如今已经取得的国际巨头的地位而迈进。

两位约翰为高盛带来的巨大变化最终带来了显著的成果。西德尼·温伯格的梦想得以实现：高盛成为美国一流的投资银行，为其之后占据全球市场的领导地位打下了良好的基础。

在两位约翰带来的所有变化之中，最重要的一个也许就是对公司合伙人的态度和自我感觉的重大转变。在他们联合执掌高盛之初，高盛只是一个有很多弱点，仅仅在大宗交易、商业票据以及风险套利这三个独立业务上拥有明显优势的二流企业。除了西德尼·温伯格领导的那部分业务，高盛的投行业务大部分都局限于"中型市场"企业，特别是那些决定要卖出去的公司。到两位约翰退位的时候，高盛已然在所有主要证券业务线上走向了市场领袖的地位。在与美国的一流企业建立了投行业务的领导地位之后，高盛也为继续扩张成为全球领袖作好了准备。

令人感到讽刺的是，由两位约翰领导的公司的新业务线以及高盛作为一个整体的巨大成功使得高盛的继任者认为高盛应该走公开上市之路。这一决定虽然得到两位约翰的坚决反对，但因为他们领导任期的结束，他们的反对意见最终没有被采纳。

怀特黑德和温伯格出于对彼此的相互尊重和个人感情，最终决定联合管理高盛，而这一决定也成为他们对高盛的最大贡献之一。他们对待合伙人这一位置的态度把高盛从危难之中解救了出来。

在与纽约市政府的合作中，约翰·怀特黑德得知了租借一大片空闲办公用地的机会。那是一个非常不错的机会，特别是对于要在华尔街附近一栋重要建筑的最高层附近建立大型交易基地的公司来说。如果能够租下这块地，那么公司所有人都能够在一栋大楼里面相互连通的楼层里工作，而且那里的景致特别不错。那个租约将长达25年，直到进入21世纪之后的很多年。当时，租借公司开出的价格也不错，而高盛正需要在华尔街上开拓一片新天地，对高盛来说，也是时候搬出过去低调而简陋的办公室了。新楼的地理位置非常之好，而将公司的总部建立在这一重要的标志性建筑上也能传达出一个明确的信号：高盛已经成为全球投行业务领袖。

虽然怀特黑德觉得这个机会相当不错，但是温伯格却不知为何对此不那么感兴趣。因此，处于对其伙伴的尊重，怀特黑德决定把这个话题先放下一周左右的时间，因为这件事也不是很着急。他想给他的朋友一些时间考虑。他觉得，只要温伯格花点时间想一下，就一定会认为这是个不错的机会并且会大力支持。

一周之后，怀特黑德又提起这件事情，但却发现温伯格显得更没什么兴趣了。于是，他又把这事拖了一周。当他第三次提起这事的时候，温伯格出乎意料地说他知道怀特黑德之前两次提起这一事情，一定是对这个机会很感兴趣，但是他就是不大赞同搬迁，也不愿意详细解释。

怀特黑德想知道为什么，于是温伯格说："我只要走进一栋窗户都紧闭着打不开的楼里就会有幽闭恐惧症。那栋楼的窗户全都封得死死的，而且你看到的地方有90层高。约翰，我肯定没法在那栋楼里面工作，那地方太高而且窗户也打不开。"在听到这个很个人的解释之后，怀特黑德对他的朋友表示理解。之后他们再也没有提起要给公司换个办公地点的事。而他们俩当时所谈论的新办公楼，正是世贸中心一座楼中接近顶层的部分。

13

债券业务：起始时期

五六十年代的时候，高盛并没有把债券业务放在眼里。当然在债券业务领域，高盛还只不过是一家无足轻重的公司——这种状况一直持续到格斯·利维看到所罗门兄弟公司的第一份年报。从这份年报中，他意识到一家主要的竞争对手正从债券业务中赚取高额利润，而他和他所领导的高盛在此之前都没有给予这条业务线足够的重视。一贯以来都十分注重利润最大化的利维当时决定："我们必须在债券业务领域成为主要的玩家。我们知道现在有人从中赚大钱，只要是这样的机会，高盛就应该置身其中。"

高盛的债券业务量很小——实在小得可怜——因为大家都"知道"债券业务只不过是一项毫无意义的"空头支票"业务，不仅套牢公司的资金，而且产生不了多少收益。更重要的是，如果想要做好债券业务，必须依赖在市场中作为一家主要新发债券承销商的地位，高盛当时肯定不具备这样的企业素质。这种现状必须得到改变。

事实上，利维被那份年报误导了。他不知道，其实所罗门兄弟年报中的利润大部分并非来自其债券交易业务，而是来自该公司所持有的一家得克萨斯州能源企业哈斯石油（Haas Oil）的股票。所罗门兄弟的CEO威廉·所罗门（William Salomon）坚持发布这份足以混淆视听的年报，这是他设计的使公司进一步推进投资银行业务领域的战略"广告"。他认为如果所罗门兄弟想要成为一家知名承销商，就必须让世人认同该公司现在已经具备了强大的赢利能力。他还批准了一项广告攻势，由奥美集团策划，以所罗门公司宽阔的债券交易室的巨幅照片为中心，来炫耀所罗门兄弟公司无与伦比的交易业务能力。但是这种从他的角度来说合情合理的炫耀——同时也是西德尼·温伯格从来不会批准下面的人去做的事情——很快就招来了强大的竞争对手：高盛。

借助在商业票据领域的领先地位，高盛首先开拓了多种多样的货币市场工具。亨利·福勒是前财政部长，他于1968年经西德尼·温伯格介绍加入高盛，他们之前在战时生产委员会就已经认识了。约翰·温伯格回忆说："身为前财政部长，亨利·福勒对国债市场真的是十分了解，而且他个人也坚信我们应该以严肃认真的态度对待这项业务。"带着积极的态度，福勒开始拜访他的故交好友，这些人都是其他国家的中央银行或商业银行的领导人。但是他这种低姿态的外交式接触，显然不能帮助利维达成其所设想的激进的战略目标。

随着高盛在其他货币市场工具业务上逐渐成熟，而且投资银行业务也不断成长起来，再加上之前就在商业票据业务上有着领先的地位，利维觉得是时候为高盛打造一个战略性的业务铁三角了，而这最后一角就应该是在应税债券（taxable bond）领域成为一家主要的交易商。他主张要实现这一目标，就应该在公司现有的商业票据业务中加上企业债业务，因为在此前的多年间，高盛已经与数百家发债企业和上千家机构投资者建立了密切的联系。和往常一样，他一旦认定了一个目标必定是穷追不舍。他视高盛为债券业务领域"沉睡的巨人"：他认为高盛目前所需要的不过就是被人从睡梦中唤醒，并且有人给它指出一条明路。利维曾在1969年表示："我们最近已经扩张了公司的债权业务，我们计划将此业务做到市场排名第一，正如我们从不愿做市场第二一样。"

在利维的授意下，乔治·罗斯召集多位合伙人组成了一个委员会，针对企业债市场的业务机会进行了专项研究。根据他们的研究结果，在二级市场开展承销及交易业务都有很大的机会赚取高额利润。因此利维决定将罗斯从费城召回，从福勒手中接管债券业务，并要把高盛在这个领域的业务拓展到纽约以外的地区。利维当时说过："这是一项大型业务，当然对高盛而言也就是天大的机会。"但是罗斯在债券业务上的表现并不出色。他过于关注维护友好的客户关系，因此无法在利益冲突十分明显的债券业务上有所作为，之后不过两年他就回到了费城，约翰·温伯格接手了他的业务，直接对雷·杨汇报工作。

温伯格回忆说："格斯让我主管债券业务线，我理所当然提出反对：'格斯，我对债券一窍不通。'但是格斯说：'你知道怎么管理交易员，所以你就是不二人选。'这项任命就这么决定了。"温伯格的主要职责其实是为公司日后成为主要的债券业务商挑选合适的业务领导。"所以我着手在公司内部寻找人才，但是我很快就意识到身边没有一个具有领导才能的人。然后我在所罗门兄弟物色到了一个——比尔·西蒙（Bill Simon），他之后曾荣任财政部部长——而且我也真的准备聘用他了，但是这个时候却遭到了来自公司内部交易员们的阻力。他们威胁说，如果让一个新进的员工凌驾于他们之上，那么他们将集体辞职。我当然不会对这帮跳梁小丑作出妥协，所以我就简单地作了一个决定：'你们有15分钟的时间来找我表明态度，我只想听到有人说：'我支持你的决定，并且会全力支持新任领导的工作。'如果你不想这么说的话那就马上走人！'因此公司的很多交易员当天就离开了公司。对我而言这并不是很坏的影响。但是，所罗门兄弟给西蒙开出了更高的报酬，使他下定决心不跳槽到高盛。第二天，我急于找到一个能负责管理公司债券业务的人，也正是在当时那种濒临绝望的情况下，我想起了为公司打理可转债业务的埃里克·希因伯格（Eric Sheinberg）。理论上讲可转债也是债，所以我兴奋地对希因伯格说他有了一份新工作。他据理力争，他解释了可转债与常规债券的差异，并且说明可转债其实更类似于普通股。但是我打断了他，坚定地告诉他：'少废话：你现在已经被强征入伍了！'他不得不接受这份强压在他头上的工作，并且原则上答应在我们寻找合适人选的时候管理公司的债券业务部门——直到我们找到一位真正胜任这项工作，能将高盛的应税债券业务真正做强的人。"

但是，计税债券仅仅是债券业务中的一部分。当温伯格努力寻找计税债券业务的领头人时，另一项为开展免税地方债业务所作的努力也在同时进行着。约翰·怀特黑德招揽来了鲍勃·唐尼（Bob Downey），两人是在社交场合认识的。唐尼原先任职于R·W·普莱斯普里奇公司（R. W. Pressprich），专门从事地方债业务，他到高盛的目的就是要帮助新的雇主打造一流的地方债市场地位。一生坚守共和党信条的怀特黑德认为，州政府和市政府出于财政需要都必然通过地方债融资，民主党执政时期就更是如此，因此地方债市场必然有发展前景。唐尼对于怀特黑德提出的光明前景非常乐观，因此他自愿接受了大幅度的降薪。

怀特黑德对唐尼的最高要求就是"妥当办事"。"你完全没必要一次把事情都办了，更不要奢望一年之内能凡事都取得成功。要量力而行，做一件事就把它做到最好。"但是尽管有这样的安慰话说在前面，唐尼心里明白高盛一贯的业务动力从未改变："当然了，我们忙得屁颠屁颠的，因为我们知道到最终评估的阶段，约翰肯定只想看到公司的业务有了高速增长，他也只会想知道高盛在此业务领域已经迅速走到了同行的前列，他对我们的要求就是以一流的业务素质去达到这些目的。"在当时这项业务刚刚起步的阶段，没人能准确地预测到高盛将会成为日后蓬勃发展的地方债市场的主要受益者之一。1969年唐尼接手这项业务的时候，高盛甚至排不到新发地方债承销商的前50名。和以往一样，要挤进地方债市场需要一种极富想象力的新产品，一种专注于创新的营销策略，并且还需要一种持续不断奋进的业务热情。

第一次真正的进步发生在1970年，这一年高盛创设了佛蒙特州立地方债银行（Vermont State Municipal Bond Bank），这家专业银行通过对规模较小的地方政府提供优惠的融资服务，促使佛蒙特州境内的很多地方政府都参与到地方债的市场中来。唐尼解释说："小规模的发债并不能引起华尔街或者其他投资者的兴趣。举个例子来讲，佛蒙特州皮奇市是一个仅有19 000人的小城，而它也发行了地方债。佛蒙特州的商业银行——传统意义上小型地方债的主要买家——当时已经资金短缺，所以如果没有我们的地方债银行，皮奇市的地方债根本找不到市场。"

佛蒙特州立地方债银行发行的债券至少也是中等规模的——这样的发行

才能保证足够的流动性，或者创造在二级债券市场交易的可能性——实现这样规模的方法就是将多个小规模的地方债做成较大规模的集合体，并且使这些集合债券获得佛蒙特州政府的信用担保，而州政府是享有3A评级的。这样一来，虽然州政府不对这些债券承担任何法律责任，但是由于其以3A信用评级承担道义担保责任，州政府实际上帮助地方政府的债券取得了2A评级。这种操作方式之所以能取得成功取决于良好的协调工作：集合债券能满足各方的政治及经济利益，其中涉及详细规划各个债券的偿付日期，如何适当处理违约债券，以及其他各种具体问题。唐尼回忆说："我们参加了许多小镇的会议，和这些地方政府的官员广泛接触。那一年年末，我们为佛蒙特州50个地方政府通过债券融资4 600万美元，从那时起可以说我们的创新取得了初步的成功。两年之后，我们通过创设缅因州债券银行（Maine Bond Bank）在缅因州开展起了类似的业务。"

在培养公司的地方债业务的过程中，不要做错事几乎与不断创新享有同等重要的地位。比如，高盛在地方债市场中的战略有一个重要的组成部分就是信用分析。针对这个策略，唐尼补充说："我们从不发布（我们的研究报告），因为我们知道这样做很有可能激怒我们的客户。美林和其他公司都发布各自的研究报告，而他们也确实因为这个原因和很多成为其研究对象的客户发生了冲突。"他进一步解释说："我们（私下）传阅一份我们成功避过的垃圾项目的名单——比如说西弗吉尼亚公路收费公司（West Virginia Turnpike）。虽然在这样一个市场里过于谨慎的名声可能有损公司的商誉，但是我们认为，在关键的时候知道什么事情应该拒绝才是至关重要的。但是你也要明白，拒绝了某项业务并不代表你不能卷土重来。我想没有人愿意成为永远只会躲子弹的傻瓜。在这个行业里，你就必然有强烈的竞争意识，就像在海军陆战队里一样，你需要知道什么时候卧倒，什么时候站起来接着打。有些时候，你必须躲过敌人猛烈的火力才可能发起反攻。"

唐尼愿意主动承担市场风险。当执行人寿保险公司（Executive Life）——后来因为CEO弗雷德·卡尔（Fred Carr）过于冒进而最终破产——发行担保投资合约（guaranteed investment contracts）时，他们得到了3A的评级。用于投资这些担保投资合约的资金大部分来自通过免税地方债筹措到的钱，当时的债券承销商是崇德证券（Drexel Burnham）。这些地方债当时看起来还是在赚钱的，因为他们可以利用计税债券和免税债券之间的利差从事套利活动。唐尼回忆说："但是我们知道，即使是大规模、分散式的投资组合也不能保证垃圾证券获得3A评级。所以，就算我们在其首发时获得了以票面价格购买的条件，我们还是主动保持了与这家公司的距离。但是，之后不久，当执行人寿保险的运营开始出现问题时，其债券每百元票面的票据仅能卖到40美元，就是打6折出售。这个时候我们出手了，然后在其价格回升到80美元时卖出，打了漂亮的一仗。不过……这其中还是有些惊险的时刻。"这些债券的价格一度下跌到每百元仅售25美元，而且市场中一度风传法院将裁决的二级市场中的投资者不过都是些投机商，他们不能和首发时的合法投资者获得同等的权益保护。对于在40~50美元区间购买了这只债券的投资者来说，最幸运的事情莫过于这个谣言很快就烟消云散。唐尼评论说："正是因为我们拒绝参与首发，所以才能在后来需要实行拯救式融资时作好准备。虽然这种工作十分艰难，但是我们做足了准备工作，也因此赢得了良好的专业声誉。随着高盛在这个领域声名鹊起，业务开始自己找上门来，地方政府融资部开始真的为公司赢利了。"

唐尼和其他同事都认为，高盛会很快认同自己的部门为公司作出的贡献，因此他们也期待公司将很快在部门内任命几个新的合伙人。但是这个任命并非如他们预期的那样。整个部门就获得了一个合伙人任命，是一位名为查理·赫尔曼（Charlie Herman）的银行家。"我们都非常失望，因为我们都以为弗兰克·科尔曼（Frank Coleman）的工作已经做到极致了，不任命他实在说不过去。所以我们给格斯写了联名信，信中说：'我们坚信高盛是一家一流的公司，但是我们想看到你对我们部门有一定的重视。'我们根本就没有听到格斯的任何回音，更别说得到任何升职的承诺了。"地方债部门的业务人员中很快就出现了不满的情绪。

唐尼和他领导的五人小组决定，如果在高盛内部看不到成为合伙人的希望，那不如尽快开始在别的公司试水。经过三个月的私下接触与商谈，他们同意同时离开高盛，加入帝杰公司。在第二天帝杰公司将要宣布正式聘用之前，这几位的夫人都收到了"欢迎加盟"的花束。就在万事俱备的当口，帝杰公司的主席丹·勒夫金想起来问他的合伙人："你们和格斯谈过这件事情吗？"

"没有。为什么要问他？"

"一方面出于礼貌，一方面也因为这是华尔街办事的惯例。如果你们都没有和格斯谈过，那我亲自给他打电话。"他说办就办，亲自给格斯打去了电话。

当利维接到这通关于这项已经"板上钉钉"的事项的电话时，他的第六感告诉他，关于高盛的地方债人才跳槽到帝杰公司的事，其实并不是完全没有回旋余地的。就在这通电话里，利维想方设法尽量多谈一些问题，和对方不断地拉近个人关系，然后才转到正题，同时也抓住了勒夫金的心理——因为当时此人有很高的政治抱负，他知道总有一天他会需要利维在共和党内的支持——这使得他开始在任职通知上动摇。勒夫金当即表示这项任命并未百分之百生效。

这个小口子正是格斯·利维所需要的。他召集唐尼到他的办公室见他，亲自给他做工作，他让唐尼开始怀疑是否真的能信任一家不经过他的同意就给利维直接打电话汇报个人机密的公司。"你上次给妻子送一件大礼是什么时候的事情了？"利维问他，然后给他开了一张1万美元的支票。

就在勒夫金给利维打去电话之后半个小时之内，唐尼给帝杰公司打回电话："你们老板告诉格斯·利维，说我们的任命并没有生效。"而之后几小时内，整件事情就像没有发生过一样，彻底结束了。唐尼和他的团队留在了高盛，很快得到了第二个合伙人任命。20世纪末，协议成交地方债的业务量占到整个免税债券市场3/4的份额，在20世纪最后的30年（5年除外）里，高盛的协议成交债券承销业务始终在业界排名第一。

在免税债券业务有所作为之后，高盛仍然需要打造一支能开展计税债券业务的团队。温伯格对这类业务领导人的构想是一个年轻人，他应该能在别人失败的地方做出成绩，只要能有所作为，那么他必然成为公司的英雄。数月之前，有一位债券交易员邀请戴维·福特与他同行："戴维，你的主要业务区域应该是亚特兰大吧，这次跟我一起去拜访一些亚特兰大的客人怎么样？"那位交易员接着说："这么一来，我今年去奥古斯塔度假就不用掏旅费了。"就这样，福特同意与这位交易员一起去亚特兰大走一圈，而他们的旅费都由公司报销了。就在他们离开的这段时间，不断有电话打进来找他。一开始是迪克·门舍尔，然后是约翰·温伯格——大家都在找福特。

等福特给温伯格回电时，后者质问："你到底死哪儿去了？"

"我在拜访客户。"

"正好，那你准备开工吧！"就这样福特被调到费城的固定收益部门，而他的任命其实是建立在一种首尾环接的假设之上的：如果他在开展高净利客户关系方面工作有效的话，那说明他在量化工作技巧方面也应有专长，而也正是因为这两方面的原因，他应该被调任到固定收益部门，因为这个部门要求的核心能力就是与数字打交道。

过了不久，温伯格邀请福特与他在纽约会面共进晚餐，因为他那时候已经准备好把时年30岁的福特提升为全国企业债营销主管。福特说："我知道你同时也在为批发业务部门招聘业务领导，他已经开出条件要自行招聘组建他的部门。我成长在一个军人家庭，我知道上级下达的命令一定要执行。但是你也得明白，如果要我接受这份工作的话，我需要至少6个月的时间招揽必要的人才填补关键职位，同时我也需要用这段时间树立个人威信。"

"没问题。"

当福特回费城之后，他妻子问他："你和约翰·温伯格在晚餐时谈什么了？"

"没想到吧！他给了我一份新工作：全国营销主管。"

"你说真的？"

"当然！"

"但是你点头之前都不跟我商量一下。"

福特一家很快就迁居到纽约，但是他们在这座城市里显然过得非常不舒服。福特没过多久就放弃了营销主管的工作，全家迁回了费城。

70 年代早期，怀特黑德和温伯格作为高盛的联席最高领导者，决定大规模进军二级债券市场——首先是地方债，因为在这个领域唐尼已经在初级市场垫好了基石，然后进军企业债和政府债。1972 年，作为达成此目标的第一步，所有债券交易都由各地方分支机构统一到纽约的总部进行。一开始负责这项业务的是之前从折扣公司（Discount Corporation）挖过来的唐·肖坎（Don Shochan）。但是最后大家都意识到，肖坎管理公司债券储备的方法仅仅是通过不断变化各投资组合的到期时间，从而指望从利差当中获得一点点利润，因此他也在 1977 年被扫地出门。高盛不得不再一次开始寻找领导型业务人才，期望能更进一步的打入债券市场。

"弗兰克·斯米尔（Frank Smeal）在当时看来是不二人选。"温伯格回忆说。其实早在一年之前利维、怀特黑德以及温伯格三人就接触过斯米尔，因为当时他们就正确地预料到斯米尔已经不再是摩根担保银行（Morgan Guaranty）CEO 的热门人选了，因此他也很有可能接受加盟高盛的邀请。但是斯米尔一开始拒绝了。他之后对此作出的解释是："我不愿意为格斯·利维卖命。但是现在既然格斯已经不在了，这就是两码事了。"高盛内部的权力更迭对斯米尔来说，是足以左右其看法的相当重要的一个因素。而促使他下决心加入高盛的，其实是他对摩根担保银行没有选举他为 CEO 感到彻底的绝望。仅在加入高盛的条件的谈判上，斯米尔就能让人感到他是一位一流的交易员：他 1977 年 4 月加入高盛，保底年薪 50 万美元，附加相当高的合伙人份额——差不多与温伯格和怀特黑德的相等——同时立即加入公司管理委员会。

斯米尔行动迅速，很快就组建了一支强大的以客户为导向的营销团队，而且团队组建之后不久就开始发布具有附加值的研究报告，并帮助整个公司在做市的操作中取得了进展。但是，他没有意识到，整个债券交易行业正在经历一次前所未有的转变。正如旁观者注意到的那样，斯米尔所熟知的服务集中型战略正被基于资本的、以量取胜的风险投资战略所边缘化，新出现的交易模式特别注重一个公司以自己的本金进行交易，也就是为了公司的利益买卖债券，而非单纯地为客户执行操作。但是，当时的这种趋势还不是很明显。斯米尔采取的措施都是在打造传统意义上的营销组织，他们只懂得以传统的方式开展已经快要过时的业务。

吉姆·考兹（Jim Kautz）之前就在圣路易斯市的分支机构负责债券销售，1975年他拒绝了格斯·利维"邀请"他到纽约领导地方债销售的好意。"那是我一辈子坐得最漫长的一次飞机——和格斯·利维坐了一个半小时。当时他刚开完五月百货公司的董事会。格斯一路上就在做我的工作，告诉我为什么我应该改变主意，接受他的邀请。"几年之后，当斯米尔再次向考兹发出邀请，让他担任固定收益部门的销售主管时，他几乎想都没想就接受了。

在摩根担保银行30年的从业经历，不仅给了斯米尔作为该银行执行副总裁以及财务主管的头衔，更重要的是让他成了债券交易商协会（Bond Dealers Association）的重要成员之一。他的影响力远远超过高盛内部许多员工的想象，但是他个人的办事风格总是与公司格格不入。他对美酒与美食有一流的鉴赏力，每天晚上他都和客户或者竞争对手一起进餐，他一直以在摩根担保银行时学到的老方法维护着广泛的人际关系网。他总是身着量身定做的西服，希望年轻人尊称他为"斯米尔先生"。他认为重要的会议都要在会议室里进行，会议的时间至少得提前几天确定，这样才能让所有参会的人员作好充分的准备。但是高盛的风格是大家都以名字相称，没有人会在西装外套里穿马甲，而且最重要的会议通常都是匆忙召开的，很多紧急的决定都是在交易室里召集的临时会议上形成的。

斯米尔与公司办事风格上的冲突首先体现在人事招聘上：他以为身为部门主管，他完全可以独立招聘自己需要的人。最早一位牺牲在他这种自负情绪下的人就是阿瑟·蒋（Arthur Chiang），此人之前在芝加哥的哈里斯银行（Harris Bank）供职，当时刚被挖到大通曼哈顿银行（Chase Manhattan Bank）负责政府债及地方债业务。蒋回忆说，1979年他在绿蔷薇酒店（Greenbrier Hotel）参加一次重要的交易员会议时，"有一次我们一起去打网球，下场之后弗兰克叫我跟他一起到树荫底下坐坐"。蒋很了解高盛，并且他对于高盛一直坚持招聘大学毕业生以及MBA的做法十分赞赏，因为当时所罗门兄弟还在招聘可能完全没有任何资历的人来填充其后台部门，这些人有可能仅仅会耍小聪明，疯狂地追求利益。蒋也认为，华尔街业务正在迅速发生变化，很多衍生品，诸如国债期货等正被逐步纳入芝加哥期货交易所。衍生品市场将迅速且彻底地改变债券市场的业务范围及业务内涵。这些复杂的衍生品将使债券交易员用全新的方式来开展业务，而且不用承担重大的市场风险或利率风险。

"弗兰克邀请我加入高盛，从事政府债以及抵押担保债的交易与研究工作，"蒋回忆了当时的情况，"经过三天慎重的考虑之后——因为我知道高盛对我的能力以及我在衍生品方面的经验有确实的需求——我答应了他的邀请。但是，就在一瞬间，我被他的回复惊呆了！一天之后，弗兰克告诉我他从没有对我发出过正式的邀请。"斯米尔不得不自食其言，他刚刚被告知在合伙人制度下任何招聘都是集体决策，至少需要十多位合伙人的认同。他说他的邀请不能算数，最多只能当做"可以冒险试一试的一种提议"。但是既然他已经对蒋作了保证，他还是很快安排了其他一些合伙人与蒋见面，经过几天密集的面试之后，"供参考的提议"还是成了现实，蒋加入了高盛。他后来回忆说："但是他们根本没有给我预留办公室，只剩下一间没有窗户的小屋，而且两侧有可供穿行的门。"

蒋所作出的最重大的转变就是促使公司开始涉足衍生品领域，并且招揽来了两位未来的重要领导人：一位是乔恩·科尔津（Jon Corzine），来自伊利诺伊大陆国民银行；另一位是马克·温克尔曼（Mark Winkelman），来自世界银行。蒋始终没融入高盛。有人指责他"太过书卷气"，还有人则认为他是内部斗争的牺牲品。蒋几乎以一种哲学家的口吻回忆道："最后，弗兰克自己决定炒了我——和他招聘我的模式几乎一模一样。"

这还不算斯米尔最棘手的问题。他在摩根银行时主要的从业经验都集中在地方债和国债上，但是高盛的业务机会很多都集中在应税的企业债上，可以说这是两种完全不同的业务。斯米尔是一位很有人缘的管理人员，他认识很多资深人士，并且一直以来都能以传统的方式维护这张人际关系网。但是债券业务的行进方向已经发生了重大改变，在面对诸如所罗门兄弟以及第一波士顿这样的大型、强势、可抗风险、资金充裕的竞争对手时，斯米尔的方式已经不能有效地为公司的债券业务作出贡献了。这些竞争对手都明白，保护并维持自己的市场领先地位关乎公司的生死存亡，因为这是他们赢利及维持企业债承销领先地位的关键因素。有一位合伙人这样评价道："他不仅不了解高盛的企业文化——非正式、高速率、公开化等，他对债券交易业务中正在兴起的数量化趋势丝毫没有洞察。我想他这一辈子也没明白现代的债券交易员应该怎样为公司赢利。弗兰克或许作为一位资深顾问会发挥更大作用，他不应该负责领导一个部门塑造优势业务的实务操作。现在我们回头看的时候都认为，弗兰克真正扮演的角色更像是一个高级过渡人选，直到公司找到真正理解高盛文化，并且能够组建一支真正高效的债券销售队伍的人选之后，债券业务才算有了起色。弗兰克起到的作用，不管他自己还是高盛的其他员工是否曾经意识到，就是以他的个人名声给公司营造了一种对外的高信用度，因为当时我们远远落后于所罗门兄弟以及第一波士顿，而且雷曼兄弟、摩根士丹利以及美林证券都在迅速崛起。"

在刚开始的几年间，斯米尔的工作看上去卓有成效。固定收益部门从原来勉强的收支平衡状态很快跃居高盛赚钱最多的几个部门之一。但是仅仅看报表上的利润数据是很容易使人对实际情况产生误解的。固定收益部门之所以能够有较高的利润是因为他们将公司多年以来积攒的企业债都进行了变现。

史蒂夫·弗里德曼把这种潜在的问题汇报给了约翰·温伯格。当然，成功的业绩总会遮掩核心的问题。固定收益部门的利润率提升了不止一星半点。公司在一级市场承销地方债的实力不断增长，同时在二级市场的营销以及相关服务实力也同步提高。得益于前财政部长，现在的合伙人亨利·福勒的帮助，公司逐渐在业内得到了作为政府债券交易商的认可。固定收益产品研究在这一时期被引入，很快就成为公司的竞争性优势之一。交易所带来的风险通过各种手段降到了最低。

但是在企业债业务中——由于摩根大通等商业银行在当时还未获准承销企业债或为企业债做市，斯米尔对这项业务根本没有任何概念——高盛正不断地失去利润丰厚的企业债业务机会，而且很多企业债的发行人都是高盛既有的老客户，比如西尔斯和德士古（Texaco）。这两家企业都先后通过其他承销商发行了10亿美元的债券。80年代的头3年，高盛在企业债承销市场的排名由第一倒退到了第五。其市场份额由之前的11%缩减到9.6%，而同一时期所罗门兄弟的市场份额由16.2%攀升到了25.8%。这些变化都对高盛作为一家承销商的地位产生了实质性的负面影响。竞争对手们不断动用通过新兴的抵押担保债获得的巨大收益来弥补企业债造成的损失，因为他们不断压低企业债的价格，以此抢占市场份额。

弗里德曼和鲁宾都坚信高盛可以在债券市场上赚大钱，而实现这个目标的最佳方式就是以公司自己的户头进行自营交易，而且投入一定要可观，这些观念都与迅速变化的债券市场相互印证。抵押担保债以及多种由实体资产担保、低风险、高收益的债券不仅总量上出现了大爆炸，更给交易商带来了丰厚的收益。斯米尔仍然坚持他那种传统的以客户为导向的中介业务模式。弗里德曼担心如果未来三年高盛再坚持走斯米尔这种突然之间已经老掉牙的业务模式——而同一时期所罗门兄弟、摩根士丹利、美林证券以及第一波士顿都不断锤炼着其抗风险业务，通过自营交易赢利，而非仅仅作为服务集中型中介机构存在——那么公司作为主要企业债承销商的地位就真的是岌岌可危了。弗里德曼和鲁宾都承认这种战略失误的存在，他们也意识到，要让斯米尔放弃他通过多年的业务经验积累起来的工作模式几乎是不可能的。于是他们认为，最好的解决方法就是他们两人共同接手固定收益部门的业务。温伯格也赞同这个人事方面的变化。他一方面考虑给自己的两个门徒一些机会去锻炼并展示他们作为联席领导人的能力，使他们能从各自的"主场"，也就是并购及套利业务中走出来，另一方面也意识到公司在债券业务方面的赢利状况与主要的竞争对手相比实在是苍白无力，所罗门兄弟和第一波士顿在债券业务上可是赚得盆满钵满。温伯格当然想要把两位门徒都塑造成自己的接班人，因此他也乐于放手让他们去锻炼自己的管理水平。他这次给两人订立的目标就是为高盛谋划出可行的方案，以使公司在债券市场的丰厚利润中能分一杯羹。

作为一家一级市场的承销商来参与二级市场的竞争，最核心的竞争力莫过于能被认同为强势的交易商，而这个时期一级市场债券发行量正逐步攀升。高盛由于缺乏作为一流债券交易商的名声，在同业竞争中已经处于下风，如果此时再不作出任何改变的话，这种状况将成为公司开展企业债业务的绊脚石。华尔街其他主要竞争对手都在债券与股票上均衡发展，没有哪家企业愿意将自己的债券业务交给一家只擅长一种业务的承销商。更严重的问题是，如果某个竞争对手只要有一条业务线能赚钱——比如通过对新兴证券的自营交易获利——那它就有资本将这些钱投到其他业务线上去，或者用来招聘人才，当然也包括从高盛挖走人才。

1985年，67岁的弗兰克·斯米尔退休了。这为公司内部变革打开了一个口子。史蒂夫·弗里德曼回忆说："我每次和斯米尔共同出席管理委员会会议的时候，都禁不住在思考那些我们缺失的东西——一些我们忽略了的重要因素——他会坐在那儿警告大家伦敦市场上我们又损失了1 200万美元，但是他根本不知道这些钱是怎么没的。他们作为一线的人员必须知道为什么损失了这么多钱，只有搞清楚原因才能避免下次犯同样的错误。我知道摩根士丹利的汤姆·桑德斯要求所有人所有事都得到交易室向他汇报，所以他们能够保证良好的沟通与协作。相比之下，我们的人分散在三个不同的楼层。你说我有多沮丧！"

一年之后，鲍勃·鲁宾又给戴维·福特打电话，希望福特能搬到纽约，再次负责营销管理。福特的回话是："你得意识到你在要求我干两件事。第一，我愿不愿意接这个活儿。第二，我愿不愿意搬到纽约。如果你能通过最后的工作结果来评价我的工作绩效，而不用考虑我在纽约露面的时间，那我愿意干——如果不同意咱们就拉倒。"

"我得和史蒂夫商量一下。你别挂，等一会儿行吗？"

"没问题。"

福特在电话一头等了不到一分钟，他也永远不会知道鲁宾到底有没有实际和弗里德曼协商这个要求，但是他得到的答复是，"成交"。

要让固定收益销售业务变得高效，福特知道他必须开发一种服务，使他的销售人员团队能够"站在客户的立场"上工作——主要是通过客户的视角来研究解决紧急事务的方案——而实现的方式就是向客户提供可以帮助他们作出更好的投资决策的研究服务。加里·温格罗斯基（Gary Wenglowski）开展的广泛的宏观经济研究——虽然一开始的时候是为了支持股票业务——现在看来也能通过一定的调整而套用到固定收益业务上，事实证明他的研究是很有帮助的。同样有助益的是斯坦利·迪勒（Stanley Diller），他于70年代加入高盛，从事债券研究业务，被视为公司第一位"绝顶聪明"的数量分析师。迪勒同时兼任哥伦比亚大学的教授职务，他为高盛所做的工作就是投资战略研究，以此体现出高盛与其他机构的差异。他的服务主要是为客户提供基于深度研究之上的交易建议，他并不会误导公司把钱投到客户想卖掉的债券上。不过，迪勒的工作需要花很多时间用计算机运行他建立的复杂的模型，这与其他研究人员的需求产生了巨大的矛盾。某一天，迪勒突然情绪失控，骂李·库珀曼是"希特勒"，他在高盛的职业生涯也到此为止。

在加入高盛之前，乔尔·柯基鲍姆（Joel Kirschbaum）在哈佛商学院和哈佛法学院都是班级名列前茅的学生。70年代，他从银行业转行到开发抵押担保债券产品，目标是追上所罗门兄弟在抵押担保债业务上的赢利水平。为了抵押担保债的交易业务，柯基鲍姆招揽了罗伯特·弗洛姆（Robert From），此人之前在布莱思公司任职。弗洛姆懂得如果理财经理想要对冲抵押担保债和市场风险，他们肯定要卖空该债券的原始零息债券。（这是华尔街的又一种金融"创新"产品，抵押担保债发行时被拆分成小单元的零息债券，按不同的到期时间出售，就像把一长条面包切成一片一片地出售。）正是因为把握了这么一个简单的概念，开始积攒大量的原始零息债券，主要是通过市场流通渠道进行购买，然后开始挤压空方的利润，下手很重。当空方挣扎着通过各种渠道筹措债券来卖的时候，他们不得不支付越来越高的价格。随着价格的攀升，空方的恐慌情绪越来越重，他们只能通过更高更快的竞价才能保证自己有债可卖。很快市场价格出现了大幅上涨，而只有这位来自布莱思的交易员才能正确地预测到这种趋势，因为他就是迫使空方不断堵漏的幕后操纵者。他通过这种方式为高盛赚了大钱。

之后不久，柯基鲍姆开始咨询他身边精明的业务人员同一个重要问题：

"谁能帮助我塑造一个真正优质的抵押担保债研究团队？"加州大学洛杉矶分校的理查德·罗尔教授的很多学生当时都在高盛工作，他们都一致推荐罗尔。罗尔后来回忆道："乔尔亲自飞到洛杉矶，抓住我就不放了，来势汹汹啊。"他于1985年加入高盛，之后的两年中，他为公司打造了一支有55位成员的抵押担保债研究团队。他补充说："这家公司有许多聪明人，虽然公司比其他竞争对手都更愿意雇用具有高学历的人才，但是他们来自其他渠道的雇员并不比这些高学历的人才差。高盛雇用像我这类的学术型人员作为催化剂，以推动其业务人员在思维模式上更加理性，也更加成熟。"

约翰·温伯格正准备任命史蒂夫·弗里德曼为固定收益部门的主管，但是鲍勃·鲁宾听说之后很快采取措施说服温伯格把自己任命为联席主管，通过这种方式来保证交易技巧仍然是这个部门最注重的素质。回顾弗兰克·斯米尔的离任，弗里德曼说："我们的债券业务实在是让人感到不安。整个业务线的战略都有问题。弗兰克不仅没有进步，反而不断退步，这体现在当他推荐一位客户关系销售员作为他的继任人这件事情上。我们坚决地回应：'除非我们都死了！'"斯米尔提名的继任者无法适应复杂的分析任务，而这些分析正是日后成为公司主要收入来源的自营业务所需的核心信息。"我和鲍勃接手之后刚过一个月，债券市场就遭遇了一场危机。固定收益市场竞争加剧，各个机构开始跑马圈地，交易员们只顾得上照顾市场的一个部分而无暇顾及其他，更不用说思考市场的其他业务对自己的业务领域有什么样的影响了。他们完全不了解隐含期权价值（比如提前赎回现有债券自保或以新利率再次借贷房屋抵押贷款等）的运作机制，这些都是对债券业务至关重要的概念。可以说这个部门的最高领导层当时处于一个完全的专业知识真空地带。"

鲁宾和弗里德曼将奖金模式从与交易量直接关联的佣金更改为一种"可控组合"，在新的模式下公司至少可以决定某位销售人员正在从事的业务是否真的对公司有好处。弗里德曼抱怨说："我们的业务人员根据其交易量获得奖金，但是要使他们的交易量上升就意味着公司做市的份额在减少。"

1985年，在坚信固定收益部门需要新的领导人以及新的业务战略的情况下，鲁宾和弗里德曼从所罗门兄弟挖来了一群有经验又敢于冒险的债券交易员，目的在于迫使高盛固定收益部门的内部文化从原始的服务集中型、风险规避型转化为勇于前进、敢于冒险、资金集中，并且以自营为核心的新模式。之后有更多的人离开所罗门兄弟，因为他们觉得自己遭受了不公正待遇，而这些人中的大多数在高盛供职几年之后也相继离开了，因为他们无法融入高盛的团队协作文化，但是他们在离开之前已经帮助高盛彻底改变了其债券业务的模式。到1986年，整个固定收益部门的人员已经充实到了1 000多人。

更加理性的思维模式，以及更加成熟深入的分析方法并不仅仅局限于战略的变化上。鲁宾和弗里德曼推动的改革触及了很大的范围，而且这些变革从根本上推动了高盛整个公司的变革。但是，有益的变革并非总是能很快很容易地推行下去。

随着1986年利率的下跌，在企业债和抵押担保债上做多的交易员们并没有看到他们预期的价格上涨，但是他们在美国国债上做空的部分却随着市场行情一同上涨——高盛的交易员们在这波行情里遭受了重创。固定收益部门的套利操作损失上升到了1亿美元——对鲁宾和弗里德曼这对新上任的联席领导人来说真的没有开一个好头。

弗里德曼质问："到底哪儿出问题了？"

没人能回答他的质问——至少在几天之内都没人找到合理的解释——直到有人突然意识到一个很明显的原因：随着利率下跌，有住房贷款的人都对现有的抵押贷款进行了再融资，发行了债券的企业也通过执行提前赎回来对自己的债券进行再融资。这就解释了为什么华尔街上的交易员们持有的企业债和抵押担保债的价格没能赶上国债卖空价格的上涨速度，这个增长速度的差异极大地压缩了他们赖以赢利的利差空间。

高盛需要一种更好的模型，一种能够更精准地反映利率变化对各种债券隐含期权价值的影响。这种需求最早被提出来是在鲁宾主持的一次周六例行回顾会议上。他总是要求所有参会人员都要发表自己的看法——包括公司内的智囊人物费舍尔·布莱克（Fischer Black），他是布莱克-斯科尔斯期权定价模型的发明人之一。布莱克那天坐在一个角落里，静静地听着别人的发言。鲁宾对所有像他自己一样善于聆听的人都十分尊重，他问："费舍尔，你沉默寡言好久了。你有什么补充？"

布莱克显然注意到了债券隐含期权没能获得正确定价的问题，所以他提议由公司的数量模型团队去研究这个问题，或许可以找到正确的评价模型。由于布莱克–斯科尔斯期权定价模型仅适用于评估股票期权，不能套用在债券上，所以在接下来的几个星期布莱克和伊曼纽尔·德尔曼以及比尔·托伊通力协作，最终开发出了一套实用的电脑模型，其中加入了正确区分股票与债券差异的变量。所有债券都有一个确切的到期日期，而且到期时的价格固定，这使得分析师们可以将特定债券的收益曲线及价格浮动转化为由短期利率水平及利率浮动来体现的参照表。这个模式可以套用在其他固定收益产品上，包括衍生品等，因为它们在本质上是一致的。这个举措为高盛的债券业务以及全球债券市场带来了革命性的变化，因为它把全球范围内的期货及现金交易都糅合在了一起。本来是鲁宾不经意的随口一问，最后演变成了改变整个市场的契机。

14

建立私人客户服务业务

雷·杨和理查德·门舍尔在70年代早期看到一个通过整合高盛内部两股已形成的力量来开发新业务的机会。如果能够得到成功执行，新业务会带来高利润，几乎不需任何资本投入，并且还能成为长期赚钱机器。但是成功必须依靠一位企业家式的人物来实现：他必须雄心勃勃，已在多个城市长期坚持开拓，并且强硬得近乎冷酷。

其实门舍尔和杨所考虑的这个业务机会在本质上是华尔街的一项基本业务——零售股票经纪。但一个关键的区别在于，这项新业务关注富有的个人，特别是通过其生意发展而致富的以及那些在高盛或其他公司帮助下出售公司而突然持有大量现金的富人。这个关注点给了高盛一个重要的"不公平"竞争先机。这是因为，高盛已经具有为其机构客户服务的强大业务网络和交易能力，为富有的个人提供服务只是"附带"的服务而已，因此，业务非常容易获得，而且随着业务量的上升，利润空间会越来越大。

通过其"销售代表"的特长，高盛在华尔街成为帮助中小型企业主以更好的条件出售业务的领军者。在出售之后，每个大股东突然都有了不少钱——高盛可以比其他公司至少提前数周知道他们是谁和他们有多少钱可以用于投资。而且这些新富们对于帮助他们出售企业的公司自然有先入为主的好感。门舍尔说："对于证券销售人员来说，这样的开始是再好不过的了。"如果高盛安排了一个IPO，在这家公司的CEO获得数百万美元的现金后，同样来自高盛的年轻销售人员（尽管他不如参与IPO的其他投资银行家那么资深）就会给这个CEO打电话，看看能否为这个企业家管理个人资产。

在巨型企业横行的六七十年代，并购浪潮风起云涌。比如美国工业公司（U.S. Industries Inc.）在短短一两个月内就进行了上百次并购，每次并购中就会有一两名，经常有十几名新鲜出炉的百万富翁。正如门舍尔说的，"仅从一个并购活跃的企业那里就会出现成千上万的机会。而且还有一些更大和更活跃的交易商，如吉米·林、默奇森家族（Murchisons）和德拉尔德·鲁滕伯格（Derald Ruttenberg），他们都提供大量的业务，并因此产生了大量的个人财富"。

一旦一个城市里的某些有钱人尝试过高盛一流的服务，并且获得了稳定的投资回报，他们就会非常乐意将高盛介绍给他们有钱的朋友们。这给了高盛一个建立个人投资者业务的大好机会。有些新客户又成为高盛其他业务的客户，这就形成了良性循环。

门舍尔认为他很清楚哪些人能够打造他心目中的卓越业务。门舍尔在组建公司机构销售力量过程中绝对小心翼翼并保持高标准，每次只增加一人。因为他认识到年复一年后，一个拥有与机构投资者最佳关系的企业获得的收益将远远超过二三流服务水平的公司。与某一机构客户建立最佳关系的员工收入比同时为该机构客户服务的排位靠后的人员有很大的差别。这也正好说明为什么门舍尔急于招募和培训销售人员并督促他们成长。他集中在哈佛、斯坦福、沃顿和哥伦比亚进行招聘，并且时刻注意具有创新精神的候选人——比如他在前几年招募的罗伊·朱克伯格。

门舍尔很喜欢测试候选人并观察他们的反应。在看完朱克伯格一页长的简历后，门舍尔说："罗伊，我看到你并没有在商学院读过书，而我们基本上只从最好的商学院中招人。你能告诉我为什么我必须招你，而你连任何商学院都没有上过？"

朱克伯格很平静地回答："我是没有上过商学院，但我是在现实中学习的，在那里大家都在干活儿，而不是空谈。其他人在学习如何做生意的时候，我在做生意。"

"那你在你现实的大学里面都学到了些什么呢？"

"我参与了实际的销售、降低成本以及在8年内使利润翻了3番，还改变了业务模式。我管理员工并建立关系网，我开创自己的业务并让它赚了大钱。在真实的交易中，你能够学得更多。"

"那你在……洛厄尔技术学院（Lowell Tech）是学什么专业的？"

"纺织工程，我父亲在纺织行业工作。"

尽管门舍尔对朱克伯格印象不错，但还是心存疑虑。实际上他雇用的人都是从商学院，特别是哈佛商学院来的，部分是因为他本人是那里的毕业生，部分是因为约翰·怀特黑德和约翰·温尼伯格都非常喜欢哈佛商学院的学生，还有部分原因就是哈佛商学院所培养的学生很受客户欢迎，特别是经常会有这样的反应："你们应该派你们的销售山姆·琼斯来，他也是哈佛商学院毕业的。"而洛厄尔技术学院连商学院的边儿都不沾，肯定没法给人留下什么好印象。门舍尔这下可有点懵了。但是朱克伯格确实挺招人喜欢，而且显示出了不俗的销售技巧。显然，他很善于推销自己。而更重要的是，他是由特别善于识人的杰·特纳鲍姆推荐给门舍尔的。特纳鲍姆为高盛带来了不少领导人，比如鲍勃·穆钦、戴维·希芬、鲍勃·鲁宾、史蒂夫·弗里德曼和鲍勃·弗里曼。特纳鲍姆同意见朱克伯格15分钟的原因是帮他朋友布鲁斯·迈耶的忙。在听说朱克伯格准备接受贝尔斯登一个运营部的职位时，迈耶说："不，罗伊，你就应该干销售。"然后他给特纳鲍姆打了电话。尽管特纳鲍姆很忙，但是他与朱克伯格的会面却进行了差不多3个小时。他最后说："我还不知道怎么办，但我肯定会帮你在高盛找个位置。我会介绍销售部的主管理查德·门舍尔和雷·杨给你认识。"

要是门舍尔知道更多关于朱克伯格的教育背景，他很可能会更懵、更疑惑了。在高中，朱克伯格就发觉自己太聪明了，因为他不做什么功课成绩也很好。有些孩子跟他说，如果他继续不做作业他就会有麻烦的时候，他和他们打了个赌，他选择最困难的科目——数学，并打了10美元的赌，说他即使不学习也能得75分。最后他赢了，他的数学得了78分。接下来他进入洛厄尔技术学院并在他父亲的"纺织"公司工作。在女装干洗行业，需要定期更换模特架子上的套子，这些套子往往被热气和化学物质污染，因此需要定期更换。罗伊父亲的纺织生意就是提供这些套子。这生意不容易做，但是罗伊的父亲萨姆·朱克伯格更不容易对付。他在儿子第一天上班前就告诉他："从明天起你早上5点就要开始上班。准时点儿。"

"得了，爸，我从学校出来还没有休息过呢。"

"你都休息25年了，明早5点。"

过了几年，当罗伊决定辞职时，他去告诉他父亲他的决定。当萨姆·朱克伯格意识到发生什么事情后，他眯起眼睛生硬地说："把车钥匙交回来——现在！那是公司的车！"儿子说需要开车回家，因为还有12英里路。做父亲的根本不理会那一套："把钥匙交回来！"

朱克伯格于1967年在高盛开始从事证券销售工作，并在1972年开展销售培训项目。当时门舍尔有一天对他说："罗伊，你干吗不放弃那些机构客户？你做销售起步晚了，你手头那些客户都不是最好的了。你应该放弃机构客户而去向那些有钱人销售股票，你和你现在一起工作的人就干得很好啊。你很懂个人业务，如果你把精力集中在全美国这些刚富起来的人中最有钱的人身上，那机会是无限的。"

门舍尔已经意识到应该开拓个人投资者经纪业务。他希望有人来做这件事，这个人要将这项业务发展成高盛的重要业务。门舍尔对朱克伯格说："所有的新富股东们都需要有人帮忙，我们所要做的就是确保这个人就是高盛。你会接到很多好买卖的，而且你可以建立一个部门，为这个巨大而且还在上升的市场提供服务。所有业务都会蒸蒸日上，而且利润会很高。这是你绝好的机会。"

朱克伯格于1972年开始组建个人投资者业务并经营了16年。朱克伯格回忆道："我不停地出差去与各个地区的同事会见客户和看一些机会。"每当有公司在高盛或其他公司帮助下被出售，在交易后的24小时内——一般是次日早晨，朱克伯格和他的团队就会与持有大量该公司股份的股东联络。朱克伯格回忆说："迪克把秘密告诉了我，实际上他坚持的信条是'跟着有钱人走'。他们与一般人唯一不同的地方就是：他们更有钱。向有钱人推销业务和向一般客户推销产品没有什么两样。"

很快，门舍尔又有了一个主意："你们需要一个名字！这项业务越来越重要了，重要的业务都需要个名字。"为有别于当时的主营业务——机构证券销售，这项业务就叫做个人证券销售。这项业务最后的名字被定为私人客户服务（Private Client Services，PCS）。

在获得越来越多新客户的同时，门舍尔和朱克伯格也在思索如何组织和构建强大而具有规模的业务线的战略。由于新客户对于证券或市场知之甚少，因此获取这些新客户常常需要对他们进行重要的系列教育。他们不是投资者，他们曾经是或者一直是商业精英，而且证券投资本身从客观和主观上讲都是迥然不同的决策。"我一夜一夜地在我的大记事本上写写画画，并给我自己列出了一长串需要做的事情。"朱克伯格回忆道。

在20世纪80年代前期，高盛一直在议价市政债券发行的承销商中排名前三位。这也说明私人客户服务的选择很多，而且他们还能以批发价购买债券（由发行人支付销售费用）。同时，来自私人客户服务业务线的大量个人客户需求也给高盛作为承销商带来了好名声：私人客户服务业务建立起了广泛的销售渠道，并且债券往往被持有至到期，而不是再卖回到市场上去。还有，高盛在股权投资方面的研究能力也非常适合高端的个人投资者市场。对于行业和领先企业的确定性分析，可以激发同一行业中较小企业的企业主的动力，而且这些分析也显示了分析师广博的见识。私人客户服务的销售人员在向可能感兴趣的对象发送报告时往往会加上如下文字："我想您可能对乔治·欧文的报告感兴趣。如果您希望和乔治直接沟通，我们可以协助安排电话沟通。"最后，就如朱克伯格和他的销售人员对潜在客户解释的那样，高盛不接受"零售"业务，对于个人客户，只有交易量非常大才能成为"合格"的客户并加入他们特殊的内部人俱乐部。

后来，私人客户服务业务扩展到了不动产、税收优惠投资（tax-advantaged investment）以及到后来的私募股权、国际投资和对冲基金。在私募股权方面，销售人员的卖点有所不同："您愿意和高盛的合伙人并肩进行投资吗？他们领导这只基金而且还投入了基金总额的20%。"在销售过程中，增加这个人投资的10%~20%非常重要，因为它能帮助公司打破一些大型机构（例如州养老金）在费用方面折让的要求，并能够让它们尽快作出投资承诺。年复一年，业务越做越大，后来朱克伯格意识到"生意都跑到我们这儿来了"。

在将朱克伯格招至麾下的数年前，理查德·门舍尔就已经为私人客户服务业务定下了与一般零售销售公司不同的核心战略。大部分交易商都只聘用商学院毕业生，再培训他们，使他们通过纽交所的基本考试（Series Seven exam，即美国证券经纪人执照考试），接下来就把他们送到业务前线自行沉浮，大多数在一年以内就沉下去了。但是高盛只从名校招聘MBA，这些人在学术和激情方面都能和机构销售人员媲美。为了达到培训的连续性并将文化慢慢地灌输给雇员，高盛几乎从不进行横向招聘，而大部分竞争者都在疯狂地相互争抢人才。一般来讲，高盛只聘用将私人客户服务业务作为其第一份严肃工作的人。

招聘过程包括几轮面试，其中必然有与合伙人的面谈，所有的最终面试都在纽约进行。如果某个候选人最终被聘用，他实际上已经认识了不少高盛的人，而且也知道自己该期待些什么。私人客户服务业务线的员工都领取工资，并有全套的培训和后勤支持。

在高盛，培训一般持续6~9个月，每天早上7点半到晚上7点半，而其他公司一般只有10周。培训时间不能用于准备证券经纪人执照考试——那是你自己的事情，可以在晚上和周末准备。研究受到很高的重视，而且每个新人都有一个月的时间掌握两三种在大场合进行演讲的各方面技巧。周五的讲座可能会延至晚上9点半。你足够全身心投入吗？如果你觉得公司要求有点过分了，那就习惯吧！培训生在角色扮演的测试中一切都清楚了：你能证明你比其他销售人员都懂得多吗？这要求他们必须掌握年报和10-K报告[①]并且了解各公司的董事们——起码你必须和机构销售人员所了解的一样多。

学员所面对的"关系"测试是这样的：在不方便的时候，别人是否还会接听你的电话？在培训过程中，销售人员被告知应该与尽量多的高盛内部人员保持良好关系，以便在需要的时候你可以寻求他们的帮助和集思广益。

在获得足够多的业务之前，新员工在一年或更长时间内没有佣金压力，

---

① 10-K报告，是根据美国证券交易委员会要求与企业年报一起上报的表格。——译者注

因此他们也不会急于开拓新客户。集体协作是最标准的工作程序——一开始可能是两个人，但是随着各种专业人士，诸如在私人股权、政府债券和期权等领域人士的加入，三四人的组也不鲜见。即使是开拓新的客户，也经常使用团队作战。一个四人专家组成的小组往往能够给潜在客户留下不同凡响的深刻印象。

高盛持续在教育方面进行投资，包括定期的持续两天的研究会议。把人员从销售业务中抽出来，让他们飞往纽约并住在酒店里是挺花钱的，但是每个人都来了，而且起到了团结大家的效果（未能参会者都会通过电话参加）。而且，如果公司的分析师访问地区办事处与机构投资者共进午餐或早餐时，一部分私人客户服务人员也会参与。

朱克伯格非常细心地招聘人员，与他们密切合作，从而将他们训练成为业务骨干。"我们不停地培训以确保每个人都清楚每种产品以及如何使用这些产品。我们建立荣誉感和团队精神，所以我们的人员流动很小，对于客户来说，这很有意义。我们的客户对于高盛和私人客户服务业务人员的忠诚度很高。这对于建立坚固、稳定而又规模巨大的业务非常有帮助。"

地区经理们——那些销售业绩骄人而且对于管理职位显示出兴趣的销售人员会被从直接业务中抽调出来，他们的报酬主要依赖门舍尔的判断来确定。他们的工作包括招聘明星销售人员，并帮助新员工拓展能力和扩大客户群。大家都认为经理们应该结识尽量多的客户，特别是那些在他们的区域比较活跃和重要的客户。

他们只接受"突出"的客户。门舍尔和朱克伯格不断地重复：普通人和有钱人的区别就是在他们下单量的大小。在70年代，他们的单个账户应该市值为100万美元，后来是500万美元，再后来就是1 000万美元了。

大多数零售股票交易商都尽量维持200个甚至更多的交易客户，并且预计每年会失去和替换其中的20%，所以他们拥有这些客户时会尽量利用他们来赚取佣金。但是在私人客户服务业务线，失去一个客户无疑是一场地震，因为他们的宗旨是只保留一小部分客户，大约只有20个，并且希望能为他们提供永久服务。对于一般经纪商的客户而言，他可能在10年内接受6个以上的客户代表的服务。但是在私人客户服务业务线，他们的策略是通过拥有能力非凡的销售人员长久地维持客户关系。为此，这些销售人员要彻底了解客户的希望、忧虑、恐惧和喜好，他们甚至会参加客户的家庭结婚仪式和成人礼，以清楚地了解客户的需求和期望。

销售就是倾听，倾听的过程中有一部分就是静静地全神贯注地听，还有一部分是能够提出恰如其分的问题，以了解语言背后的真实含义和感受。好的倾听者能够让别人体会到他们感同身受，并且双方都感觉自然。在70年代，合伙人吉尼·菲弗注意到品客薯片的开发者刚刚将其公司以8 000万美元售出。高盛已经来不及成为吉尼本次出售的代理人了，但是可以为其担任投资顾问。所以，吉尼·菲弗与朱克伯格手下的一个私人客户服务销售人员一起前往爱达荷瀑布，之后又到了一个遥远的钓鱼营地，在那里吃了晚饭，过了一夜，又吃了一顿丰盛的早餐。他们的谈话涉及了很多话题，但是没有讨论业务。还有两家来自纽约其他公司的销售人员也进行了类似的拜访来争取该客户。一个月之后，吉尼·菲弗的电话响了。"吉尼，我决定用你们公司了。"

"太好了，多谢您，我会派我们最棒的同事过去并办妥一切手续。"

"你不想知道你为什么会赢吗？"

"当然啦，为什么啊？"

"我的妻子和我讨论了一下。你和其他两队人马谈的内容一样，看起来一样，穿得也一样，"他稍微停顿了一下，"但是吃完晚饭后你和我们一起收拾，还把碗给洗了。那不太一样。我们觉得你是能够倾听和理解我们的人，所以我们觉得比较舒服。最后我们决定和你们做生意。"

朱克伯格很早就注意到在私人客户服务业务上，成功的诀窍不在于有效的投资，而在于聚集资产，也就是争取客户。

"秘诀就是根本不存在秘诀，"他说，"要向别人显示你是真的关心，而对他们的需求和他们承受风险的程度应该非常敏感。我们想要得到的客户都非常精明。他们会接到其他公司的无数个电话，因此他们有很多选择。他们也知道在各个公司他们都能找到能干的人，但是他们需要一些特别的人。而这些特别的人就是能够了解他们真正需求的人——这正是我们最关注的。"

他又补充道："我说得很清楚，如果我要去哪个城市与潜在客户吃午饭或晚饭，我经常都会带上我们的演讲者，比如我们的投资策略家李·库珀曼或其他最好的分析师。多年来，我去了好多小城市与潜在客户吃饭，有些地方可能好多人连听都没有听说过。在建立客户关系的同时，我们也建立了公司在当地的名声。我们建立关系的方式很传统——一次建立一个关系。"

对于私人客户服务来说，1972~1973年是业务增长的年份。但是接下来是非常严峻的熊市，朱克伯格很有挫折感，总是自责。鲍勃·鲁宾专门在那个时候询问业务量完成了多少，朱克伯格说："600万美元。"而鲁宾的回答正是朱克伯格想听到的："这年头算是不错了，特别是新业务。"朱克伯格回忆起这个简单的交流，笑着说："鲍勃的反应对我后来持续关注私人客户服务至关重要。"随着朱克伯格的持续关注，私人客户服务业务稳步增长，在超过15年里几乎每年增长20%。私人客户服务业务拥有超过375名销售代表——在美国有300名，在全球其他地方有接近100名——他们管理着750亿美元的资产，收入则从1974年的600万美元跃升至1990年的2.2亿美元。如此骄人的业绩把朱克伯格带入了公司管理委员会。1998年，私人客户服务部门的收入超过了10亿美元。

随着收入的暴增，私人客户服务部门在所有时间内都创造了很高的利润。随着客户拆借额越来越大，私人客户部门在公司融资成本和拆借给客户的利率成本之间获取越来越高的利差，这是该部门的重要利润来源。还有一层利润来自融券业务。从私人客户服务部门的业务中，公司发现越来越多的生财之道：经纪佣金、交易利差、承销费、私募股权投资管理费、利差、融券业务以及汇差等。私人客户服务部门还帮助公司的投资银行家们获得大量的他们掌控的业务，这些业务带来了重要的承销生意。朱克伯格和他的团队获得了越来越多的客户。朱克伯格说："我一直相信最后人人都会和高盛做生意。"

他试图为客户提供交易融资的努力在一开始就遇到了来自公司内部的阻力：不，罗伊，如果这个客户不能支付我们他用来买股票的钱，那他就不是我们想要的客户。朱克伯格非常不满意，他解释说如果客户使用他们的额度将购买的股票量翻倍，那私人客户服务部门的手续费也会翻倍——而无须增加任何额外费用或销售力量——同时还能从这项融资业务上赚取额外的费用。后来这项被私人客户服务部门开发的服务被用来服务于对冲基金，并创造另一项利润流。

私人客户服务部门井井有条、管理有序甚至带有自动运作色彩的业务，主要得益于通过精心安排的饭局建立起来的人际关系。人们经常看到，讲话的人是库珀曼，一个优秀的"多面手"：他既能滔滔不绝地介绍经济与投资组合战略中的各种数据和方法，又能时不时地讲点犹太人的笑话，或者两样都干，在不同客户面前他挥洒自如。还有一个重要的步骤就是对于信息的系统收集，使得每一个电话会议都是建立在前一个电话的基础上。每个客户电话都要求有一个简短的记录，以确定每个人都能知道一切情况。"在吃饭以前看一看这些记录，我们就知道有些问题我们还没有找到答案。每次与潜在客户用餐完毕，我们会碰头商量应该如何跟进与每个客户的对话，并将重要的信息加入我们对于客户需求和利益的理解中去。如果你知道你要找什么，那你能找到这些东西的概率会大很多。"

在一个这样的晚宴之后，朱克伯格和他的团队在客户回家后坐下来研究每一个客户，并将他们从客户那里获取的信息加入他们的记录，以便他们能够了解客户的经济状况以及需求或顾虑，并研究如何最好地提升私人客户服务部门的服务内容。当他们讨论到一位名叫利文斯顿的先生时，朱克伯格念出了他的名字。

"罗伊，他没来。"

"知道为什么吗？"

"这个俱乐部是有限制的。"

"你怎么可以用一个有限制规定的俱乐部来招待高盛的客人？这太丢人了！而且愚蠢！赶紧给利文斯顿先生打电话道歉。"

"罗伊，这都9点多了啊。"

"我才不管呢，我要和他通话并且对把他置于这么尴尬的局面表示道歉。"

电话接通了，朱克伯格一个劲儿地道歉。利文斯顿先生说不用担心。朱克伯格说他想当面向利文斯顿先生道歉。利文斯顿先生说没这个必要，但是如果朱克伯格想见个面倒是可以一起吃早饭。在接受邀请之前，他应该已经知道利文斯顿先生习惯早起，所以早饭时间是早上7点。

第二天早上朱克伯格起得很早，所以在7点早餐就开始了。

在利文斯顿先生的墙上挂着他和以色列前总理梅厄夫人（Golda Meir）、戴维·本-古里安（David Ben-Gurion）以及其他人的照片。早饭气氛很热烈，而利文斯顿先生最终成为一个很好的客户。朱克伯格的名言就是："改过来。每个人都会犯错，但是你犯错之后应该马上改过来。"

私人客户服务业务成为高盛国际扩张战略的关键部分。

既然在世界任何地方都存在富有的和交际广泛的人们，那么高盛的每个销售人员都可以利用自己的想法赚钱。

有钱人常常会带来投行业务机会，特别是那些拥有中型企业的有钱人，这些企业在所有地方都很重要。私人客户服务部门加强了在欧洲的力量，而且是高盛在亚洲业务的"先行者"。乔·萨松是朱克伯格在1979年聘任的。当时朱克伯格正在牛津攻读博士学位，同时在欧洲的主要国家招聘优秀人才，并建立庞大的私人客户业务。乔·萨松的思想很有哲理："有钱人很难打交道。很多人年纪大一些，也比较有自我保护意识，特别是对他们个人的财富。他们知道自己不可能长生不老，这个事实也一直盘绕在他们的脑海里，所以我们总是会听到他们的抱怨。而且有钱人习惯了一直被别人关注而且也期待别人的关注，特别是他们的财富，财富往往成为他们最关注的东西。"

私人客户服务部门在香港、东京和新加坡开展业务，并且在能够方便地与巴西、委内瑞拉和其他拉美国家客户进行联络的迈阿密也开展业务。在90年代早期，一个越来越明显的情况是，那些非美国客户愿意使用瑞士的银行和匿名账户，高盛于是就收购了一家银行并且在两年后获得执照，高盛银行据此开张。

门舍尔的精心招聘和其商业模式的经济优势，使得私人客户服务部门的人员流动很小而且士气很高。与其他零售经纪一样，私人客户服务部门的人员收入全部来源于佣金。他们确实很赚钱：对于那些没有管理职责的人来说，公司按照佣金毛收入的30%支付其薪资，这在华尔街已经是偏低的标准了，他们的收入达到200万美元也很平常，有些人赚得更多。这并没有逃过合伙人的注意，因为他们一般年薪为200万~500万美元，但是必须花费时间用于管理、招聘以及其他虽然有利于公司的建设却不能为他们赚更多钱的活动上。

于是在公司内部开始有人抱怨那些高收入的私人客户服务销售代表用高盛的声誉换取利润，因为他们的投资回报在质量和连贯性上并不总是与"公司标准"相一致。所以，高盛开始逐个对账户进行监控，而且对潜在风险和投资组合的周转加强了关注。很快高盛发现，最糟糕的投资点子绝大多数直接来源于客户。

高盛对其私人客户服务业务的进展还是很满意的，甚至有些沾沾自喜。1989年，鲍勃·鲁宾要求获得一份关于私人客户服务部门赢利性的分析报告。结果很清楚：私人客户服务业务是部赚钱机器，利润率一直保持在22%~23%。但是对像高盛这样一个拥有多种业务的公司来说，如果将大量的核心费用，例如数百万美元的研究费用，分摊到各个独立运营部门，这些部门的利润率将会大大改变。在1998年朱克伯格离开高盛后，约翰·麦克纳尔蒂将私人客户服务业务纳入仍然不能赢利的高盛资产管理部门，并且进行了费用的重新分摊。在分摊重新计算后，私人客户服务业务被宣告"其实也不赚钱"。在另外一项重新分摊中，私人客户服务部门的客户所购买的债券产生的利润被分配到每种债券的市场交易员名下。"我从没见过这么大的业务价值贬损。"劳埃德·布兰克费恩对于高盛重新评估私人客户服务部门所产生的影响如此总结。

1999~2000年间，私人客户服务部的负责人菲尔·墨菲重新规划了公司的薪酬体系以与公司的目标和个人激励机制相匹配。他将经纪人的30%佣金降低至20%的比例。这次降薪和公司利益整合促使数十名私人客户服务部门的销售人员开始考虑跳槽到其他公司去，这些公司正准备进入富人投资者业务这个市场。有些公司开出了40%的高价甚至更多，以吸引私人客户服务部门的销售人员。尽管大多数选择了留在公司，还是有数名高产的销售人员在观察市场并要求获得高额的奖金和佣金之后进入了美林、摩根士丹利、瑞士联合银行或者贝尔斯登。这样的离别是不太愉快的，甚至是苦涩的。

由于赢利能力明显下降，而且朱克伯格和他的继任者比尔·巴克利都离开了高盛，不可避免地，整个私人客户服务部门的概念受到了挑战，也将被重新塑造。麦克纳尔蒂和墨菲引领了这次变革。麦克纳尔蒂说："私人客户服务业务模式是有缺陷的。每年年底你都需要重新开始。我们根据交易量获得收入，而且从IPO业务获得的收入也很好，但那不是投资咨询业务。"私人客户服务部门的销售人员自认为他们自己是资产管理经理，但实际上他们将两种截然不同的业务混为一谈。前一种业务基于发展个人之间的信任和个人关系，他们很擅长这个，但是从高盛这个公司角度看，私人客户服务的业务过于依靠那些个人了。私人客户服务过去是一系列的私人性的业务，但它不是一个规模化的可管理的业务，而且这些业务的真正"所有人"是个人而不是公司。

就像麦克纳尔蒂解释的那样，"私人客户服务部门的人不全是优秀的投资组合设计师、聪明的股票挑选者或杰出的投资战略家——投资界对于能力和专业水平的期望正在迅速超越他们。"麦克纳尔蒂和墨菲将私人客户服务业务从朱克伯格和门舍尔创建的企业家业务模式转变成为一种公司设计：私人客户服务人员在其中作为"资产收集者"，而投资则逐渐由高盛资产管理部门和公司发起的基金来完成。

有些特别大的客户，特别是那些资产上亿而回报很差的客户被从个人销售人员的客户名单上转移到公司的客户名单。个人私人客户服务销售人员所掌握的投资管理转移到两个方面：投资"产品"被扩展至包括更多的资产类别，而且投资更具连续性——减少对于私人客户服务销售的个人依赖。这种针对产品推广的"开放体系"将投资能力从高盛资产管理部门之外引进来。

退休以后的朱克伯格在2004年的某个早上7点45分来到办公室，发现现在被称为"私人财富管理部门"的区域几乎空无一人。"他们都到哪儿去了？

这些人都在哪儿呢？"有人听到他说话了，也知道他是谁，也明白他的意思："罗伊，现在一切都不同啦。"

是不一样了。现在所有人都是公司大集体的一部分，私人客户服务部门的员工都注重获得新的客户并为他们提供服务。作为专业投资经理，其他人员负责运用资金。高盛有了高利润率而且上规模的业务，私人客户服务人员的收入也很好，而且利润更具有可预测性。在公司内部，仍然有人怀念过去私人客户服务部门的忙碌，但是绝大部分人还是相信现在一切刚刚好。

通过私人客户服务业务，高盛产生了两项重要的业务：私人财富管理，即为富有的家庭和个人通过高盛和外部投资经理开发的投资产品提供服务，它成为高盛向全球扩展时最好的业务之一；还有一项更好的业务——如果不是最好的话——机构经纪业务。

1983年春天，私人客户服务部门为一个客户——只叫斯坦哈特（Steinhardt）的对冲基金提供了融资业务和特殊处理服务。在完成工作的基础上，罗伊·朱克伯格有了一个主意。他变得非常兴奋，觉得需要找一个能把这个主意变成一项好业务的人来商量。朱克伯格给管理波士顿办公室的丹·斯坦顿打了电话。丹是个很好的业务构建者而且对人很好。"丹，如果有个好机会，你愿意做些改变吗？"斯坦顿说他很喜欢他正在做的事情，不过如果机会不错他愿意改变。朱克伯格说："我到波士顿见你，咱们明天早上丽兹–卡尔顿的咖啡厅见。"第二天早上，两人进行了深入交谈。朱克伯格在一张餐巾纸上写写画画来表达他的观点。

"我们和迈克·斯坦哈特做了不少业务。如果能把相关业务合理地打包，提供适当的服务和合适的价格，我们可以和其他的对冲基金做，而且还可以做更多。"摩根士丹利当时已经在做朱克伯格脑海中的业务了——为老虎基金的朱利安·罗伯森和索罗斯整合对冲基金提供所需的多种专业金融服务。贝尔斯登也在开展一些类似的业务，不过其运营模式是基于为小型区域性公司提供的经纪清算服务，因此不太适合对冲基金。朱克伯格当时满怀热情："这项业务会增长很快，因为对冲基金增长很快。越来越多的基金设立起来，而且回报很好，就推动基金不断地增长。"斯坦顿变得至少和朱克伯格一样有兴趣。

对冲基金经理对于他们管理的资产非常在意，所以他们每天都需要关于其各项头寸的准确报告和对每笔交易精确、迅速的结算，而其中的很多交易非常复杂。由于大量地使用杠杆，融资融券业务是基金的重要工具。而提供融资融券业务的券商也非常清楚，只有良好的抵押才能支持对冲基金的融资融券业务。如果一家"大型机构"经纪能够为对冲基金提供其每日与其他券商交易的集中的详细报表，那这家对冲基金就不需要和20个甚至是30个不同的券商打交道了。由于对冲基金所有品种的证券交易都非常活跃，作为它们的主要机构经纪服务提供者，所有交易记录必须非常精确，而这只能依靠强大的计算机处理能力，单这一项每年就很容易花掉上亿美元。而培养出寻找和提供对冲基金卖空的各种证券的能力是一个最基本的要求。概念很简单，但是日常操作却不容易。"我们在全球发掘需求并和那些保管大量证券的托管人发展超级紧密的关系。"斯坦顿解释说。短期现金账户——不论是借款还是贷款——是存放于托管人的主要经纪商处的，它们每天都会产生利息，包括周六和周日。大型机构客户的经纪业务的增长几乎和对冲基金业务的增长一样迅速。从1993年到2001年的8年间，对冲基金的资产规模从1 000多亿美元增长到6 000多亿美元；到2010年可能会再增长两倍。用于记录基金交易的计算机与高盛的计算机系统联网，因此工作完全可以通过计算机之间的联系完成。融券业务是大型机构经纪业务的关键产品。对于公司的自营交易来说，能够融到不常见的证券也非常关键，因此他们的管理层往往不太愿意经纪业务部门把这些证券出借给对冲基金。有人认为禁止这么做就等于给自营业务补贴。不过自营业务部的一个交易员说得好："如果我们还需要补贴的话，那么干脆就别做这项业务了。"最终，大型机构经纪业务部保留了出借证券的权利。

"每项实实在在的业务都会有个名字。"合伙人戴维·希尔芬说道，就像他的前任迪克·门舍尔，"所以，丹，你应该给你的业务取个好名字。"斯坦顿想了一会儿，然后建议叫"高盛证券服务"或者GSS。由于GS就代表了高盛，所以很多人会认为GSS就是高盛服务。①"这个名字会带来很多误解，但是人们不会误解这项能给高盛赚钱的业务。"

斯坦顿和他的团队越来越赢利，但是对此高级管理团队却无人知晓或者给予关注。股票销售部门的一个负责人埃德·斯皮格尔会很骄傲地介绍他的合作伙伴："这是丹·斯坦顿，他负责后台业务。"在28层和29层工作的高管们很少去证券服务部所在的7层。在合伙人中，只有约翰·塞恩这么做了。而汉克·保尔森知道他自己应该多了解这项业务，但是他总抽不出时间来。即使股票部门的薪酬和赢利能力不断受到挤压，证券服务部的业务在那些年份里仍然是增长的。到2000年前后，证券服务部业务人员的地位即使不比股票部门的工作人员高也至少和他们一样了。有一段时间，有不少人对证券服务部那些没有MBA学位的人比其他部门拥有哈佛MBA学位的人赚得还多感到不安，但是赢利能力决定一切。现在证券服务部在公司地位很高，不少聪明而又雄心勃勃的精英都转到该部门来工作。

"不被上面那些不太了解我们业务的大人物重视和欣赏其实是件好事，因为他们不管我们，"斯坦顿说，"即使在1994年大幅削减费用的背景下，我们还是没有改变我们的承诺，我们只招最好的人，提供最好的服务。而且我们从来都没有违背过我们对于信息技术的绝对投入，从来没有，甚至当其他所有人都对信息技术减少了兴趣时我们也是如此。"这样的投入确确实实在高盛建立一项杰出的业务过程中获得了回报。2000年，为衡量公司各部门业务的质量和数量，塞恩和桑顿作为联合首席运营官进行了一项调查，其中有两个业务部门脱颖而出：并购部和证券服务部。

证券服务部简直就是沃伦·巴菲特理想产品的代表：简单而又杰出的业务，而且在其周围还有宽阔的保护层。证券服务部拥有一切理想的特征：稳定并且高达40%的年复合增长率；极强的赢利能力；很少的竞争对手和高不可攀的进入门槛，由于计算机系统的庞大支出使得业务走向规模化经营，造成很难逾越的成本障碍和规模障碍。更为重要的是，这项服务是所有客户都

---

① 在英文里，高盛服务（Goldman Sachs Service）也可以被简写成为GSS。——译者注

绝对需要的，客户所付出的成本与客户获得的巨大价值相比微不足道，而且服务本身以及如何提供这些服务完全是不透明的，所以基本上没有降低费用的压力。因此，高盛和摩根士丹利根本没有动力在价格上相互竞争。即使在90年代后期交易量成倍上升，费用也仅仅下降了20%。最后，融券业务的核心还是与客户建立深入的合作关系。就像斯坦顿所说，"当前，业务状况再好不过了"。

15

丑小鸭杰润

埋头于手中商业计划的鲍勃·鲁宾慢慢抬起头来，像往常一样温和地说："马克，你应该把你的眼光放得高一些——更高一些。"

两年前，鲁宾任命马克·温克尔曼负责商品公司杰润，这是高盛半个世纪来的第一宗重大收购。在被收购之前，杰润有过好几年利润丰厚、持续成长的日子，而那之后公司经营惨淡，风雨飘摇。在加入高盛的第一年，杰润是亏损的，在做了大量的工作和改变之后，也只是勉强维持收支平衡，利润仅仅为500万美元。在为下一年作的商业计划里，温克尔曼的目标是实现赢利，利润翻倍达到1 000万美元。

鲁宾将温克尔曼的商业计划书递还给他，同情地微笑着说："马克，1 000万美元可不是我们买下杰润的原因。告诉我们，需要我们做什么能在今年赚到1亿美元！"

"什么？"

马克·温克尔曼是聪明人，但他可不知道鲁宾当时在想什么。他被惊呆了。尽管他十分尊重鲁宾的判断，但还是无法相信鲁宾是说真的。可是鲁宾眼中的神色表明在这件事情上他是非常严肃的。

温克尔曼得到这个新职位颇费了一番周折。他出生在荷兰，在鹿特丹学习经济，于1971年去了沃顿，用毕业后为一家荷兰公司效力10年做交换劝说该公司为他支付学费。在那家公司答应这个提议之前，他已经获得了沃顿的奖学金，所以他就有能力负担自己的支出了。而且，他回忆道："对我而言更幸运的是，在我到沃顿的第二天，我遇见一个穿超短裙的女孩，现在我们结婚了。"从沃顿毕业后，温克尔曼在位于马萨诸塞州坎布里奇的一家小公司工作了很短一段时间，负责开发债券掉期软件，然后在世界银行由吉尼·罗思伯格主管的创新融资部工作。

1977年，弗兰克·斯密尔将温克尔曼从世界银行带到了高盛，开始利率期货套利交易的操作，这是一项迅速变化的业务。温克尔曼在同事们看来聪明、严格、公正和绝对的荷兰人，债券业务成功的关键已经从服务转移到了有原则的冒险，而且每一名交易员必须弄清楚市场随着衍生品和全球化发生了怎样深远的变化。温克尔曼的任务就是为债券业务打造和发展期权和套利能力，并且与交易员们密切合作。

5年后，温克尔曼承认："当时我转入商品业务在大多数人看来就是一个非常愚蠢的举动。"债券业务在蓬勃发展，而积极的市场大趋势似乎肯定会继续。与此形成鲜明对比的是，对杰润业务至关重要的黄金曾在俄罗斯入侵阿富汗时短暂冲高到每盎司850美元，全球政治局势似乎向失控的方向发展，而吉米·卡特对此也好像无能为力。美联储主席保罗·沃克尔对通胀的打压促使利率和货币市场波动性达到了历史最低水平。然而随着市场恢复了平静，金价降低——跳水到300美元。金价的波动幅度下降，几乎蒸发了所有从价格变动中获利的机会。

因为这很明显是一个拿工作冒险的调动，温克尔曼的同行都建议他："如果我是你，我就不转行。"但是温克尔曼作此调整有他个人的原因：他和乔恩·科尔津在固定收益上的竞争已经变得过于激烈。温克尔曼的成功对乔恩·科尔津来说一直是个问题，而他们的工作关系也越发紧张。"一开始，我们就像两头年轻的公牛，用力蹬踏地面并寻找成为主宰的方法。"温克尔曼如此回忆，尽管他补充说，随着时间的推移他们已经很好地消除了彼此的分歧并成功地互相依存。

商品业务对于高盛而言并不是完全的新事物。在70年代后期，商品业务正经历着最后的好年景：咖啡、谷物、白银、黄金，特别是因为石油价格一路上扬带来的石油行业的长期周期性繁荣。而证券业务多年来一直缓慢地走下坡路，1966年和16年后的1982年，道琼斯指数都是1 000点。如同一位业界专家所观察的，"每个人都在商品业务中看到了机会"。1980年，鲁宾聘请谷物交易商丹·阿姆苏兹在套利部发展一项小型农业商品业务，这显示出鲁宾对各种现金业务如何运作都具有相当浓厚的好奇心。

当温克尔曼得知公司1981年11月发布收购杰润的公告时，他正在拓展一项小商品交易业务，这项业务是在鲍勃·鲁宾的研发动议下开始的。他决定辞职。因为杰润的6个人——全都是商品业务的资深人士，突然成为高盛的合伙人，而且还有一个人甚至进入了管理委员会。这样的情形之下，他怎么可能对发展自己的事业抱有任何希望？面对众多和他竞争的合伙人，温克尔曼觉得自己的职业前途如同陷入特大交通堵塞一般无望。

"马克，别犯傻，"约翰·怀特黑德劝慰他，"你将参与全世界最大和最好的商品业务。商品业务比证券业务要更国际化，而整个公司正在向国际化迈进。你将会拥有一个超级国际化的视野。杰润是对像你这样冉冉升起的后起之秀的绝佳平台，而这也是公司的一次重要战略出击，所以你很快会发现这是我们为你做的一件好事。你可以乘着这次浪潮向伟大的事物前进。卷起袖子开始工作吧。"

约翰·温伯格更加直接："别傻了！我理解你对这次突然的变化很生气，而且我也知道为什么。我们还不确定应该怎么做，但我们将从这项业务中获得某些重要的东西。"

鲍勃·鲁宾态度不明朗，但他鼓舞人心的建议是："坐稳了，我们拭目以待。下一届合伙人选举一年后就开始了，等一年再看又会糟糕到哪里去呢？"温克尔曼决定留下来。

然后，两位约翰——温伯格和怀特黑德——把每件事都弄清楚了：杰润是一个重要的机会——无论是对温克尔曼还是对公司。"你将去杰润。"有点受到胁迫的感觉但是又高兴能够获得这个机会，温克尔曼朝着业务中每一个显著的方面努力。两年后，他制订了他认为适当大胆的计划，却得到了鲁宾惊人的回应："告诉我们需要我们做什么能在今年赚到1亿美元的收益！"

"鲍勃·鲁宾说话轻声细语，而且作为一个管理者，他总是通过提问小声提出他的建议，"温克尔曼如此回忆，"他的方法对那些为人谦逊、思想开放并且面对诚恳的疑问不会难堪的人效果是最好的。如果你不是这种人——很多交易员根本不具备这种素质——那么鲍勃会继续找，直到找到某个他可以真正共事的人为止。"鲁宾设定了正确的调子，他的挑战对温克尔曼而言既明白无误又具有压迫性。

在修改后的商业计划中，温克尔曼让杰润从事积极进取的货币交易，而公司的资本因此存在一定风险。有了这样的改变，杰润的利润在成为高盛子公司的第三年确实会大大超出1亿美元，而且几年后会超过10亿美元，不低于高盛全部利润的1/3，这一切都是由一个拥有6 000名雇员的公司里的300名员工创造的。

公司最终在商品业务上的成功当然不是由对杰润的收购创造的，而是通过收购之后该业务每个重要方面的巨大变化获得的。大多数员工和所有的业务主管被撤换，而最基本的风险可控的财务套利业务模式被转变为可能为其资本金带来风险的自营业务模式。然而，尽管最初几年的财务绩效令人失望和痛苦，收购确实为高盛带来了交易商的领袖以及将成为公司主宰的交易文化——还有日后担任CEO的那个人。

不过，我们仍需要弄清楚从此处到彼处经过的道路和产生的主要变化。在接下来的几年里，当杰润大胆地向外汇和石油交易业务转移时，甚至连杰润所经营的市场都发生了变化。这些变化要求再造其业务及商业理念。黄金交易业务的利润机会曾经基本上就是在纯金的价格波动和金融市场套利之间的一个函数，所以杰润不需要动用什么资本就能享受其实际投入资本的高回报率。

作为一种策略，杰润很少做空或做多黄金或试图从库存头寸中获利。利润主要是从伦敦黄金市场和新期货市场之间的价格变化中套利。这些利润的增长来源于不断加剧的市场波动和持续扩大的交易量。

作为一家独立公司的典型一天，杰润在上午有1 000笔交易，下午有3 000笔交易，因此必须小心翼翼地在数秒之内搭配头寸，以确保公司不会过多地暴露于市场风险之中。"我们的经营计划要求做多或做空最长的时间不超过20秒。"杰克·阿伦（Jack Aron）如此解释。一旦有任何重大怀疑——每年都会有一两次——整个公司会随着一声命令停止一切业务："好，大家马上挂断电话！我们要做一个彻底的核查来确认我们绝对没有净头寸。"而整个分析过程可能会持续到晚上9点或10点。

1898年，杰润在新奥尔良从一个咖啡交易商起家，资本1万美元，业务繁荣之后，公司于1910年搬到了纽约。杰克·阿伦和格斯·利维是远房亲戚，他们在新奥尔良和纽约都是朋友，而且还都曾经是西奈山医院和犹太人社区的领导者。两个人的公司偶尔一起做过点生意，所以当阿伦在快70岁的时候拜访利维并提出如下提议时，利维非常感兴趣。阿伦说："格斯，我一天天变老。我的两个儿子对生意没什么兴趣。我们两个人的公司都是私有的，所以如果你想买，我愿意卖给你。"

经过一番讨论，杰润在未实现收益上的一大笔税负阻碍了谈判的进程，而利维想收购的兴趣迅速地消退了。后来，当杰克·阿伦将高盛的另一个收购提议摆在他的合伙人面前时，这笔交易在杰润年轻的合伙人赫伯·科因领头的动议中被投票否决了。科因为人精明、一直追求实际而且从不感情用事，他为大家熟知的一句话是"诚实是最好的方针之一"，然后让他的听众去猜测哪些可能是他认为的同样好的方针。科因是个机敏的战略家，全心关注的就是将财富最大化这个目标。在那时，阿伦已经70岁了，已经把注意力从公司业务转移到他的慈善基金会，所以两人没费什么劲就达成了内部管理层收购的安排：将公司卖给科因、他的兄弟马蒂和另外12位股东。

乔治·多蒂认识杰润的合伙人是在他们为高盛合伙人在商品期货的"约期套利"(straddle)基础上创造低成本所得税递延的时候。在那之后，他成了收购商品公司的坚决支持者，因为他相信高盛应该进入这项业务，不过他不认为高盛具备一个合作伙伴关系所必需的坚忍不拔的毅力：明知这些投入大多将会归他们的继承人所有，一群合伙人还必须要奋斗数年投入大笔资金创立基业。无论如何，多蒂绝不愿意自行进入该行业，因为这需要无止境的投入。他有好几次就大声说道："风险太大了！"

仅仅在杰润的合伙人从杰克·阿伦及其两个儿子手上收购该公司两年

后，他们就要求公司找到另一个买主，这在如今看来肯定是一个很幸运的时间点，赫伯·科因联系了高盛。科因已经在所有人之前摸清了新的期货市场对黄金和外汇市场可能带来的影响。而几乎就在同时，另一个幸运的巧合出现了：1981年9月，安格矿业通过高盛提出收购杰润，但是被公司掌握主控权的合伙人拒绝了。他们没有兴趣签署长期的雇用合同或成为公众公司的一部分。

杰润合伙人不愿意放弃他们所珍视的私密性——尤其是当利润不是特别高的时候。为了避免招致竞争，科因硬性规定了具体的保密条款："不许告诉任何人你去哪里，你去见谁，或者你听到了什么——什么都不许说！"他的合伙人一致同意："绝不告诉任何人你挣多少钱，只是在去银行的路上笑笑就可以啦。"如同一位杰润合伙人欣然承认的，"我们赚钱的方法太简单了，谁都能做，所以我们发誓要保密"。

杰润在60年代末从咖啡扩张到贵金属交易，公司规模和利润都开始飞速增长。在一次资本结构调整中，合伙人资本缩水至40万美元，之后公司利润在整个70年代迅速增加，到1981年合伙人资本提升至1亿美元。当年，杰润在其1亿美元的合伙人资本上挣到了6 000万美元的利润——和高盛1.5亿美元利润对2.72亿美元合伙人资本的比例相当，但是高盛获得这样的利润所承担的市场和信用风险比杰润大了很多。

两家公司在风格和文化上存在很大的差异。科因近来开始聘请"顶级"律师，因为业务变得如此复杂，而只有最精明的分析师通过创新才能保持领先于市场。但是，多年来杰润提拔只有高中学历的职员，包括赫伯·科因以前的司机，而不是哈佛的MBA。只要他们头脑聪明、做事强硬又雄心勃勃，教育水平高不高都无关紧要。杰润保持着独裁管理和森严的层级制度，新员工会被命令为级别高的员工买午餐。与此形成鲜明对比，高盛讲究团队合作，没有那么多层级，而且相信在正式雇用前至少要经过15轮的面试，而且一流商学院的硕士学位是必要条件。高盛珍视的是谦逊甚至谦卑。在杰润，公司一致认同的价值完全不同："我们深信我们是全世界最聪明的人，而我们就是靠这个挣大钱。"以前的一位合伙人如此回忆："那个地方流行着一种骄傲自大的情绪。"高盛的投资银行家重视毕恭毕敬的客户服务，而且总是很礼貌；但是在杰润，交易商们说话简单粗糙，就像他们对客户的方式一样。他们给予大客户尊敬，小客户被分配给低级员工，他们提供的服务就是报价和执行交易。

杰润从事三种不同的业务，高盛内部对收购的支持者们在所有这三种业务中都看到了机会：第一项是黄金、白银、白金、钯以及其他商品的一系列小头寸；第二项是小规模的外汇业务；第三项，咖啡，在未烘烤绿色咖啡的进口商方面，杰润毫无疑问是世界排名第一的。怀特黑德回忆道："收购杰润是一个独一无二的机遇，具备不寻常的吸引力。在黄金上，杰润是世界领导者。黄金交易比其他任何商品的日交易量都高，比如，要比通用电气或通用汽车的库存要高，特别是在阿拉伯国家。"

杰润为咖啡种植者做销售代理，还为通用食品和福爵咖啡做采购代理。杰润立足于咖啡交易上的强势，将业务扩展到其他农产品如可可、玉米等谷物的机会非常大，同时还有机会通过从事直接相关的活动，如运输、保险和在巴西及纽约开展仓储业务来开发可以赢利的业务——所有这一切都无须冒价格风险。如同怀特黑德所见，"我们可以控制整个过程。如果某个人试图在任何环节中进行价格竞争，我们只要把我们在那个特别环节上的价格降到低于他的价格，然后转移到链条上的另一部分来赢利。我们会全盘掌控。而且通过向烘烤商出售我们同一时间从种植者那里买来的产品，不会有任何价格风险。"

银行间的外汇交易是另一个机会，但是多蒂不感兴趣："把它留给商业银行吧！他们会免费做外汇的。你永远不能在他们一直主宰的业务中真正赚到钱。"但是杰润已经在刚起步而且一直被商业银行忽视的货币期货市场中表现积极，并在期货和现金市场直接的波动幅度中成功套利。

在他们拥有杰润的两年里，赫伯·科因和他的团队逐步建立了金属业务并有三次聪明之举。首先，作为一个好奇心旺盛、喜欢把事情搞明白的知识分子，科因发现很多国家的央行把他们的货币储备以黄金的形式储存在伦敦的英格兰银行或纽约联邦储备银行的地下室里。把这些库存放在一起考虑，在科因眼中，各国的巨大财富极具吸引力：它们只是躺在地下室里，不产生任何利润。但科因知道货币的时间价值总是能适用于任何期货合同，而且商品期货市场总能反映隐性利率，所以他一家家拜访了这些央行并提出似乎很慷慨又创新的建议："把你们不生钱的黄金借给我，每年我给你们0.5%的费用！"

这些银行熟悉杰润庞大的黄金业务及其绝对的诚实和守规矩的声誉，所以他们将杰润视为一个没有风险的交易对手，而那0.5%的费用可以算是白捡的。甚至一个小国家都会有2亿美元的黄金储备，所以科因的交易将把该国在金条上的年收入从零提升到100万美元。经过漫长的一系列会面，在协议的每一方面都获得了仔细的解释和深思熟虑后，奥地利央行终于首先签约。很快匈牙利和墨西哥央行也随之签约，其他央行如葡萄牙稍晚之后才签约。

科因知道央行行长们所不知道的东西：通过卖空借来的黄金和购买黄金期货（和那个年代的高利率吻合），杰润可以创造近乎完美的对冲，从而在轧平账时产生年均高达8%的利润。这是没有任何风险的轧平账上的8%，不需要股本投入，所以产生的是几乎无穷的回报。杰润和许多央行之间坚不可破的合作关系是打开这个神奇的利润王国的钥匙，因为央行拥有实际上不受限制的黄金储备，而且可以持续供给市场以满足任何需求量。

在第二个聪明之举中，杰润创立并经营了一个高赢利的非主营业务：销售墨西哥、俄罗斯、加拿大和南非铸造的金币——仅仅在南非就销售超过100万克鲁格金币。利润率不是很大，但是杰润只是做代理而已：政府拥有和储存金币；这项业务没有竞争，也几乎没有运营成本。资本的回报又一次是无止境的。

科因的第三个商业策略精明至极又有些冒险。在赫伯特和邦克·亨特引人注目的垄断世界白银市场的投机行为推动下，白银在1980年的售价达到了历史最高，各地的人们试图熔化家里的银子以制造可供交易的银块并攫取银制餐具和纯银条之间巨大的价格差异。但是这么做需要提纯银。预测到对银提纯的需求会继续增长，科因联系了主要的精炼厂，包括全欧洲最大的一家精炼厂，并向它们询问未来产能的报价。有了固定的价格和可预见的强大需求，他签署了具有约束力的合同，控制了几乎所有精炼厂全世界的未来生产能力。这是聪明绝顶的一击，也是操作娴熟的大规模投机行为。因为杰润已经预订了精炼厂，每一个前来把碎银提纯的人都要付一大笔额外费用。

让投机商付高价购买稀缺的提纯能力和从央行借纯金所获的利润是丰厚的，但正如科因完全理解的，这利润不能永远延续下去。短期带来大笔财富的好运气掩饰了杰润基本业务中快速发展的重大问题：商业银行正在逐渐成为更积极的商品业务的竞争者，它们本能地每天自动会集现金余额，然后按照10%的现行利率进行投资。与此相反，大多数企业和个人客户积聚了大量现金，这使得杰润能够将这些现金投入货币市场挣得利率。与此同时，世界通信系统的发展将完成交易所需的信息处理时间从1小时缩短到短短1秒——减少了不确定因素并榨干了核心赢利性。不仅如此，保罗·沃克尔坚决打击通货膨胀的行动将利率推高到创纪录的水平，引发了衰退，反过来又减少了黄金价格的市场波动，对杰润这样的交易商来说这波动曾是相当赢利的。

"科因兄弟知道他们的业务陷入麻烦，但是他们看不到出路。他们没有线索——没有一条关于如何从他们自己跳进去的陷阱中脱身的线索，"温克尔曼说，"实物对期货（套利）业务的利润已经消失了，那是他们唯一真正了解的业务。他们不知道如何打造能够承担风险并且以资本为基础的业务，而这是能走的唯一道路。"

科因看到其他像杰润一样的公司在进行具有资本风险的业务后被淘汰出局。他知道他的组织没有能力经营以激进地承担风险为基础的业务；他和他的高级合伙人没有接触过新的工具，如刚刚开始交易并已是主要潜在利润创造者的货币期权。因此，对他来说现在是进行兑现并成为一个更大商业组织一部分的好时机，希望能找到方法赚更多的钱。当他再次启动和高盛的乔治·多蒂的合并谈判时，科因做出了重要的战略举动——恰逢所罗门兄弟和商品巨头菲利普兄弟（Phillips Brothers）也就是辉博（Phibro）合并。通过和多蒂合作为高盛的合伙人合法减免所得税，科因明白这家公司有多么赚钱。然后，他成功地将正处在绝对赢利高峰上的杰润卖给了高盛。

对收购的强烈反对来自高盛的合伙人："那不是我们的生意"；"商品可不是证券"；"如果他们想卖，为什么我们就应该是买主？要不我们就是容易上当的傻瓜。"合伙人内部的辩论一直延缓着决策，而"如果事情出了岔子遭受损失的风险也不会很大"的认识开始甚嚣尘上。双方达成一致的购买价——1.35亿美元被几乎全是现金或现金等价物的1亿美元的账面价值抵消了——严重的风险看起来就很小了。怀特黑德解释道："交易员同时匹配了买卖头寸，那么风险也被最小化，这次操作实际上就是没有风险的。"怀特黑德对于推动高盛国际化的兴趣让他一直聚焦在一个宏观视野上，并远离他被人们所熟知的严格的运营分析。"黄金交易涉及世界上的每一个国家，所以这是最国际化的业务，而高盛正在进行国际扩张。"作为高盛国际化的一部分，怀特黑德坚决要收购杰润，而这也是一次将永久改变高盛的标志性交易。

回想当时，怀特黑德说："我们度过了一段很艰难的时间去劝说我们自己人同意收购，所以我委派史蒂夫·弗里德曼和肯·布罗迪研究收购的价值，相信既然史蒂夫为我工作而且雄心勃勃地想要获得提升，他的报告肯定会为收购提供坚实和积极的支持。但是他建议放弃收购杰润真是让我大吃一惊。"然而别人说了什么或怎么想实际上无关紧要，因为多蒂和怀特黑德已经决定了。在他们的推动下，1981年10月，掌控大权的管理委员会通过了收购案。

"我从来就不喜欢买一种业务，"弗里德曼说，"从我的并购经验来看，合并总是困难的而且经常不会有结果。它们实际不是在财务上失败，而是因为组织文化不适合，所以它们表现糟糕并让期望落空。冲突和紧张的气氛很容易产生，而不同的文化很难融合，高盛的文化很强势又很独特。我们自己干总是很好，那是因为成功的关键一直是人，而我们有最优秀的人才——许许多多最优秀的人才。"具有讽刺意味的是，尽管弗里德曼有顾虑，收购之后，只有一个人——马克·温克尔曼从高盛转到杰润，而好几名杰润的员工成了高盛的领导者，还有一个人，劳埃德·布兰克费恩最后成了公司的CEO。

收购完成几个星期之后，正当高盛努力让杰润的员工感觉是大家庭的一分子的时候，杰润的首席财务官查尔斯·格里菲斯去见多蒂并说："乔治，我准备辞职——除非我能成为一名合伙人。"多蒂和怀特黑德很快同意他必须成为一名合伙人。对那些竞争多年就是为了获得高盛合伙人地位的人而言——特别在看到作为交易的一部分其他6名杰润员工被提拔为合伙人之后，这肯定很难让他们心服口服。公司的主要规定之一就是任何人不得以没有成为合伙人而威胁离开，只有公司才能决定提拔谁做合伙人并且只有在公司准备好的时候。

合并之后的种种问题对于高盛都是困扰，但肯定没有关于杰润业务的核心问题那么让人不安。尽管交易已经完成，随着越来越多的难题出现，高盛内部的反对者深信收购杰润就是一连串的错误，无论是战略上的还是战术上的。有一些爆发出来的困难是因为合并过程中的错误，甚至重大错误，但是有一些是因为想不到的外部问题。大多数合伙人不愿意去解决这两种麻烦：这种经历太痛苦了。就像一名合伙人哀叹的，"我们在这次合并交易所犯的每一个错误，实际上都是我们以前一直担心客户会在他们的合并交易中会犯的错误"。

有一种错误就是响应竞争者的行动并为竞争者的行动找到一个威胁性的原因。尽管有些人将所罗门兄弟和辉博的联合视为一个战略高招，实际上推动这次合并不是什么宏伟战略：它其实只是一大笔交易而已——所罗门兄弟这家私人公司的合伙人有机会高价卖掉公司并得到百分之百的流动性。另一个错误是：毫无关系的旁观者会认为商品交易可以抵消通胀对证券业造成的打击，并据此认为这家公司具有较低的商业风险和无限机会。还有一个错误就是假设格斯·利维收购杰润的兴趣是出于战略考虑。其实这项举措更接近于投机。另一个错误是不知道怎样以及在哪里获得利润，也不知道在这样的无知基础上产生的误解会有多严重。两个公司的文化、风格和价值观不仅是有差异，它们将面对公开的冲突从而让整合变得异常艰难。

错误还包括：在早期损失关键的主管，收购完成之后没有清晰的利润增长战略，先付款而不是强制卖家采用基于赢利的支付计划，以及将宝贵的资本和管理时间完全投入进去。经典的错误是不理解卖家的真正动机，而且不记得大多数"收购"不是由买主的兴趣而驱动的购买，而是由卖主的愿望驱使的兜售，这一切只有在交易完成很长时间之后才能发现。而杰润也有很多重大误解，科因期望成为杰润-高盛的领导人，而他的合伙人也能够担任主要领导职位。

　　高盛并不是真的了解杰润的业务，但是卖家肯定了如指掌。如同一名杰润合伙人后来发现的，"如果我们没有把公司卖掉，我们会过得很艰难"。

　　还不到一年，杰润的高利润就缩减了一半，一年之后，就出现了亏损。随着高盛合伙人上千万美元的资本冻结在这一桩收购里，在公司高赢利的自营业务中不能使用这笔钱而增加的机会成本每年超过3 000万美元。

　　反对收购的声浪又卷土重来。除了大笔的资金投入，高盛的许多合伙人认为收购的非财务成本太高了：不少高盛内部人都讨厌成为管理委员会一员的负责咖啡业务的马文·舒尔的和其他突然成为合伙人的5位"局外人"。一年之后，其他人发现约翰·温伯格不是很喜欢那些杰润的家伙，不过这也无济于事。杰润的人也同样不喜欢高盛。一名杰润的高管就很直白："我不是真的想做你们的合伙人。"他是直言不讳，但用这种方式试图让两家机构合并真是太糟糕了！然后利润突然跳水，因为咖啡这样的"软"商品周期性很强，而就在市场波动降低的时候，商业银行和其他券商转向黄金和贵金属交易的"硬"商品业务，这样，利润就从0.5%降低到一个百分点的1/32。

　　在多蒂退休后，监管杰润的职责转给了鲍勃·鲁宾，他在杰润的结构内只作了一个变动：由马克·温克尔曼取代罗恩·陶伯成为CEO。鲁宾和温克尔曼很快决定杰润的首席运营官必须离职，因为他们认为在金价大幅度波动时能够赚大钱的人在普通的市场中根本挣不了那么多钱。在他们所认可的杰润内部领导者的帮助下，鲁宾和温克尔曼清除了杰润最后的守旧者并裁员50%，杰润的后起之秀将此举视为吹来清新的风。"当时杰润确实麻烦缠身，"温克尔曼回忆，"我们必须大幅削减成本，降低成本就意味着裁员，而这是高盛传统上不做的事。"为了减轻痛苦，大家一致同意在一天之内完成全部裁员工作：与其拖拖拉拉不如快刀斩乱麻。每一个要被裁的人会由他的直接主管私下里通知，除非主管也被开除了。"因为乔治·多蒂和两个约翰不在同一幢楼里，而杰润仍是一个独立的组织，做裁员这件事情被认为是没问题的。我们在为自己的生存而战，我们必须净化这个崇尚溜须拍马的家族生意的企业文化，"温克尔曼说，"在杰润待了6年后，我仍然背负着爱炒别人鱿鱼的恶名。"

　　尽管温克尔曼炒掉了很多人——杰润的230名员工有130名被认为是多余的——他却同时作出了一个关键决定，留住了一个已经被高盛拒绝的年轻人。劳埃德·布兰克费恩，他是个邮局职员的儿子，靠奖学金完成了哈佛商学院和法学院的学业，在1982年夏天被赫伯·科因聘用为个人助理。"这个地方糟透了，全是律师，"杰润一名员工回忆，"劳埃德被雇用是因为律师知道如何在努力工作的同时，还能向顾客解释诸如期权和综合交易战略之类的新工具。劳埃德很有趣，他算是全世界天生就很风趣的人之一，待人热情、真诚。我们都知道劳埃德就是合适的人选，而马克·温克尔曼也很快就发现这点了。"

　　公司还有更多的人离开。一年内，不出高盛那些怀疑论者的意料，马文·舒尔和赫伯·科因发现他们两个人都有严重的健康问题。合并完成后的那天，科因就说他胸口疼。同一年，舒尔也感觉身体不适。很快两人都退休了。高盛合伙人李·库珀曼打趣地说："胸口疼而个人银行账户里又躺着4 000万美元，谁不想退休呢？"

　　在只有6名主要持股人的杰润，很多年来大家都知道股权将被重新分配，这样管理层里的每个人都会成为持股人。但是年轻、有头脑而且训练有素者将成为杰润在温克尔曼之下的真正领导者：10名曾获得承诺分配奖金的高管却没有被纳入公司出售交易中。刻薄的人是没有忠诚可言的。当科因兄弟将公司从他们手下卖出去的时候，那些指望"分享财富"的人感到被彻底愚弄了。交易完成后一周，杰润的两名骨干离职投奔德崇证券并且带走了他们的业务：向中东欧、非洲和拉丁美洲国家的央行租借黄金的业务，他们决心在包括价格在内的各个方面和杰润展开具有侵略性的竞争。此举迅速挤压了杰润在"黄金租借"业务上的丰厚利润。

　　期待重现每年毫无风险地收获3 000万~3 500万美元的利润现在看起来就像一场梦。"杰润的传统业务正在经受严峻考验，"温克尔曼回忆说，"而且看起来利润永远回不来了。"黄金和白银的价格已经降下来了，而且还一直在降。德崇证券这样的竞争者通过支付更高的利息闯入央行黄金租借业务，并抢走了市场份额。随着价格波动幅度减小，商业银行开始参与黄金交易并降低了该业务的利润率。压力确实存在。两个约翰对这个合作伙伴关系作出了非常清晰和个人的保证："我们会处理现在的状况。"他们每周和温克尔曼会面，不是讨论具体交易，而是为了开拓可能的商业策略和管理决策。"一开始，我认为这将很困难，这确实是个惩罚，"温克尔曼说，"但是很快我认识到这是个黄金机遇。首先，我看到约翰·怀特黑德的战略视野是如此宏大，又是如此重要。第二，我们和公司的实际领导者接触很多。他们个人也参与进来以确认我们最终会解决杰润的许多问题，因为存在很多问题。"真正的问题是一个交易量很小又分布狭窄的商品业务是否需要一个经营成本高昂的大型组织进行管理，抑或是该业务本可以由一小群熟练的交易者来经营。

在那段艰难的时期，公司内部的收购否定论者十分不满。他们指责管理层显然只是想效仿琼斯在所罗门-辉博的做法，所以买了一桩大家既搞不懂又不是真正需要的生意，损失了大把钞票不说，同时还冻结了巨额资本。那些钱不能动用之后，现在他们又想把好好的钱投进去，通过开拓大家同样一无所知的市场，招揽大家既不了解也不喜欢的客户来建立一项交易业务。这是在错误的时间，因为错误的原因，以错误的价格所做的错误的业务。而现在你们又想用错误的客户建立一项风险更大、资本投入更多的糟糕业务！

怀特黑德和温伯格深知哪些是必须要做的：全盘重新设计陈旧商业模式的每个方面。"在外汇业务上，杰润的商业模式规模太小而且过于保守。这样的模式对于发展中的市场完全不适用，所以我们意识到必须重新开始。"温克尔曼回忆道。他开始问自己一连串的基本问题，其中包括引发突破的那一个问题："如果我们用我们的资本冒险来做交易商的工作会怎么样？"鲁宾和温克尔曼就这个战略提议达成一致：公司必须投入该业务所需要的大量资本，并在全球范围进行大胆的冒险，投身资本密集型和风险型的重要业务。要挣钱，公司就必须冒险，用自己的钱做商品交易。

被高盛收购的时候，杰润被称为"顶尖的黄金和商品交易公司"；不到10年，杰润为高盛贡献了1/3的利润，其最挣钱的业务不是黄金和普通商品，而是外汇和石油交易。20个漫长的年头之后，咖啡交易仍然走势良好。在1982年底科因离开后，布兰克费恩突然没有具体的工作可做了。"不过他前途无量而且工资也不是很高，"温克尔曼回忆，"所以我们把他调去做金属的销售看看他能不能行。很显然他既聪明又精力充沛，甚至活力四射、热情似火。"布兰克费恩展示出良好的金属销售才能，所以在1984年温克尔曼指派他负责管理外汇业务部的6名销售人员，从而赋予他更大的职责。温克尔曼一直努力建立以企业咨询为基础的业务。后来他委任布兰克费恩负责外汇交易。

有人建议温克尔曼不要这么做。鲍勃·鲁宾提醒他说："马克，这么做很可能不对。我们从没有看到指派销售人员负责公司其他领域的交易成功过。你肯定你的分析无误吗？"

"鲍勃，我真的很感谢你的经验，但是我认为他会做得很好的。劳埃德很有激情，绝顶聪明，凡事还喜欢刨根问底，所以我有信心。"

温克尔曼不知道的是布兰克费恩偶尔会去赌场玩两把，他被扑克游戏深深吸引，还经常赢钱。布兰克费恩决心尽其所能地学习，整天同交易员和经济学家混在一起。就像温克尔曼所建议的，他用小的交易头寸来练习发展他对时间的把握和对市场的感觉，在工作中学习、学习，再学习。

"幸运的是，全球商品业务的规模迅猛增长，而在一个增长的态势下作战略上的改变要更容易些。"温克尔曼回忆道。不仅是规模，包括商品的性质都在改变，因为衍生品正在替代实物交易，而且还有成千上万的新参与者进入市场。

"我们应该做石油。"在注意到辉博在原油和石油期货上的规模后，鲍勃·鲁宾在20世纪80年代的一个早晨如此宣布。70年代外汇交易中发生的变化也同样正在石油交易中发生，长期的固定利率合同被市场用期权和期货取代。"辉博是石油交易大户，所以我们去那里找找优秀的人才。"但是在面试过辉博的几个石油交易员之后，鲁宾发现他们永远不可能适合在高盛工作，于是决定集中招聘在大型非金融公司工作的交易员，并聘用了在嘉吉（Cargill）欧洲分支工作的首席石油产品交易员约翰·德鲁里。虽然由于不能适应高盛的文化而且很快就被解雇，在离任之前，德鲁里还是建立了一个有效率的组织，聘用了一些很好的员工，还把其他人从日渐衰退的金属业务带到石油交易中来。

石油不像小麦或黄金，它不是完全可代替的，所以它不能以同样的方式进行交易或交换。石油交易是交易密集型的，因为每一份期货合同都是一长串交易中的一个具体环节，涉及每一艘具体油轮所装载的油。每一份合同都是特殊的，而且必须一步一步地通过整个交易链来完成或者实现。"我们在1983~1984年间进入石油交易，遇到了所有你可以想象的市场开拓和经营困难，"温克尔曼回忆道，"但是那一年我们的表现要好于往年，没有再损失一个600万美元，反而挣到了1 800万美元的利润。我真的感到非常骄傲，对石油业务的将来充满信心，并对我们采取的方式感觉良好。但是我做合伙人刚刚第二年，所以在准备12月的合伙人年度规划会议时，我向鲍勃·鲁宾寻求帮助，而他表达了对这项业务的期望和在未来一两年内的展望。"

在国际货币市场上，货币期权交易才刚刚开始。凭借早期对股票期权市场的理解，鲁宾迫切需要发展新的货币期权工具并在其中开拓市场。他知道虽然"早期"的规模不大，但利润将是巨大的，而将高盛树立成为做市商的最佳时机还为时尚早。货币期权交易对于大型商业银行而言仍然太小了，而且他们既没有参与股票期权也没有相关的业务经验，因此他们退避三舍。而1984年，温克尔曼领导下的杰润在这个利基业务里挣到了1 000万美元，1985年又挣到了2 000万美元。温克尔曼并不满足。虽然可以在1985年签署的广场协议（由5个发达工业国家达成的协议，目的是为了阻止美元对于日元和德国马克的持续升值）上做交易赚到600万美元，而温克尔曼却认为应该赚到6 000万美元。金属交易的商业模式也正在发生巨大的变化，但是这却无关紧要，因为总体的市场规模在下降，而且正如温克尔曼所说，"在一个濒死的业务中赚大钱是很难的"。

"更换了管理层90%的人员之后，杰润和我们当初收购的业务迥然不同了，"一名仍持怀疑态度的人士说，"高盛的合伙人不会说这次收购本身是桩好买卖。"

怀特黑德却持不同的观点："不收购杰润，我们永远不会冒险进入任何高赢利的业务，而且商品业务的全球性为公司的国际化作出了重大贡献。"
其他人甚至还说这是公司有史以来所做的最佳收购，这部分是因为利润，部
分是因为这些人成了公司领导者，还有部分是因为全公司上下对自营业务以
及对在温克尔曼、鲁宾和布兰克费恩领导下培育的积极进取的交易风格的关
注。随着养老基金扩大了在国际股票和债券的投资，并成为货币的主要买家
和卖家，随着汇率的重大变化扭曲了货币市场，随着油价和交易量飞速增长，
随着商品达到创纪录的价格和交易量，每一个动向和趋势都为杰润和高盛带
来了赚取大笔利润的好运气。

劳埃德·布兰克费恩开始相信，随着传统代理业务的赢利能力逐渐消
失，首先在杰润内部产生的与承担风险的业务息息相关的商业DNA变得对高
盛也同样重要，因为它将自己重新塑造成了一个创造利润并承担风险的全球
金融中介。

16

收购防御：一条魔毯

"**尽**快给我打个电话，不管多晚，鲍勃·赫斯特。" 1974年，在史蒂夫·弗里德曼吃完一顿很长的晚饭回到公寓时，他收到了留言并给刚刚加入公司的赫斯特打了电话。"史蒂夫，机会在敲门了，就看我们的行动够不够快了。我在美林工作的时候，费城的电子蓄电池公司（Electric Storage Battery Corporation，ESB）是我的客户，我对他们的人和业务都很了解。他们可能要被国际镍业公司恶意收购。另外摩根士丹利正在给国际镍业提供咨询！"

"他们在寻求帮助吗？"

"没有，没人给我们打电话。他们可能还不知道，但是电子蓄电池公司是真有麻烦了，他们需要帮助，那就让我们帮他们吧。我在两周以前还给他们的CEO打过电话，我很直接地警告他说，相对流动资产来说，他们的股票价格这么低，要不是在美国而是在英国的话，他们早就被恶意收购了。史蒂夫，我觉得我们明天一早第一件事情就是去电子蓄电池公司的办公室给他们提供帮助。这样，我们就是第一个提出帮助的人了。也许他们现在还没有意识到，但是他们真的需要我们。而且他们很快会意识到他们的需要。你可以和我一起去吗？"

"明天第一趟去费城的火车是几点？"

弗里德曼和赫斯特上了第一班火车，他们在费城与电子蓄电池公司工作了一整个星期。他们在试图找到最好的方案。弗里德曼说："我们没法保护电子蓄电池公司的独立性，但是我们能够而且最后确实帮助他们找到了白衣骑士，使他们获得了更高的售价和友好的合并。"

如果现在回头看，很多要素组合起来构成一个新业务，似乎是很容易理解的。而且当各个部分确实凑到一起，这种组合很可能被看做是运气。不过，具有企业家进取心态的人会将多种因素组合在一起赢得竞争优势，这成为他们的一种习惯性的思维方式。收购防御业务——作为高盛投行业务战略发展的主要载体——它的出现融合了如下几个因素：怀特黑德的投行服务机构因为拥有咄咄逼人的庞大销售队伍而能够全面运作，这个销售队伍经验丰富而且渴望为它的新老客户提供产品和服务；同时，大型企业并购其他企业的现象不断升温，而且已经成为全国资本市场的主要力量；机构投资者随时准备参与涉及大量股份的诱人的并购交易；套利交易商越来越活跃，交易量逐渐增大并成为市场的强大参与者；高盛在并购业务方面树立了卓越的信誉，其合伙人科宾·戴、史蒂夫·弗里德曼和吉奥夫·伯西作出了很大的贡献；高盛在华尔街建立起其为管理层服务的技巧、经验和信誉，这归功于高盛长期执行不为恶意收购方提供咨询服务的政策。

怀特黑德解释说："高盛不支持恶意收购方的政策，其实出于一个简单的立场，那就是在很多情形下，恶意收购不可行。恶意收购的行为会分化被收购公司的管理层：很多人非常不高兴而且还可能辞职。而那些留在公司的人会有非常不快的经历，这非常有害。这一般都是以一场不太受欢迎的会议开始。目标公司的股价大跌，一般都低于账面价值，收购方会召开一个会议并表示合并对双方的每个人都有利，然后提出实现协作机遇和提高利润的程序。但是，无须怀疑的是所有这些行动和主意都不合目标公司管理层的意愿，所以他们会拒绝合并，会议也就不欢而散。"

但是好景不长。正如怀特黑德所回忆的，"就在第二天，很明显是事前准备好的攻击启动了，与前一天友好合作的断言形成极大反差，所有的报纸都大肆报道现任管理层能力不足、战略失误而且持续犯错，收购方表示愿意出超过当前市价20%的股价以拯救股东。人们公开或私底下断言现任管理层的能力明显不足。然后目标公司的管理层使用相同的或者更为不友好的语调——战斗开始了，而且随着时间的推移情况越来越严重。如果目标公司抵抗，收购方会制造压力，通常是强烈而公开地轻视现任管理层及其过往的业绩。刻薄的话很容易出口。很多话都是在压力之下说出来的，非常尖酸和伤人，而且很难被人遗忘。"

在这一切发生之后，双方管理层能够密切配合的可能性有多大？怀特黑德回答道："不太大。所以，大部分恶意收购最后都以失败告终。收购行为常常带来严重的伤害。所以我们决定不参与恶意收购业务，这部分是出于业务道德考虑，但是主要还是基于商业判断。多年以来，作为一个企业，我们赢得了可以被信任、不会被人收买、更注重道德和判断力等声誉。所以很多公司逐渐主动来找我们，向我们寻求咨询和帮助。很多公司还聘请高盛提供如何防止或者至少是极大削弱恶意收购企图的各种咨询服务。总的来说，情况确实很好：高盛商业上很成功，而且我们作为一个好的商业伙伴声名远播。"无论客户是否遭到恶意收购，高盛每年都足额收到顾问费。对于巨型公司来说，如果被恶意收购的可能性极小，每年的顾问费非常低，这又是个新问题而且非常重要，签约就像回答"为什么不"一样简单。弗雷德·韦因茨回忆道："这项业务非常切合我们的公司形象以及一直与客户保持统一战线的愿望，而且也非常切合公司长期作为卖方代表的历史——帮助那些准备出售公司的所有者决定是上市还是与一家更大的公司合并。"弗里德曼总结道："它慢慢成为一项运作良好的业务。"

但是，一开始可不是这样的，这项业务甚至连名字都不明确。弗里德曼到现在还比较喜欢的是更明确和生动的称呼——恶意收购防御，但是其他人喜欢"收购防御"，而怀特黑德，这个曾经的国会议员，决定使用更为柔和文雅的说法：收购防御。一开始，弗里德曼争论说公司可以为双方工作，但是被怀特黑德否定了。有些人一开始担心机制可能会相当复杂而且情况发展太快，而投行服务部没有人愿意由于无法完全理解其中的复杂性而感到尴尬。但是投行服务部的人们还是很愿意做这样的买卖。虽然费用很低，但整个业务在一开始时就非常清楚。每个目标客户都欢迎这样的帮助，许多公司都害怕成为下一个被恶意收购的对象。

公司不参与恶意收购的政策与重视不断发展"卖方独家代理"的业务保持一致，这项业务由怀特黑德开创并发扬光大。作为一项非竞争性的收费业务，该业务一旦成功，收费金额非常可观。这也是它能够超越传统经纪业务的原因——它属于非常体面的业务，更能为公司带来丰厚的利润。卖方代理业务特别适合高盛，因为高盛有广泛的关系，这些关系由投行服务部的业务拓展人员在中小型企业中广泛建立起来。这些企业通常为私人所有，或者由一个大股东管理。一旦一家公司的继承人问题或者商业战略问题使公司陷入严峻的困境，所有者希望通过出售来彻底了断就一点也不稀奇了。高盛建立了一个很好的名声，就是能为客户赢得比想象中更高的价格——这样投行服务部就有了更多的潜在客户。所以当因联邦反垄断法发生变化而带来机会时，高盛就具备了不同寻常的优势。对于华尔街来说，并购的咨询业务能够赚大钱始于一个特定的年份——1981年。当时斯坦福法学院的教授威廉·巴克斯特告诉里根总统的招聘团队："除非我能够改变当前反垄断政策的框架，不然我不会同意接受助理总法律顾问的职位。"他的建议被采纳了。6个月之后，他推出了全新的关于如何定义市场和市场垄断地位的指南——该指南对于合并的接纳程度很高。在这之后，在一个接一个的行业中，如果一家公司试图进行收购而反垄断部门并未否定或干涉，另一家公司就会进行另一桩收购。很快，看起来好像每个人都开始进行兼并和收购。这使得华尔街获得了并购咨询的巨额费用——接下来，华尔街主动建议一个又一个行业进行扩张性并购。

在美国国内没机会为几家最大的公司提供服务一直让西德尼·温伯格耿耿于怀，因为他的策略一直是将高盛打造成为具有领先地位的投行，那实际上意味着要服务那些最大的和具有领先地位的公司。但是摩根士丹利、第一波士顿、迪伦·里德和雷曼兄弟对于大部分蓝筹公司的投行地位几乎是不可撼动的，所以高盛只好与中小型公司来往，而大多数这些公司往往更像是被收购的目标。但是现在，由于防御收购业务的兴起，以前一直被认为是问题的事情一下子变成了机会。由于高盛的客户更多的是那些需要防御服务的目标公司。它们大多数都太小，无法进行恶意收购，因此高盛在提供咨询时就更不容易像其他公司一样面临利益冲突的问题。高盛可以转化它的竞争性弱点为优势，从而决定大力推进防御恶意收购业务。

早在鲍勃·赫斯特留下"尽快给我电话"的留言前几个月，一个令人惊奇的事件发生了。一家与高盛关系密切的公司——兰生打火机公司（Ronson）突然成为一家欧洲大型企业恶意收购的对象。对于兰生公司、对于美国以及对于高盛，这都是前所未有的。在他们仓促地寻找可以击败欧洲捕食者的白衣骑士的时候，可以联络的一个公司就是电子蓄电池。赫斯特回忆道："我在高盛打的第一个电话就是给电子蓄电池。它是我在美林的老客户，是一家沉睡的中型企业，但是有几样好产品，其中包括雷威特和金霸王，它当时的股价低于净流动资产价值。当时我给电子蓄电池公司打电话的时候是想看看他们对于收购兰生是否感兴趣，但是在去他们那里的时候，我对执行总裁弗雷德·波特提出警告说，由于他们公司股价太低，也很容易成为被收购的目标。"

三个月之后，一个周四，国际镍业这家在加拿大广受尊重而且信用评级良好的公司通过摩根士丹利向电子蓄电池公司提出收购要约。这是在美国第一次由一家大型"蓝血"投行提供并购咨询的恶意并购。由于是通过摩根士丹利进行操作，而提出并购的公司在业界知名度又很高，原先被人们遵循的信誉卓著投行家坚决不做恶意收购业务的规则被打破。一旦摩根士丹利能够并且开始进行恶意收购，那么所有关于反对恶意收购的假设都烟消云散，枷锁也被打破。从那时起，任何投行家都可以为任何企业客户提供恶意收购咨询，没有惩罚的话，任何人都会做恶意收购业务。

在70年代中期，法律规定一项现金收购要约须由目标公司的董事会在8天之内决定是否接受。这导致时间紧迫性成为收购方和目标公司之间最重要的考量因素。尽管法律会被改变，但是在1974年的时候，时间压力的确很大，特别是对于毫无准备的一方——这就是人们把现金要约称为"周六晚特殊事件"的原因。

"电子蓄电池公司根本毫无准备，我自己也是。"赫斯特回忆道。

"我当时正在马萨诸塞州科德角的小村子里度假，那里既没有电也没有电话。周四，我决定走到镇上寄封信并给办公室打个电话，我穿着短裤赤着脚就去了。到了那天晚上，我就在曼哈顿等着史蒂夫给我回电话。"第二天一早，赫斯特就和弗里德曼去了费城。他们与电子蓄电池公司的人一起密议如何阻止英可公司（Inco）的收购。弗里德曼回忆道："阻止英可就意味着阻止摩根士丹利的鲍勃·格林海尔和世达律所的乔·弗洛姆，他俩都是业界最聪明的人。我们不知道该怎么做，但是我们仍然不断地探索和改进。我们很坚定，也很聪明。我们和电子蓄电池公司感到幸运的是，和我们一样，其他人同样也不知所措，所以当时该怎么做并无定式。"

英可最开始的出价是每股27美元。联合技术——当时叫联合飞机——被高盛引进作为白衣骑士，最后一桩交易终于成功。英可胜出，但支付了41美元，比当初"慷慨的"出价高出超过50%。正如弗里德曼说的，"我们可能'已经输了'，尽管具有讽刺意味的是，到后来这项并购交易对英可毫无意义，但是我们的客户在价格上大胜，而我们在这项业务上的服务则受到媒体的广泛关注，还有可观的费用收入。市场上所有的聪明人都知道：在你碰到难题的时候有高盛这样一个优秀的公司可以帮忙。"

几周之后，休斯敦的阿帕奇石油公司面临恶意收购。弗里德曼给他们打电话问："我能帮忙吗？""我们不需要帮忙，谢谢。我们自己可以办。"一天之后他再打电话："需要帮忙吗？""不用了，谢谢。"再等一天他再打。在被告知"不用，谢谢"20次之后，回答变为"好吧，过来吧"。

弗里德曼、怀特黑德和合伙人吉姆·戈特都感受到一种新模式在出现，同时也很可能是一种新业务在诞生发展。山加莫（Sangamo）电子是高盛早期的收购防御业务的客户。吉姆·戈特的近邻阿瑟·海兰德是山加莫主要所有者（也是总裁）的女婿——这是获得业务的最好组合。有一天，当海兰德从他的飞机出来时，一个恶意收购者向他递交了收购的"要约"。海兰德就给戈特打了个电话解释当时的情形，并说："我们有大麻烦了，我们怎么办？"戈特非常自信地立即回答道："有办法。"多年以后，戈特回忆说："他很快就了解高盛作为防御方顾问的角色，我们也准备好了提供帮助。这一切非常完美。"

弗里德曼飞到芝加哥的奥黑尔机场，然后驱车去戈特家。两人坐在游泳池边商量哪些是真正的业务机会，高盛应该如何利用它们。公司能开发出重要而利润丰厚的业务吗？怎样做才是最好的呢？弗里德曼回忆道："我们很快认识到，从战略上我们正在看到这场重大转型之中的知更鸟。游戏和规则都在被改变，可能永远被改变。我们知道会有大量的恶意收购发生——可能越来越多。所以我们知道，我们必须以一种重要的方式参与进去。"

两人开始勾画业务设想并考虑：如果一个公司在华尔街不认识人，该公司的管理层在周五晚上接到恶意收购方的电话，他们会给谁打电话呢？如果他们让他们的银行家和律师提供建议，这些人会推荐谁呢？戈特和弗里德曼想：如果别人认为我们站在天使这边，那么他们的电话都会打给我们。怀特黑德后来说："被威胁的公司的律师肯定会鼓励公司管理层说：'为什么不请高盛？他们值得信任。'所以我们获得不少明确的意向，经常是来自我们并不太熟悉的公司。收购防御业务的确符合公司'不与管理层冲突'的整体定位以及高盛主要服务于经常成为被收购对象的小型公司的定位。收购防御业务最后成为高盛非常好的业务。我们证明了自己是值得信任和进行业务往来的公司。"

一天深夜，弗里德曼和伯西正在弗洛姆的世达律所参加一个会谈，这时一个律师举着第二天《纽约时报》的小样进来让弗洛姆看他们代理客户收购罗切斯特的加洛克纸业公司（Garlock Paper）的整版报道。就在律师们兴奋地讨论交易的时候，弗里德曼悄悄地对伯西耳语，让他给投行服务部负责加洛克纸业的人打电话："让他给加洛克纸业打电话说两件事：他们明天会遭遇恶意收购和我们已经准备好帮忙了。"

吉奥夫·伯西回忆了公司是如何继续争取主动的。从那时起，他说："晚上10点，我们跳上出租车沿百老汇大街往内森餐厅①奔去——不过不是去吃

---

① 内森餐厅，美国著名的热狗餐厅。——译者注

热狗，而是为了拿到第二天的《纽约时报》，因为我们从隔壁的报摊听说那是每天最早出售《纽约时报》的地方，我们能很快看到那条要约收购的报道。然后我们给我们投行服务部的同事、我们认识的公司的董事和CEO打电话。我还记得给休斯敦的海德鲁金属公司的CEO打电话说我们明天一早会到他们公司协助抵御恶意收购时，他目瞪口呆。我们之前从来没有和他联系过。他根本不知道危险的存在，我们给他打电话时他才知道处境危险。尽管他根本不认识我们，但是第二天当我们到休斯敦时他们已经把我们当成久违的好朋友了。在类似的恶意收购防御项目中，我们只要带上一个秘书和一个业务员就开始跟我们的新客户一起工作。"

1974年，利率升至历史高位而股价则大跌，所以高盛服务的那些中型企业非常容易遭到恶意收购的攻击。随着反垄断局对于并购采取非常宽松的政策，很多公众公司根本没有做好应对恶意收购的准备。"他们甚至都没有看过他们自己的章程，"弗里德曼说道，"他们不太清楚特拉华和纽约并购法规以及法院判例的区别，那边是没有毒丸条款的。好多公司甚至在成了被收购目标后对于如何防御还毫无概念。"对于弗里德曼来说，"那些虎视眈眈的猎食性公司就像狐狸冲进了鸡群。"

这样的情况对高盛也很有利。当恶意收购战斗打响时，董事们基本上都不知道该怎么办，所以他们会求助律师，而且很快就发现他们当地的律师也不知道该怎么办，只是抓狂地四处求援。弗里德曼回忆道："我们将能想到的所有行动计划组织起来并邀请两名律师——乔·弗洛姆和马蒂·利普顿到美国各地与一个接一个公司的董事会见面，解释当前发生的一切。"

在电子储蓄电池公司的项目之后，恶意收购由罕见变为常见。收购可能随时由投行专家提议、机构投资者加速推进并最后由套利者决定。高盛与这三个集团都保持着密切联系而且对于他们各自的动机和能力都一清二楚。高盛的非恶意收购政策更是将公司定位为身穿耀眼铠甲的武士，保护被吓坏了的目标公司不受恶意侵略者的突然袭击。

"直到20世纪70年代我们开发收购防御业务之前，我们都招聘不到杰出的人才，也无法吸引顶尖的专业人士，而在那之后我们的收购防御部门由死水一潭变为投行服务部屈指可数的利润贡献部门。"弗里德曼回忆道，"但是在内部我们仍然碰到很大的阻力。投行服务部的人几年前才克服了很多'对于新业务的抵触情绪'，在帮我们拓展收购防御业务时会反对说：'你怎么可能指望我去吓唬我的客户说他们可能被收购而他本人可能丢掉饭碗？'我们希望设计一个收费结构以保证我们没有动力出卖公司，所以我们设计出了以下三种情形下的获胜途径：第一，如果打退了进攻者，我们就胜利了；第二，我们可以让进攻者支付更高的价款；最后，我们也可以通过将公司出售给第三方，即白衣骑士而获得胜利。当然，我们有时候也弱化收购防御业务，更加注重套利交易业务。"高盛的套利交易业务由鲍勃·鲁宾领军，该部门常常能够在恶意收购的发展趋势方面提供重要的市场信息。

高盛武器库中一个重要部分就是其技巧和大胆的条款商谈战略，特别是在价格上。弗里德曼在并购谈判方面非常高效，而且总是能够将客户利益最大化，特别是当客户特别谨慎时。芝加哥的LaSalle银行决定进行出售而且内部已经就"数字"，也就是股价达成了一致。荷兰的ABN阿莫科银行（ABN-Amco）有意购买一家美国银行并且与LaSalle就条款进行谈判，除了价钱，其他都已经谈定。

荷兰人带着不错的价钱来：每股32美元，比LaSalle管理层的"数字"高出两美元。管理层很高兴，正准备点头同意，但是弗里德曼却说："不，还可以再高点的。""但是32美元已经超过我们的目标价了，别再冒险了。"戈特回忆当时的情形："史蒂夫确实很酷，他说：'肯定还能更高的。'当然，经过最后与荷兰人的磋商，目的达到了。史蒂夫让公司管理层拿到了更多钱。"

恶意收购开始时，如果高盛还没有进入该项目，那么它就需要根据高盛的赢利能力决定是关注套利机会还是扮演防御顾问，即帮助管理层监管潜在收购的进程，了解如何应对恶意出价，并向目标公司推荐并购法律顾问世达或沃切尔-利普顿律所（Wachtell Lipton）。这种推荐当然没有被这两家律所所忽略，所以他们也不断在他们的专业服务过程中向客户推荐高盛提供投行服务。高盛很快就顾客盈门。

高盛给董事会进行收购防御业务的演讲自然获得他们的青睐。事实上，担忧将被收购的公司数量大大超过最后实际被收购的公司数量。因此高盛投行服务部的"起码可以听听我们专家的讲解"的口号迅速广为流传。聘用高盛开展这项服务非常容易，因为新客户每年的服务费低至4万~8万美元。"我们决定只收取名义顾问年费。"怀特黑德回忆道，"我们开始是考虑2.5万~5万美元，但是又觉得我们可以拿到5万美元，所以最后我们定了4万美元。律所也收那么多。一开始我们有了50个公司客户，算是有点小生意了。"这项业务不需要资本金而且不太占用资深银行家的时间。在有了200多个客户、年利润超过1 000万美元以后，该业务的利润率算是很高的。

大多数公司的大多数董事对于在大型并购中能够采取的行动及其复杂性知之甚少，甚至毫无概念。这听起来对于高盛来说是个坏消息，因为这意味着向客户解释这种服务将需要一段痛苦时期。但实际上这是一个好消息，因为高盛可以利用每次机会展示其专家的风范。由于恶意收购对于公司的管理层和董事的工作来说是生死攸关的，高盛给他们解释说，收购方往往会出售目标企业不太赢利的业务融资来支付收购需要的大部分资金，因此公司拥有一些无法产生足够收益的资产是非常危险的，这时管理层往往都非常注意高盛的解释。有几位富有进取心的CEO被高盛改变想法，邀请高盛的人员去作讲解。他们有一个特别的原因邀请高盛：他们意识到可以利用收购带来的威胁在公司内部强行推进结构性改革。

"当公司高管把我们介绍给公司董事会时，马蒂·利普顿或者乔·弗洛姆总会和我们一起去。"弗里德曼回忆道，"这样很好。这个时候我们就是专家，也是公司生死攸关的时候。所以我们处于理想的地位：在关键事件上被看做专家。很明确，我们是站在公司那一边的，而且我们和每个公司所有关键的人交谈。这自动给了我们今后承接该公司投行业务和与该公司建立长期深厚业务关系的机会。对于投行人员来说，这样的机会再好不过了。"

高盛不光赚取收购防御顾问年费，它还从为新客户执行特定的交易行动中获取收入，因为最好的防御必须要抢占先机，即采取一些恶意收购方在获得控制权后会采取的措施，例如出售无关或不需要的业务，但是这必须在恶意收购者第一次出价前进行。如果该部门的价值不能反映在公司的整体市场价值中，而且恶意收购者还很有可能通过出售该部门获取并购所需的资金，那还等什么？现在就把那个部门卖了。被剥离的业务往往是前任管理层特定或者与公司战略无关的收购结果，因此出售并不痛苦。当然，对于每个卖家来说，都会有一个买家，所以从这些"清扫甲板"的剥离业务中，高盛可以赚到不止一种而是两种的费用，而且这常常会带来其他新客户的业务机会。并购业务很快就由偶然性业务变成投行的主要业务和关键业务。吉奥夫·伯西回忆道："我们投行业务的总收入几乎涨了1 000倍，从300万美元涨到差不多20亿美元。"

在接下来的几年里，高盛在开发新业务关系上取得了决定性的竞争优势。由于高盛拒绝接受恶意收购的业务，而他的主要竞争对手都已经投身到那项高利润的业务中，高盛将自己定位为公司和管理层可信的朋友，并且与越来越多的美国最大的和声望最高的公司建立了投行业务联系。

就在它的竞争对手分享各自的恶意收购大餐时，高盛在恶意收购防御业务上独领风骚，开发了可以维持多年的高收费业务，并且将公司地位提升至投行的领军者。而这还没有完。

在高盛内部，恶意收购防御业务带来了另一项变革。为了给公司客户组织和开发出合适的防御策略，高盛的反收购专家是从多达七八个部门抽调出来的，他们之前多是在不同的部门工作：套利、股权研究、机构销售、商业票据、大宗交易、债券以及私人客户服务。这样深入的跨部门业务合作对公司也是新生事物。过去，每个部门都自行经营各自的业务，只是向管理委员汇报业务结果，如何经营业务完全是各部门自己的事情。现在，由于反收购业务要求各部门之间的合作，高盛内部第一次提出了独立的部门之间要有合作的要求。弗里德曼说道："在那之前，公司内部的跨部门合作仅仅停留在思想层面，而不是实际操作层面。在我们为获得认可和竞争优势地位奋斗的时候，我们也建立了非常良好的内部合作精神，以并购为中心发散到公司的各个角落。我们寻求帮助，并且坚持要得到大家的帮助，我们也奖励公司帮助我们树立市场霸主地位的各个部门。反收购业务是一项时间压力很大的业务，要求我们配合默契，同时也要共同分享成果，这样才能赢得更多的业务，也能获得更好的赢利，这是非常令人兴奋和有趣的工作。我们认识到我们可以成为，而且我们也坚定地要成为比其他公司更专业、经验更丰富和更有效的公司。如果别人做得好，那么我们就要求自己做得更好、更快、更富有创造性和更具打击力。就像格斯·利维想获得所有大宗交易业务一样，我们希望参与并获得所有并购业务。"

反收购业务对于高盛来说的确来得正是时候。公司正准备将其面向中型公司业务的商业票据和卖方代理业务进行拓展和升级；投行部门工作效率很高，但是需要更多产品满足其胃口；套利和大宗交易蒸蒸日上，研究力量正在增长；如果公司没有采取大胆而又明智的行动，它可能已经眼看着众多中小型客户一个一个地慢慢消失。但是如果它确实采取了大胆而明智的行动，它就能快速扩张并获取大量利润。在高盛将收购技巧和策略整体打包并推出时，反收购成为公司投行业务中的魔毯——它使得高盛最终超越摩根士丹利、第一波士顿和雷曼兄弟。竞争能力方面的上升，一部分归功于怀特黑德的投行服务部的效率，一部分要归功于得力的招聘，一部分归功于高盛对于团队合作的重视，一部分归功于高盛对于企业家创新精神的支持，还有一部分因为很多公司出于各种原因害怕遭到恶意收购。

在一个又一个项目上的运作使得高盛的反收购业务增长很快，因为高盛能够获得各个最新项目的具体细节从而建立起权威。在某个行业完成最大的并购案并且能够列举失败者的各种手段以及优劣，使得高盛在同行业争取到新业务的机会大大增加。如果在同一个行业获得三次业务机会，那么机会几乎不可阻挡。弗里德曼回忆道："在争取客户时，我们也学会了千万别出丑——例如向一家林业公司询问什么叫做'森林勘察'（一种检测一定区域林木的储蓄量的方法）或者不了解石油行业的行话或者提一些极其愚蠢的问题。有一次我就在新奥尔良的安东尼餐厅这么干过。当我们出来的时候，一只鸽子正好在我头上拉了泡屎。这多具有象征意义啊。"

17
善用与滥用

究业务正式发端于20世纪50年代，不过后来格斯·利维为其重新指出了方向。当时，一个人偶尔为销售人员和一些客户提供他搜集在一个黑色小本里的关于西德尼·温伯格任董事的那些公司的重要财务数据。耐特·波文的小黑本从不给任何人看，但是在为那三十几家由他小心追踪的公司的当前发展提供"指导"之前，他会重新核对事实。对于波文来说，获得那些公司的事实情况非常重要。作为西德尼·温伯格的助手，他需要收集温伯格担任董事的公司信息，以便随时在温伯格参加众多董事会前能够给"董事先生"就公司的财务和运营细节提供简单报告。波文的简单报告对于温伯格在其任职的公司中获得最了解公司的董事的名声至关重要。

对于波文重视的销售人员，他愿意回答他们的问题并愿意偶尔与他们谨慎的客户们见面。当然，要是波文现在这么做可能会受到"内部人信息"规定的限制，但是在50年代，能做和不能做的界限还不清楚。合伙人门舍尔回忆道："耐特·波文对我们的帮助很大。我们经常安排耐特和重要客户共进午餐。带着他的小黑本，耐特能够随时查找他搜集的数据，并能够指出一家公司的运营状况。耐特有所有的事实和数据，客户们都知道。即使他几乎什么都不说，他也知道他的同事和客户对他的看法心存感激。"

在50年代后期，统计人员和销售之间的联系开始受到管制，由于已经闭市而无法进行真实交易，统计员乔治·鲍耶尔每天在股票市场闭市后与销售人员讨论公司和股票信息。高盛在承销或研究方面几乎毫无建树，而销售人员在接触机构客户时仍然需要一个很好的切入点。深度研究给了高盛的分析师和销售接触能够作决策的机构分析师或投资经理的机会，这样就能提前获取他们买卖股票的消息以帮助高盛提升交易份额。有交易才有利润。

作为特定业务，研究在60年代的高盛和华尔街缓慢地发展着。证券统计员，现在也叫分析师，当时还都带着绿色的长檐儿帽，依靠直尺工作。他们被雇用来为投行和套利业务提供数据。在60年代早期，当一系列精品研究机构为了急速扩张的证券经纪交易而成立的时候，鲍勃·丹佛斯同意设立为机构投资者提供研究的部门，但其首要目的是为高盛合伙人的个人账户发掘具有吸引力的投资机会。门舍尔回忆道："公司只有6~8个人进行研究工作。"

"丹佛斯负责纸业，尼克·佩蒂洛负责铁路业，罗·维斯顿负责金融业。我们每个月出4页报告：1页铁路，1页工业，1页公用事业，还有1页是金融。"由于丹佛斯更愿意关注他的个人投资而合伙人们更希望为机构投资者提供服务，因此他就负责研究处于上升阶段的小型公司的股票。

尽管股票升值的潜力非常大，高盛最赚钱的业务反而不在股票投资上。高盛最大和增长最快的业务是格斯·利维的代客买卖股票业务。高盛利用其资本金发展大规模高利润的股票经纪业务所获得的利润大大超过了其作为被动投资者在资本市场投资股票所获得的收益。（就像在金矿上赚钱最多的不是矿主而可能是毛毯、食品饮料或者采掘工具的供应商。）

1967年，数学和计算机天才莱斯利·佩克被聘请来负责开发专门用于预测公司赢利的数学模型。佩克曾任全球第一家管理咨询和技术咨询公司——理特咨询公司（Arthar D. Little）营运研究部的负责人，曾在洛斯·阿拉莫斯国家实验室工作过，他还在普林斯顿大学高等研究院工作过。他后来证明当时在华尔街盛行的"技术"分析法一文不值。但是他发现开发模型非常复杂就放弃了这方面的努力。不过佩克还是开发出了一套预测公用事业股价的模型，这套模型的运作是基于一些标准的财务数据，比如对增长趋势的预测、股票的股息收入以及其他公用事业股票信息等。他的模型运行的关键是因为这不是火箭科学而是社会科学。在当时，这些缓慢发展的行业中的新信息可能需要两到三年才能反映到其股价上，但是变化的方向和对于变化的估计很容易预测，因为随时间的推移，投资者对于50多种处于相对严格管制之下的公用事业公司的股票股价的预测最终是趋同的。

最有效的研究可能是由鲁迪·斯坦尼什完成的，他是高盛餐厅的员工，是制作法式卷饼的厨师。在为客人制作卷饼时，他听着来自顶级机构那些聪明而又辛勤劳动的分析师和投资经理谈论的股票名字。在排队等待斯坦尼什完成他们喜爱的卷饼和蛋卷的时候，这些来自顶尖机构的投资专家为了给他们的同行们留下深刻印象，一个劲儿地互相介绍自己喜欢的股票。如果你30年来每天平均制作100个法式卷饼和蛋卷，同时还听着全美国最优秀的投资者的言论，买卖认同比例最高的股票，还能听到合伙人在经过他们身边时给忠实客户提出的建议，你也有可能累积上千万美元的财富——制作法式卷饼和蛋卷只是副业罢了。

为了回应大宗交易客户于70年代初持续提出的要求，格斯·利维要求全公司将对于"中小型"股票的关注转向国内最大型的企业。这些企业是主要机构投资者的投资和交易的目标所在，而高盛在那些方面研究能力与其领导地位极不相称。和以前一样，利维迫不及待地想看到结果。

在选择研究部如何涵盖大企业的战略时，合伙人分成了两派。一部分人希望购买小型研究机构，而另一部分则希望直接从其他公司的研究部挖人。不过两派都认为一次性雇用整个团队耗时太长。有人说逐个聘请分析师更符合高盛的文化和组织结构，公司可以创建全明星的研究团队，并避免合并后通常出现的"你"或"我"的痛苦冲突。他们指出，券商就是"部落式"的机构，而大多数合并都要经过"你死我活"的斗争，直到一方文化或部落最终获得优势地位，内耗很大。高盛决定聘请符合公司文化的单个分析师并集中精力雇用能够在特定行业建立"机构专业声誉"的年轻分析师。一旦核心团队建立起来，就能适用高盛特色的"自我发展"的政策。

现在看来，即使在70年代早期，证券业务也面临很大的压力，研究力量的战略性建立恰逢其时。在研究上覆盖大盘股保护了利维的宝藏，而且研究还在投行服务部重新关注大型公司时发挥了重要作用。公司在70年代稳定增长的赢利能力，特别是投行业务上的赢利使得公司能支撑起庞大的研究部门。怀特黑德说道："这是计划好了的。华尔街还搞不清楚状况，而其他公司还在试图省钱的时候，我们看到了优化研究部门的机会。很快，研究部的费用就达到了每年600万美元，但是我们不断告诉自己，到时候客户会想办法帮我们支付这笔花销的。"

决定聘用行业分析师并建立公司自己的研究部是一回事，实际操作则是另一回事。分析师都是专业的怀疑论者，而且非常在意他们的职业生涯。很快公司就发现目标候选人经常会针对公司在机构业务方面的承诺问一些怀疑性的问题，有人直白地问："我为什么要相信你？"他们指出，有些公司在市场好的时候招聘分析师，而在股市大跌、利润空间遭到挤压时首先会裁掉新招的分析师。与经纪代理不同，对于像高盛这种主要进行投行和交易业务的公司来说，这样的顾虑非常强烈。分析师在听到乔治·多蒂讽刺地说如下的话时会更加加重他们的顾虑："研究就像电影院的停车场。你肯定要有一个，但是那又不是你的生意。"

决定要发展华尔街最好的研究部门后，高盛的领导人们给合伙人李·库珀曼最经典的指示：去做就是。库珀曼在比尔·凯利之后成为合伙人，他是一个善于独立思考的人，并且希望打造强大独立的研究部门。

合伙人迈克·阿美利诺回忆道："随着赢利的增加，高盛能够兑现其对于研究部门的承诺，并完成其在日常经营中的所有业务。"每个分析师都被要求创造性地开发能使他们在业界突出的战略——这是灵感和信息的"必要"来源。阿美利诺说："公司会为研究人员提供他们所需的一切。每年，每个分析师都会和管理层会面并制定协议。你需要解释你需要的资源、原因，以及你为公司走向成功之路作出贡献的计划。"

高盛鼓励公司的每一位分析师树立自己的名气和风格，并能够认同由此而造成的形式和内容上的差异，即使这种差异和公司一贯的统一作风不太相符。阿美利诺说："我们告诉我们的分析师：找出你最具有竞争力的优势然后抓住它，把它发展成为最能吸引客户的独一无二的优势。只有你自己才能让你和你的工作区别于他人，找到它，发展它。"

每个分析师都面临和企业家一样的期待和挑战。例如，乔·埃利斯就成功地让自己成为华尔街零售业的领先分析师。埃利斯回忆道："1984年的时候，一开始我们替机构客户访问零售商，现在其他公司也这么做了。那我们就做其他的，例如在我们的零售业年会上会展示我在参观全世界最好的零售商时拍摄的幻灯片。"

合伙人史蒂文·艾因霍恩回忆道："分析师和分析师之间的比较优势不同，但是公司希望有足够的一致性以树立公司在研究方面的整体品牌，这其中有一部分是可见的。所以高盛的研究报告就比较突出了，每份高盛的研究报告都包括三部分：投资结论、原因以及风险。在这样的形式下，读者对于能够看到什么内容具有很强的期待。公司也采取一致的方法对每个行业的驱动因素进行评估和识别。专业的编辑被引进，以提升分析师所写报告内容的明确性和一致性。最基本的是在个人将其单独力量最大化与团队合作之间找到平衡点，这样我们就能集体发展出'比任何单独的分析师力量还强'的业务。可以肯定的一件事就是：我们不愿意分散创造力，也不愿意让进取精神最后成为'空谈'。"

覆盖不同行业的分析师之间的风格和分析手段的差别，被对于宏观和战略方面的"定型"能力所抵消。李·库珀曼和加里·温格洛斯基之所以成为合伙人，都是因为他们在投资策略和经济学方面非常强大而且又被遍布全国的机构投资者所接受。这样的认可来之不易。他们两人在机构投资者圈子里非常耀眼，而这个圈子主要在纽约、哈特福德、波士顿、费城、芝加哥、明尼阿波利斯、丹佛、旧金山、洛杉矶、休斯敦、达拉斯和亚特兰大。他们白天和晚上有一半时间都是在路上，与各个城市的当地销售人员在一个一个会议之间奔走，从很早的早餐开始一直到晚饭，然后搭晚班机飞到另外一个城市开始下一轮新的会议。

由理查德·门舍尔打造的研究销售部门能够高效地应用和推广快速发展的研究产品，从而将高盛树立成为众多机构投资者所需研究服务的最重要提供者，该部门在获取强大的赢利收入的同时还为今后承销业务的成功打下了客户基础。在公司快速建立研究部门的后面还有一股其他的力量，那就是经济性：该部门不需要完全依靠机构经纪业务来消化费用，投行业务就足以消化该费用。库珀曼说道："我们是第一家由投行业务部门为研究部门支付费用的公司。他们支付总成本的50%，因为投行部门的客户经理们很都很慷慨，而且他们都知道在争取客户时他们需要研究部门的优势力量。"

有一个很明显的问题是公司在分析师对一家投行部的大客户持有负面态度时应该如何处理。是要专业性还是"谁出钱谁做主"？一开始，这个问题的答案很明显，乔·埃利斯说："高盛在研究方面是高度专业的。如果你做足了功课并且形成了结论，你的决定是有根据的。比如西尔斯一直是公司非常重要的客户。1974年，对于自己在1972年写过一篇非常正面的报告之后，我意识到西尔斯的管理方法有很大的问题：我对于投资他们的股票感到不安。当时我们并没有出具正式的负面报告，但是每个人都知道我对那家公司感觉不好，他们也知道为什么。即使这样，公司的管理层依然很支持我。"

分析师的职业生涯从掌握一个行业、该行业的主要企业和财务分析开始。如果他能够与机构投资者建立良好的关系，该投资者就会成为顶级的机构分析师，拥有支持团队，而且能够覆盖该行业更多的企业。行业专家自此与投行业务挂上了钩。与资深的企业经理人在项目上合作能够给行业分析师机会展示其对行业和主要竞争对手的了解，同时也给予分析师获取该公司真实业务信息的机会，这对于其专业知识的增长非常有帮助。埃利斯说："我对于年轻分析师的建议永远是：在你研究的专业领域一定要十分投入以成为第一，如果你不是第一，找找原因并总结出如何才能达到第一。"

分析师的工作非常辛苦而且需要诸多技能。就像埃利斯说的，"你在以下几方面都要非常在行：财务分析、对公司的判断、对市场的判断以及与机构投资者和销售团队有效合作的能力以及与公司的管理层和投行人员默契合作的能力。这些工作的确很复杂，要都做好的确很难"。高盛的研究团队不是统一协调发展的，而是由分析师自行发展，埃利斯担心这让高盛失去了更为有效发展的机会。

通过拜访、电话、电子邮件和正式的研究报告，分析师发起、开展并且维系与机构分析师和投资经理的关系，这一切也需要销售人员的支持，他们也给客户打电话、拜访客户并向他们转达从分析师那里获得的最新信息。策划推销分析师的专业能力几乎和分析师与机构投资者建立深厚关系一样重要。

在80年代，研究部有超过700人的队伍，他们中的一半是行业分析师，集中覆盖每个主要国家的60个行业和对每个主要国家、经济体货币和商品进行宏观分析。研究团队人数最多的时候是2000年，达到了900人。曾经担任研究部总监的艾因霍恩说："在我们全球的研究部门中，有一半人在美国，他们差不多贡献了80%的产出。覆盖全球主要市场所有公司所需的分析师数量成为管理学方面的问题，因为协调这么多的人并将他们的能力都一致发挥出来以满足所有客户的需求是非常困难的。"

高盛自己培养分析师的成功使得高盛成为那些希望招聘具有丰富经验的分析师的公司挖人的目标。在90年代，整个行业出现一个重大的问题：最高效的分析师开始转向对冲基金。对冲基金的待遇高不少，将分析师个人从庞大的机构中解脱出来，而且更重要的是不再需要花大量时间出差和应付客户。

90年代中期，高盛的研究预算为1.75亿美元，分析师每年出具3 500份研究报告，覆盖了68个行业的2 000多家公司，以及全球主要的经济体、货币和商品。管理如此庞大的集体绝对是一个挑战。1999年，刚加入高盛不到一个月的分析师J·D·米勒由于抄袭被开除。这件事被一个机构投资者揭露，在那篇18页的报告中，他抄袭了出自投资银行普特南·洛维尔（Putnam Lovell）报告中的文字，甚至那些拼写错的名字都照抄不误。米勒被召进人事部的办公室并被立即解雇："拿上你的衣服走人吧。"

合伙人盖维·戴维斯说："史蒂夫·艾因霍恩是一个极其专业的人。在市场好的时候，投行部希望将经济学用做他们的工具，但是他只同意我们发表真实的东西。自从史蒂夫离开以后，这个规矩变得模糊不清了。现在这是一场残酷的战斗。"

2003年，高盛在一场由美国地区法院的威廉·保林法官主审的案件中，由于违反行业自律组织——美国全国证券交易商协会的规定和纽约证券交易所的规定而被罚款1.1亿美元。事件的核心是高盛和其他公司的分析师在1999~2001年的互联网泡沫时期违背客观的规则，出于为公司争取投行业务的目的在事实上扭曲了他们的推荐。

法院认定公司明知冲突的存在，但是没有建立相关的制度和程序监察和防止这些冲突。大家都指望每个单独的分析师会告诉他们他将如何支持投行业务。分析师被问及他们和哪些投行业务的潜在客户管理层关系密切程度超过公司的投行部，并应该如何利用这些关系加强公司的业务机会。

回顾一下历史，高盛和其他公司好像是注定要一步一步地走到这个错误的地步。70年代中期，投资银行家们知道深度研究覆盖的客户公司对于他们的业务很有帮助。公司希望被顶级分析师覆盖，因为这能够扩大机构投资者对这些公司股份的持有。没有分析师对于这些公司的覆盖，投行部门在拓展深入和有利可图的业务方面会困难重重。由于投行部门需要对于公司的一流研究，那他们自然愿意支付研究部门的费用。

高盛是第一家采取投行支付一半费用的政策的公司。公司的高层很乐意与分析师深入探讨他们研究的行业，并且获得该行业竞争者的信息。而分析师也很愿意与行业领军人物进行交流以测试他们的判断是否正确。这对双方都有好处。在80年代早期，最好的分析师就知道与投行部及其客户就公司融资进行合作，这使他们被银行业的同人和机构投资者视为专家。

投行部支付了研究部的一半费用，很自然他们希望在如何花他们的钱上面有发言权：研究哪些行业和公司，应该聘用哪些分析师以及如何奖励分析师。

80年代后期，顶级分析师的年终奖有时候是以百万美元计的，因为他们在公司的投行业务上起到了决定性的作用。到了90年代，投行部门的人员越来越坚持认为既然超过一半的分析师薪酬由他们支付，那么他们有理由期待分析师给予他们的客户的报告是积极的而不是消极的。

最坏的情形是，向外发的研究报告是极力推荐购买客户公司的股票，而与此同时在公司内部的邮件中却指出那些都是垃圾。由于有检举人的帮助并且能够看到相关邮件，在纽约州总检察长艾略特·斯皮策和证券交易委员会眼里，这些利益冲突都是非常明显的。美国全国证券交易商协会和纽约证券交易所都有反对"进行有违公平的交易"的规定。

2000年上半年，高盛的分析师参与了31宗并购交易，涉及资金560亿美元，为209家公司提供总额为830亿美元的融资，分析师还协助获得了328宗单独业务。分析师的覆盖面在各公司的投标文件中是一个获得投行业务机会的卖点。机遇和动力的结合在分析师走得太远时给公司带来了风险，而有些分析师很快这样做了：根据法庭的调查，分析师2000年最重要的目标是：1.获取更多投行收入；2.获取更多投行收入；3.获取更多投行收入。一个分析师决定不降低某公司的赢利预期很可能仅仅因为该公司就要进行IPO了。分析师可能发布"夸大或毫无保证的推荐或评级，并且还包含毫无合理根据的意见"。

2001年4月，一名分析师给其上级分析师写道："根据现状，（公司的）价值是零，你认为我们是否应该调整我们对价格目标的评级？"他得到的回答是："现在改变评级可能不是个好主意……"2001年5月，世通公司（WorldCom）获得了公司的最高评级，而此时公司的资深分析师却给他在欧洲的同事写道："我们很早以前就想调低评级了。不过，我们没法调低（AT&T），因为我们这边受到相当多的限制。但是不调低（AT&T），那么就没法调低世通，因为这样不太一致。"世通在公司推荐买入名单上一直待到了7月，但是实际上在4月份当一只对冲基金询问电信行业的主管分析师是该买入、卖出还是该以20美元的价格继续持有时，回答是："卖出。"

就在将艾克索多斯技术公司（Exodus）从"推荐"调低为"市场表现优异"时，分析师与一名机构投资者会面并且接着就收到了感谢信。其中一部分写道："幸好我们出来了……避免了在这些股份上的亏损。"

在一份关于该分析师的销售力量的调查报告中，有一名报告者这样评论："他只与极少数人分享他的真实想法，他的公开评级对于公司来说是非常难堪的。"

法院命令高盛和其他9名被告将其研究部门和投行部门分开，并且设定不同的汇报线，禁止投行部门为分析师提供任何酬劳，禁止分析师参与开发新客户的过程，在潜在业务过程中在研究部和投行部之间设立"防火墙"，禁止分析师在承销前参与路演。该命令要求设立一套标准程序，披露公司在每个被评估公司中的经济利益，各被告公司向其投资者客户提供至少三个独立公司的第三方研究报告，提供每家公司分析师已出版的研究报告的追踪手段，并需为保障其合规而聘请的独立监督人支付费用。

保林法官发现："在有些例子里，高盛为一些公司出具特定的研究报告时并没有遵循公平和善意的原则，而且也未为其报告提供合理的基础，或者包括了毫无合理依据的意见。"

高盛和其他公司被责成缴纳巨额的民事罚金，很显然罚金的数额巨大。问题在于多大，"数额巨大"是一个相对的概念，一个与曾经是高盛竞争对手的那些大公司相对的概念。最重要的竞争对手是摩根士丹利，特别是在名声上，但是也在研究和投行业务上。

董事会主席汉克·保尔森给鲍勃·斯蒂尔打电话，他是公司副主席和股权部门的领导者。保尔森说道："鲍勃，你的工作就是要让高盛得到一个过得去的结果——与摩根士丹利相比过得去。也就是说，即使我们的分析师比他们的分析师干得更坏，你也要保证我们公司的罚金不比他们多。"

斯蒂尔"胜利"了。高盛被罚1.1亿美元，而摩根士丹利被罚1.25亿美元。

为了保持公司的地位，高盛在2002年早期就采取了一些补救措施。高盛任命了研究部的联合负责人，为表明"研究是独立运营的部门"而将其与投行业务和交易业务分开。为了表明研究部的独立性，分析师被禁止持有他们所研究的公司的股票。在防止由部分违规分析师的过分行为方面，该解决方案覆盖了所有的投资研究，并且还设立了关于专门讨论类似行为后果的讨论日。曾经被提升得太过吸引人的分析师的薪酬也被降了下来。公司为节省费用削减了研究部的成本。公司的烦琐要求，犹如让专人坐在投行人员和分析师中间监控他们的谈话一样，减弱了两个部门之间的沟通效果，但是毕竟两者之间的沟通只有一小部分被认定为"不合适"。

为满足对被告公司的结构性整改要求，高盛将投行部门与研究部之间的隔离制度化。公司鼓励分析师在能够作出赢利预测和推荐的结果时就直接指出来。每份研究报告都包含了分析师关于相信其研究结果是客观和有效的声明，并且每份报告都会附上公司关于买入、持有和卖出的建议的统计图。公司要求所有新来的分析师都要经过一整天的专业测试，测试CFA机构在过去三年的考题，并给予时间和资源作准备。

不过，这些解决方案的结果仍然会让人难受。公司仍然在谈论研究的重要性。合伙人艾比·约瑟夫·科恩说："研究在高盛永远都是重要的。客户们也渐渐地寻找看待投资的新方式，比如如何利用期权以及其他衍生产品、环境敏感性和其他更富有创造性的见解。我们的研究也逐渐向长期的趋势性研究转变。"但是，无论如何，高盛和其他大型投行的研究部确实遭到了打击。

分析师职业生涯的轨迹曾经被认为就像乘坐高速电梯一样快速升至财务独立和职业地位的顶点。聪明、善于表达和精于算计的分析师愿意努力工作进行分析并服务于机构投资者，他们能够在5年之内获得50万美元，有时甚至是上百万美元的年薪，几乎没有任何专业工作能够有这么快的上升速度。这个工作独立性强而且富有动力，因此一直被视做很好的机会。但是在解决方案出台之后，分析师的收入下降了一半甚至更多。很多分析师离开了大型投行加入了对冲基金，在那里创造性能得到重视，没有官僚气息，而且收入很高。

机构经纪业务的利润率一直遭到挤压，因为他们最大的客户——共同基金和养老金一直在要求他们降低收费。低费用经纪和电子交易也在赢得市场。类似高盛的全能型股票交易商的利润逐渐被挤干。机构经纪业务再也不像当年格斯·利维取得胜利时那么丰厚了。费用管理和削减费用越来越重要，而且也正在改变研究部的作用和分析师的职业机会。如果与解决方案结合来看，环境的改变是十分深刻的。研究从领导公司前行的部门转变为仅仅是为提供服务而设立的部门。

公司仍然需要能力出众而又勤劳的专业分析师，但是就像过气的电影明星一样，他们已经由主角转变成了配角。

18

约翰·温伯格

作为西德尼·温伯格的儿子和两位约翰中的一位，约翰·温伯格很快就会以他的直率和亲和力取得别人的信赖与爱戴。一直不露锋芒而且易于接近的华尔街人士——温伯格，拥有50年一线投行经验并且在高盛担任了14年的联席主席或者主席。他可能会微笑着说："我是来帮助别人的。如果他们想找一个头发花白和满身疤痕的人，那就是我。"

温伯格友善的举止能部分地解释他如何成功地化解紧张局势，例如类似1995年西格兰和杜邦当时面临的对峙局势。西格兰当时是杜邦不受欢迎的最大股东——有可能还是最具控制力的股东。这是自1981年杜邦对康诺克（Conoco）的"白衣骑士"收购之后发生的。双方的僵局由杜邦支付88亿美元的天价，回购超过24%的股份——1.56亿股普通股得到解决。这是至今完成的最大的该类交易。

此次交易的规模空前，而其能够成功实施则是由于人的因素：两边都信任约翰·温伯格。熟悉该交易的人都非常欣赏他在交易过程中对于各种技巧的熟练运用。该交易使用了衍生工具，保持了西格兰持股比例，是因为在向杜邦出售1.56亿股股份时，一部分对价是以相同数量的权证来支付的。由于这些权证的行权价格定得非常高，因此不会被行权，但是权证的存在表明了杜邦和西格兰之间的该笔交易符合美国国税局关于公司内分红的规定，适用7%的税率，而非资本利得的35%的税率。西格兰的新闻稿特别指出："这得益于高盛的贡献和约翰·温伯格的独特作用。"温伯格是一名灵魂人物。但是一般情况下，他从来不居功。这次他又把功劳让给了盛信律所（Simpson Thacher & Bartlett）的律师。温伯格认为，他们在复杂的交易结构设计上作出了突出的贡献，并且非常愉快地称赞他们为"协议的谈判留出了很大的空间"。这是一笔在金融史上不多见的数十亿美元的交易。根据双方最后达成的条款，杜邦和西格兰合计节省了约15亿美元的税款。

了解这场复杂交易的解决方案，有助于我们更明白高盛在这次杜邦大额股份收购过程中的贡献。对于康诺克公司的并购战于1981年打响，多姆石油（Dome）提出以65美元每股（比市场价格溢价30%）的价格收购1 400万~2 200万股的康诺克公司股份。作为加拿大公司，多姆石油希望用收购的股份与康诺克在哈得孙湾油气公司52.9%的权益进行交换，以节省康诺克获得现金所需交纳的资本利得税。但是，多姆石油的出价最后失败，因为多姆石油的股份是由其子公司拥有的，而非多姆石油自己拥有的。

当时，在向Sun公司出售大额石油储备后，西格兰获得23亿美元现金，并希望将这笔钱用来投资。1981年，康诺克公司52%的股份被出售。在了解到除了多姆石油出价的22%之外还有30%"无人问津"后，埃德加·布朗夫曼（Edgar Bronfman）爵士给他多年的朋友温伯格打了个电话，温伯格是布朗夫曼的顾问，也是西格兰的董事。一个临时性的计划出台了：西格兰购买康诺克公司35%的股份并同意维持该持股比例。很快，形势由于杜邦出价78亿美元作为白衣骑士购买康诺克的股份而变得更加复杂。这就使得西格兰持有杜邦24%的股份，足够成为杜邦的控股股东。

杜邦的管理层在过去的十多年里一直对西格兰的强势地位和今后可能出现的对峙局面耿耿于怀，希望能够购买其所持股份。这次与杜邦的管理层合作，温伯格再次成为最主要的谈判者。"埃德加夫妇和我与我夫人关系非常密切。"温伯格以典型的实事求是的态度解释他和布朗夫曼家族的关系，这也是他在45年后有能力操作史上最大的股票回购业务的重要原因。

就像所有成功的交易撮合者一样，温伯格总是在寻找大家共同的利益而且经常能够发现个人层面上的共同利益。杜邦非常英国式的CEO爱德华·杰斐逊（Edward Jefferson）看起来非常冷静和严肃，与约翰·温伯格的大方和不拘小节相去甚远。但是温伯格知道杰斐逊也曾经服过役，基于这个共同点，他很快与杰斐逊发展了友谊并且打通了两家距离遥远和风格大相径庭的公司进行交易的良好沟通渠道。就如温伯格后来解释的，"在1981年布朗夫曼建仓时，我们制定了持股协议，其中包括西格兰集团在杜邦董事会和其他关键的委员会中的席位数量。所以，经过这么多年，我们对每个人都很熟悉。"

这桩交易在数年前还被认为无法形成友好的解决方案，但是温伯格没有留下任何关于如何获得双方信任的解释。他只是说："我只是做好我的本分。"温伯格还补充说，当时看杜邦为收购康诺克公司支付的价钱在石油市场是非常高的价格，但是"当它由杜邦管理并且为杜邦赚钱时"，它成为杜邦的一个重要支柱。不过，温伯格并没有提到他赚到的2 500万美元费用。他也没有提到由于高盛的反收购政策，他推掉了高盛作为并购顾问的机会，并因此失去在西格兰最初恶意收购康诺克的交易中高达1 100万美元的顾问费。温伯格确实表现出对政策的真正遵守：即使你会损失真金白银，你也应该遵守政策。高盛是纽约城中唯一一家没有作为交易管理人、套利商或顾问参与康诺克公司战役的领先投行。当尘埃落定之后，德士古、美孚和城市服务公司以及西格兰和杜邦都分别参与了这次史上最大的收购交易。

出生于1925年的温伯格在这些年里还参与了许多大型交易，并且都发挥了关键作用，其中包括通用电气收购RCA公司。温伯格为通用电气的杰克·韦尔奇与RCA的管理层谈判时提供咨询，还为美国钢铁收购马拉松石油提供服务，该交易后来成为美国历史上第二大的合并交易。温伯格成功的原因之一，是他能够躲避报纸的追踪报道而在高盛内部高效地工作。他说："我做得最好的工作就是匿名。"《纽约时报》指出他 "有令中情局局长妒忌的私人空间"。

温伯格从来不把自己太当回事。"领导者需要在争论中认输——不是说所有的争论，但是应该足以让每个人诚实和对清晰的思考负责。你不可能在公司总部对业务实行微观管理。" 对于一向层出不穷的创意，他趋于保守。但是如果年轻人坚持，他也愿意让步："我是个老头子了，对于进进出出的新东西了解很少，要是你们觉得是对的，那就干吧！"他会一边观察一边笑着说："现在我什么也不会失去。如果我是正确的，他们很快就会说，'天哪，还是老人懂得多'，如果他们对了，他们会自我感觉良好，而且还会加倍努力。"

平易近人而且具有自嘲精神的温伯格精通业务，而且也知道如何让自己和公司的服务得到相应的回报。杰克·韦尔奇回忆道："1986年，在RCA交易之后，他觉得公司应该赚得600万美元的费用。我一直比较抠门儿，觉得这太高了。所以约翰周末驱车到我在康涅狄格的家里，我们一开始争论，但是后来我们坦诚相见，我同意支付600万美元的全款。"

韦尔奇补充道："在交易的最后阶段，我们彻底决裂了。费利克斯·罗哈廷坚持67美元的价格，而我坚持只出65美元。我们都在会议室里。约翰要求和我单独待一会儿，他说：'每个人都想得到胜利，你可以让RCA的人很害怕，但是这些人今后是要和你长期共事的啊。给他们留点面子，把胜利给他们吧。'最后我们出价66.5美元。我从来都不是和高盛做生意，我是在和约翰做生意。这是与约翰·温伯格的个人关系。"

温伯格在高盛的主要职责是与大客户做大交易，维持西德尼·温伯格多年以来开发的重要客户关系并持续开发新客户。他听从了他父亲的建议，将公司的内部管理事务留给其他人。西德尼·温伯格坚持认为："把所有事情都交给他人，你密切关注他们都在干什么就可以了，你别自己管理。也许你没法把所有的工作都交代给其他人，但是记住：如果可以的话，你能为公司做的最好的事情就是别参与管理。"

约翰·温伯格关注客户的交易可以追溯到50年代。1957年的一天，宝洁公司的CEO霍华德·摩根斯清早就在为收购高乐氏的交易进行最后的谈判，这是一桩相对较小的交易。温伯格回忆道："我们了解到宝洁公司在俄勒冈的工厂里有一些卡车驾驶员准备罢工。一旦他们开始罢工，所有宝洁系统的卡车驾驶员都会遵守他们合同中与工会签订的协议条款开始罢工。"摩根斯转向温伯格说道："宝洁在这个时候可没法接受由于俄勒冈的三个人举手同意而开始的罢工，解决这个问题最快的方法就是找个人买下那个工厂。"他接着说："所以，我们要做的就是，把那个工厂卖给你。"

　　尽管温伯格反对说高盛不可能独立地拥有一家食品加工厂，但是摩根斯非常坚持。温伯格回忆道："很快，我就开始签署只有一页纸的以46万美元购买俄勒冈工厂的协议。宝洁从未在所有文件齐备之前进行购买或出售交易，而我现在签署的价值近50万美元的合同仅仅只有一页纸！第二天我两眼通红地回到办公室。很自然地，我走进父亲的办公室，我在那里告诉他整个并购都已经安排妥当，不过我还是向他坦承最后遇到点困难，我向他解释了俄勒冈的业务，告诉他我已经签署了购买协议。父亲的反应很迅速：'好吧，你这个白痴，你被炒了！'然后父亲花了90分钟研究我的能力，我的判断力，一切的一切。这是一次很有意思的辞退面谈。直到两周以后他才重新把我聘回公司。"

　　根据一些应该是公司治理方面的记录，约翰·温伯格在百路驰担任34年董事，在国家乳制品公司担任26年董事，西德尼之前在两家公司担任32年董事，他们俩为这两家公司服务的总时间超过了半个世纪。温伯格也沿袭了他父亲的习惯——购买所担任董事的公司的产品，如福特的汽车，通用电气的冰箱，百路驰的轮胎。"我就是在那样的环境中长大的。我父亲一直这么做，所以我也习惯这么做了。" 温伯格保留了从他父亲那里继承的铭牌，上面列举了亚伯拉罕·林肯成为伟大总统的路上所遇到的挫折，而且还加上了"如果没有挫折就不会有伟大成功"的注释。作为对约翰领导公司的训练的一部分，西德尼·温伯格带着他儿子与商界领袖们会面是有意义的。（同样，约翰·温伯格也在每周和儿子一同步行锻炼时传授如何在公司做得更好。）约翰·温伯格对有这样的父亲感到非常骄傲，但是对于西德尼的强硬也非常直白。"你犯错的时候，他恨不得扒了你的皮。他是一个伟大的父亲、伟大的银行家、好老师，但是他确实非常强硬而且要求苛刻。他会说：'我才不管你走多远，但是你最好给我干好点。'我在公司的第一份工作开始于1947年的夏天。在海军服役三年半之后，我计划那个夏天好好放松一下，做点好玩的事情。但是老爸说了：'你搞什么鬼啊，你要工作。'于是我整个夏天与公司那帮老人们待在一起，学习了解公司的运作到底是怎么一回事。"

约翰·温伯格一向刻意低调行事。他开着一辆旧福特汽车，穿着短袜，以便能很轻松地挠到他的小腿，夏天则穿着短袖衬衫。在接受《纽约时报》采访时他说道："我不让自我挡道。"与和他同时代的其他业界领袖不同，他非常自然而且对外表毫不在意。他从不提及自己在奥古斯塔国家高尔夫球俱乐部(Augusta National)的会员身份，①也不会告诉别人他曾经就读的三家名校：迪尔菲尔德、普林斯顿和哈佛商学院。而他对于自己曾在海军服役的历史却提了不下100次。

一位非常仰慕他的合伙人说："他非常清楚自己在干什么。"

有时候他也会遭受考验。"皇室租赁"是一个在伦敦取悦客户的高调机会，安排很简单。由于英国皇家成员往往是各种艺术组织的赞助者，因此，只要向他们赞助的组织捐赠25 000英镑，查尔斯和戴安娜就可以和高盛的客人们在鸡尾酒招待会上高谈阔论。

高盛预约与英国皇室成员在伦敦爱乐交响乐团共度一晚。温伯格当时正在伦敦出差，他与查尔斯和戴安娜坐在皇家包厢。尽管他从来都是穿短袜，但是当时在未来的国王和王后面前他还是尽力表现良好并努力掌握最优雅的礼节：不先说话，等着别人对你说。身着绿色丝绸晚装的戴安娜王妃很快就非常愉快地与温伯格进行由她发起的谈话。但是她刚好有个小麻烦，而这个小麻烦很快就变成对温伯格应变能力的考验。"温伯格先生，我的后背有点痒，位置太高了。您能帮我挠挠吗？"皇家包厢处于所有听众的众目睽睽之下，而人们当然一直都盯着他们呢。怎么办？正好当时灯光变得有点暗淡，温伯格很快地轻轻挠了一下——戴安娜则对他报以皇家的温柔一笑以示感激。

另一方面，温伯格能够与他的"部下"进行平和的沟通，这些都是他在高盛的多年工作中表现出来的。他的办公室在面对布罗德大街的11层，有一个暑期实习生看见他时就想：为什么不去自我介绍一下呢？温伯格很愿意和他攀谈并询问："你是哪里人？在哪个部门工作？你在哪个学校读书？喜欢

---

① 奥古斯塔国家高尔夫球俱乐部是美国高尔夫的最高殿堂，是美国高尔夫球大师赛的举办地。——译者注

纽约吗？我们让你很忙吗？我们的同事回答你的问题吗？"尽管温伯格很忙，但他从未因为忙碌忽视过公司的同事。那个实习生最后在高盛待了十多年，他很高兴地回忆说："我到现在还能收到他寄来的圣诞卡，我都离开公司20年了。"

为保护公司的文化不被年轻合伙人的傲慢所侵害，温伯格一直表现非常强硬并对犯规者说，"下不为例，否则……"，这就是很明确地暗示让他们离开公司。实际上，温伯格并不太喜欢"文化"一词，因为他觉得有些流于表面。但他深信一种观念，那就是对共同价值的承诺："它是把整个公司结合起来协同工作的黏合剂。"高盛比华尔街的其他公司更注重共同价值和信仰：对于企业家进取精神和谦虚的团队合作精神的重视，从不诋毁竞争对手，对于做哪些业务和不做哪些业务有清楚的底线，对于自我才能的发展、独立工作和客户第一精神的崇尚。

温伯格在作为唯一高级合伙人的6年里一直都只能靠自己，那些年里，大笔的投资将怀特黑德对高盛打造为"第一家全球公司"的愿景转变为由经验丰富的欧洲人在各欧洲国家领导业务的现实。

温伯格看到这些政策在公司的各个方面得到验证。具有超凡能力的高盛领导人弗雷德·克莱门德尔将公司融资业务部门发展成为最好的部门之一。鲍勃·鲁宾和克莱门德尔支持设立水街公司恢复基金（Water Street Corporate Recovery Fund），运营则由阿尔弗雷德·埃克特和麦嘉·萨罗瓦拉这两位合伙人联合执掌。水街公司的启动资金为7.5亿美元，分别由合伙人和客户出资。水街公司的策略是购买大宗具有控制权的高收益垃圾债券。这样，基金公司掌权之后可在公司的再融资过程中控制相关条款。那些债券通常被机构投资者以大大低于其公平市价的价格出售，因为他们不愿意做太多的工作、花太多的时间和精力来进行谈判，而且在向他们的客户进行汇报时希望将这部分债券从他们的账上删除。从"急于出手的卖方"处以超低价买来，不断地争取并且推进解决方案，这注定会给水街公司和高盛带来丰厚的利润。

"秃鹫"业务，在华尔街指的是那些有能力迫使公司接受苛刻的再融资条件的业务。这是一项非常艰难的业务，有多种力量在博弈，并且常常以法院和市场为阵地进行血腥厮杀。不少参战的公司管理层在特定债券发行之后很快被水街公司挤掉。有些人向约翰·温伯格抱怨说，这些严酷的交易与公司不参与恶意收购的政策以及公司小心营造的"客户纪律"有直接冲突。温伯格也看到了这些冲突并且很快关闭了高利润的基金业务。后来埃克特和萨罗瓦拉分道扬镳，并开始了长期的口水战以及长达10年的愤怒诉讼。数年以后，阿尔弗雷德-埃克特自己建立了成功的公司，他说："我后来以及直到现在都认同温伯格的决定。我有一个不可能合作的合伙人。在水街公司关闭之后，再也没有其他投行尝试设立类似的基金。"

温伯格也拒绝了提供过桥贷款的要求，尽管这项新业务当时正在走俏。在过桥贷款交易中，投行用其资本金向并购方提供高达10亿美元的贷款以资助其收购，然后这部分资金——如果顺利的话——会很快由公开发行的债券所得来偿还。这种策略主要被那些信用较差的借款人使用，有一些过桥贷款融资项目在投行的贷款被完全偿还之前就倒闭，给投行带来了苦果。合伙人们对于温伯格能够作出如此痛苦的决定而对他十分钦佩。（数年后，公司又重操过桥贷款业务并将其发展壮大。）

温伯格的有些决定同个人私事有关。就像在华盛顿和好莱坞一样，性和性传闻一直存在华尔街的场景中。这三个地方的人都和其他人有或多或少的联系；他们活在与现实脱节的生活中，而且以这样或那样的方式诱惑着其他人。很多人很年轻，但过着与别人不同的生活，而且有钱花，打情骂俏很容易，而且越走越远。对于那些正在经历这种刺激生活的人，辨别那条看不见的底线显然不被他们放在心上。

1990年1月8日，一期《纽约》杂志刊登了一篇长达7页的文章，描述一个异常的事件，这导致高盛向全公司公布一份备忘录。在这份备忘录中，约翰·温伯格宣布一名冉冉上升的合伙人辞职。温伯格有非常明确的道德行为标准，该标准是建立在所有美国人的核心价值基础之上的。他比较随意而且对他人很客观，在海军、在普林斯顿、在曼哈顿，一路过来都是这样。但是他有自己的界限，就像他可能会在公司对大家说："如果你愿意，你干什么都可以。但是，别动我们的姑娘！"

1989年8月，两名身着制服的纽约警察到布罗德大街85号29层逮捕因被其前助理凯西·阿布朗莫维奇投诉性骚扰的合伙人卢·埃森伯格。在遭到温伯格训斥的时候，埃森伯格告诉他，阿布朗莫维奇和她在纽约警局做警察的男朋友对此事大肆渲染，他甚至考虑要找律师控诉阿布朗莫维奇和她男朋友敲诈，但是事情已经过去了。她不应该有什么理由指控：以前的关系是两相情愿的，而现在都已经结束了。传言全都是假的。温伯格接受了他的合伙人的说法。合伙人和海军都会这么做。但是埃森伯格没有说他仍然和阿布朗莫维奇定期去世贸中心旁边的酒店一起躺在床上看成人片。所有犯过严重错误的人都知道假装一切从来都没有发生过是多么容易的事情，在被质问的时候却很难说出，"你说的是真的。我犯了严重的错误。我真的很抱歉，现在就会停止"。埃森伯格并没有把一切实情告诉温伯格。

后来温伯格在出差的路上看到报纸上——特别是《纽约邮报》关于实情的报道时大发雷霆。埃森伯格立即被扫地出门。驱逐是绝对的，甚至没有人敢提及他的名字。温伯格可以接受他们之间的关系，甚至报纸上报道的那些东西，但是他不能接受对他隐瞒部分真相。温伯格直接运用在高盛合伙人身上的格言就是"得到越多，人们对你的期望就越大"。如果哪个合伙人告诉温伯格的事实少于他所要求的，那个合伙人就得离开高盛。后来，温伯格告诉他的合伙人：如果他们与下属有恋情，那他们其中一个必须调离以避免合伙人成为其恋人的上司。

温伯格自己的历险是与他的客户在公司业务中进行的。詹姆斯·戈德史密斯爵士在1989年以200亿美元恶意收购英美烟草公司是当时欧洲最大的并购交易。在伦敦的CEO帕特里克·希伊给在纽约的约翰·温伯格打来电话——至少部分是因为在温伯格领导下的高盛在三年前帮助固特异公司抵御过戈德史密斯的恶意收购。温伯格搭最早一班飞机到伦敦并且成功地抵御了收购，树立了高盛在英国业界最好投行之一的地位。

温伯格确实乐于助人。1993年，他是伊士曼柯达公司董事会和负责招聘新CEO的董事委员会的顾问。他和可口可乐公司的CEO郭思达（Roberto Goizueta）一致认同适合担任柯达那个职位的人是摩托罗拉公司的乔治·费舍尔。他们俩按计划一起去见费舍尔，并带上了两套说辞。第一，他们说有一家大型的美国公司正在挣扎，具有领导才能和对技术有深刻领会的费舍尔是CEO的最合适人选，而且这也是他为那家公司和美国作出贡献的机会。第二，他们摆出了令人心动的待遇，如果费舍尔能成功，他将会非常富有。

两人原计划是一定要成功。但是，他们没有取得多少进展而且距离胜利还很遥远。在他们谈话的中间，温伯格和费舍尔独处的时候，费舍尔说道："约翰，我很清楚他们开出的条件确实很好。但是我不能接受，即使是你和罗伯托提出来的。我想告诉你原因：我妻子安妮一直对我很好，我欠她太多时间和欢笑。如果我接受柯达这份很有挑战性的工作，她会失去很多。为了安妮，我不能接受这份工作。"

温伯格很热情地回应道："很好，乔治，真的很好。" 然后他很绅士地问道："你介意我给安妮打个电话吗？"费舍尔同意了。几分钟之后，温伯格就开始在电话里解释柯达的这个机会及其重要意义，他说："安妮，但是乔治不愿意接受柯达的这个职位。"安妮问他为什么。温伯格用非常赞赏的声音说："因为他爱你。"安妮·费舍尔要求给他们24小时。时限还未到，乔治就给约翰·温伯格打来电话：他和安妮商量好了，他们都同意他到柯达工作。温伯格又一次为客户完成了工作。

他也为高盛兢兢业业地工作——有时候能将不曾预料的好运转变为突出的优势。在80年代，主要的投资银行需要大笔长期资本金以支持其全球扩张，特别是在全球债市和股市上作为做市商需要满足库存的增长需求。高盛一贯保持严格的资本保留政策，并且安排了面向主要保险公司的一系列债券私募，但是这仍然无法满足公司庞大的资本金需求——而这正是驱动高盛的竞争者们与大型商业银行合并或者上市的动力，这些公司同时也失去了私人合伙的属性。

摩根士丹利上市了，所罗门兄弟通过与辉博合作上市了，崇德证券通过IPO上市了，而且还时刻准备着与一家大承销商合并。贝尔斯登已经上市而且正在建立其银行业务。在一份给鲁宾和弗里德曼的重要报告中，合伙人唐·甘特解释了合伙制度碰到的问题。公司的资本金比之前任何时候都多，高达18亿美元，但是其中的6亿美元是退休合伙人或有限合伙人的钱，计划在数年之后全部支付给他们。剩下的2/3属于现任合伙人，但是他们有一部分在接下来的几年内肯定要退休，每个人在转变为有限合伙人时都会拿走其资本金的一半数额。最现实的预测显示，在公司需要更多资本金支持扩大资本密集型业务活动的时候，几乎可以肯定资产负债表上的权益资本会减少。所有的大型商业银行不但是拥有庞大资产负债表的上市公司，它们还有很多公司关系以及强大的国际网络。这些银行正在试图向投行和证券承销业务扩张。有些银行在伦敦购买了券商。银行雄心勃勃地希望涉足证券交易业务，非常明显的是他们准备提供大笔资金以及大幅调低价格，以争抢投行业务市场。华尔街的所有领袖们都认为：那些大型的迟钝的银行会坏了我们的好事！

高盛有四个途径可以增加资本：在合伙人变成有限合伙人时锁定他们的股本——这是对合伙制度的巨大冲击，而且大部分合伙人和所有有限合伙人肯定不会同意；上市——这是新任合伙人肯定会反对的；想法大幅提高公司的赢利能力；找到不管公司面对何种竞争的不确定性都愿意给公司投入巨额股本的人。

在这四种选择中，广泛被认为会担任公司下一代领导人的弗里德曼和鲁宾赞同IPO。获得永久性资本和进入公开市场符合他们的战略利益，即更多地使用公司资本进行自营交易、投资私人股权资本和房地产，以及进行国际扩张。由很快就要退休的资深合伙人把持的管理委员会将会成为IPO最大的受益者，他们一致同意IPO的决议，约翰·温伯格也表示赞成。在接下来的合伙人会议上，弗里德曼和鲁宾就IPO作演示，但是他们并没有展示出所有的真实场景。很多合伙人并没有作好对公司根本制度进行如此巨大变化的准备。幻灯片展示了每位合伙人所能获得的好处，强调了公司现在已经面临资本缺乏的局面，并且解释了公司在利用成长机遇时为什么资本需求会稳定上升，以及资本需求如何稳定上升。

然后，演示从胡萝卜转到大棒。他们提醒在座的合伙人，有一些严重的问题可能对公司及合伙人带来极大的伤害：比如在宾州中央铁路项目中的巨大亏损，以及任何可能想得到或可能想不到的其他麻烦。这次演示不太具有说服力。对于有些人来说，里面有一些不一致的内容。37位新合伙人没有获得任何好处，反倒会阻止他们在接下来的几年里积累资本。由于他们在公司的股本金中还没有任何份额，因此即使合伙人账户溢价3倍，3乘以零还是零。合伙制度的决策不是按照合伙人的资本份额，他们每人只是一个合伙人，只有一个投票权，而所有即将成为合伙人的员工和新合伙人都反对。这意味着即使鲁宾和弗里德曼还想再次提出IPO的建议，那也得等到一年以后了。

1987年2月13日，合伙人鲍勃·弗里德曼由于重复计票和内幕交易在其办公室被捕。尽管有种种感情和法律上的纠结，有一件事情是很清楚的：高盛不会上市。但是公司仍然需要资本注入，特别是其主要的竞争对手已经上市从而拥有了巨大的永久性资本。高盛实际上是将一只手绑在身后与其竞争对手在这个迅速变化的市场进行搏杀。

不过，令人愉快的是，问题由于一次对约翰·温伯格不同寻常的拜访以最不同寻常的方式得到了解决。现实的约翰·温伯格不是个梦想家，他从不期望从天上掉下个全新的好主意。但是1987年，对于高盛扩大资本最不可能的解决方式却出现在了温伯格面前。这个解决方案就是由一家日本的世界级银行对高盛进行巨额的股权投资，该银行从来没有涉足过投行业务。为避免被他人认出来，住友银行的总裁小松带着墨镜到达温伯格的办公室，他还故意采取了具有欺骗性的迂回道路：大阪到西雅图，西雅图到华盛顿，然后从华盛顿坐飞机到纽约。温伯格笑着说："我不得不告诉他，从华盛顿国家机场到纽约的拉瓜迪亚机场的飞机上坐满了银行家和记者，他躲都没法躲。"

陪同小松先生的近藤明（Akira Kondoh）解释说，日本最大的银行住友是世界第三大银行，拥有近1 500亿美元的资产，希望开拓其在投行方面的业务能力，并且已经聘用麦肯锡为其制定最佳方案。在战后占领日本期间，道哥拉斯·麦克阿瑟特意根据《格拉斯－斯蒂格尔法案》要求日本的商业银行和投资银行业分业经营，但是这随着后来法律上允许日本商业银行通过其子公司提供投行服务而被改变。

麦肯锡建议对一家最领先的美国投资银行作出资本承诺，它推荐了高盛作为业界领导。拉扎德的费利克斯·罗哈廷被选中担任与高盛进行初步接触的中间人。住友希望能够送20多位年轻的员工到纽约代表处进行培训，并接受美国公司融资方式的教育。

住友的建议看起来太好，简直好得令人难以置信：住友希望向高盛投入不超过5亿美元的现金股本。进行谈判时，小松解释道，如果高盛不能接受5亿美元的投资，那这个建议也不值得再往前推进。在接下来的谈判中，住友同意认购高盛1/8的权益，即高盛账面价值溢价的3.375倍，达到40亿美元。在高盛合伙人近百年来耐心地累积公司资本之后，住友的出价在一夜之间就将其资本提升了38%。

公司对于长期永久性资本的需求是进行IPO的最重要原因。当IPO在1986年被搁置时，温伯格肯定不太开心。他非常信任合伙制度，就像他信任客户关系一样，他知道他父亲肯定会反对公众持股。他也坚信高盛能够成为华尔街的领先投行，但是合伙人从当前利润中省出来的钱根本无法满足公司扩展的需求。温伯格几乎无法控制自己，因为小松的访问是如此不可想象且如此重要。他在给唐·甘特的电话里说道："你不会相信的，这100万年都不会发生一次，我刚刚才结束了一场最激动人心的会见。"

甘特和温伯格第一次在公司见面是在20年前，而且一直关系融洽。甘特沉默寡言、口风很紧，值得信赖。

在维护与福特汽车的关系期间，甘特在格斯·利维手下工作，当时甘特就表现出处理复杂敏感而且需要良好现场判断力的事件的能力。另外，他还完成了当时未获通过的IPO的所有财务分析和文件，所以他知道所有数据。温伯格非常小心谨慎，所以希望能够验证住友建议的各个方面，因此他找到甘特。他对甘特说："唐，这可能不那么重要，但是如果成功了，会是很大很大一件事。马上来我办公室，我会告诉你一切。我们有活干了！"当甘特到达他办公室的时候，温伯格大笑着说："费利克斯·罗哈廷今天早上来了，还带了两个戴墨镜的日本人。其中一个只会说日语，但是职位很高。还有一个是他的翻译。那个职位高的人说他们戴了墨镜，还兜了个大圈儿来见我们，主要是怕被华尔街的记者们认出来。"温伯格微笑着描述这件好玩的事和摆在他面前的战略胜利机会。

在这个行当，一个信誉良好的公司可以发挥50倍于其资本的力量，所以5亿美元的新鲜资本金将是强有力的支持。仍然还在笑着的温伯格像往常一样很快就对甘特说到重点："唐，马上给费利克斯·罗哈廷打个电话，问问今天那人说住友银行想成为高盛的合伙人到底是不是真的，看看他们到底有多认真。"

甘特在3M的项目上与罗哈廷合作过，所以他们的谈话非常坦诚。随后他对温伯格说："约翰，罗哈廷说住友是非常严肃的，我们可不能放过。他们有钱而且想做消极合伙人。罗哈廷说如果我们立即开始谈判，那我们就能掌握主动。"

"唐，你准备好领导这次谈判了吗？了解这帮日本人可需要不少时间呢！"

"我可以。"

好多年以后温伯格回忆道："幸好他们来的时候格斯不在。他不喜欢日本人，也不太喜欢法国人。对国际上的事情他从来都没有兴趣，5秒钟的兴趣都没有。"

一开始美联储理事会拒绝了住友的入股申请，这让住友很不高兴，他们感觉"被坑了"。就个人而言，这次挫折伤害了住友参与谈判的主要人员的职业生涯，因为在日本，如此重大的事件肯定要预先与财政部进行沟通，以避免最后出现类似让人吃惊的结果。

就在住友试图向高盛进行巨额投资的时候，外界有很多关于日本大肆购买美国公司的传闻，特别是对于国外商业银行对美国主要投行的投资引起了很大的关注。为了避免政治影响，合伙人鲍勃·道尼安排约翰·温伯格与能源和金融委员会主席、众议员约翰·丁格尔会面，以让他了解整个交易的信息。道尼回忆道："约翰·温伯格准备解释说，住友已经支付了账面价值3.5倍的价款，而且还不要求拥有投票权，不过当我建议他向议员提一下他40年代和日本人的那些经历时，他好像不太愿意。所以当我听到约翰对议员说'议员先生，别忘了在那场战争中我们和那帮畜生打过仗'时，我很吃惊。不过我们肯定成功地捍卫了自己的独立立场。在这一点上，议会自此再没有提出过异议。"

经过数月的讨论和三次听证，美联储同意考虑这项申请，但是要求根据《格拉斯-斯蒂格尔法案》进行限定：住友在高盛的持股比例不能超过24.9%，而且只能获得无投票权的合伙人资格。根据高盛的建议，协议的存续期限为五年，任一方在第四年底均可向另一方提出不再续约。如果高盛上市，住友的合伙人权益将转变成普通股的12.5%。在坚持秘密谈判的前提下，住友银行派出了一个由18名管理人员组成的谈判小组。他们准备在纽约停留数月与拉扎德公司一起工作。甘特很快就意识到高盛在这次谈判中的优势地位非常明显。在日本，住友银行因其特立独行、勇于创新而出名。如果谈判成功，住友将赢得广泛的尊重，而谈判的失败将意味着颜面扫地。在了解到这一点之后，甘特在提出某些特殊要求时可以利用高盛管理委员会可能因此否定整个交易为借口达到他的目的。

一开始，住友希望能够向高盛派遣各种受训人员，但是温伯格和甘特解释说，为了"保护你们的投资"，高盛与住友集团不要走得太近是一条重要的宗旨。美联储最后决定住友能派遣两名——而非20名短期工作人员，而这两人在纽约停留的时间不能超过12个月。住友对这些限制非常不舒服，所以谈判进行得相当艰苦和激烈。对于甘特来说，寻找一名合伙人来训练一名在纽约只能待一年的住友短期工作人员是一个问题。

住友只是一个沉默的合伙人，而且没有投票权。温伯格解释道："这是为了保护他们的投资。"事实上，那确实是住友最成功的投资，因为它可以在欧洲市场以1%的低成本融资来支持这次投资。带着其标志性的温和谨慎的态度，温伯格说："这次交易对各方都很好。"

后来回忆住友事件的背景时，温伯格解释说他在日本有很多密友，"我25年来经常去那里"。他对于理解过去50多年的现实问题非常老练。他第一次是作为海军人员去日本释放战俘，当时日本还被美军占领。就像他说的，"我看见过和听说过不少关于战俘营的事情，但是都和我在日本看到的不一样"。

在住友投资之后的几年里，高盛的赢利水平得到了显著提高，而公司也可以稳定地以当初预定好的每年1亿美元的安排将住友的投资在5年内逐步买回，但是高盛并没有这么做，因为资本的运用有极高的回报。在温伯格担任管理合伙人的14年间，高盛的赢利增长了10倍，股权资本从6 000万美元飙升至23亿美元。而在IPO之后，住友获得的投资回报也是惊人的。不过，最具讽刺意味的是，住友从未实现其战略目标，也就是开发和利用新的专业业务。它从未在日本进行过投行业务。

作为华尔街上的强手之一，温伯格给雷曼兄弟的弗雷德·弗兰克打了个紧急的电话，事关雷曼打算在高盛不参与的情况下承销的一个项目。"是我们帮助公司上市，如果我们在它的大型发行中不能作为主要承销商，那高盛和我个人都极其难堪。所以弗雷德，我请求你。"弗兰克随后安排高盛加入，并简单地告诉客户说："你不能不带高盛玩，因为它太强大了，华尔街的每个人都会认为是高盛不带你玩。"

几年后，在另一个问题上，弗兰克给温伯格打电话，描述高盛一名银行家过于具有攻击性的行为。"哦，那可不好。"温伯格一面表示同情，一面承诺会调查此事并给他回电话。弗兰克指望温伯格的歉意会带来业务上的改变，所以他在下一次和温伯格说话时问道："那么约翰，你可以管管这事，让他们停下来吗？"温伯格的回答让他很吃惊："哦，不行，弗雷德，那是太具体的事情了。"作为极其坚定的竞争者，温伯格从来不会约束他极具进取精神的同事们。就如弗兰克所评论的，"对于高盛，不光是他们自己要赢，他们还要你输"。

长期关系对于温伯格极端重要，而长期的忠诚也让他非常满意。美国海军的名言就是忠诚来，忠诚去。当某种关系不起作用时，他会尽力将它扳回正确的位置，这在他处理与通用电气的关系上非常清楚。温伯格解释道："我父亲担任通用电气的董事多年，而在他过世后，我们对于高盛没有获邀成为其联席投行感到失望，这本是高盛一直非常看重的关系。"通用电气转而让摩根士丹利成为其首席投行。

温伯格决定看看有什么办法，并且决定经常出现在通用电气在康涅狄格州费尔菲尔德的办公室。他在12年里坚持每个月都去，与通用电气的人，特别是新的高管们见面。[①]"我和工作层面的人相处都很好。有一天我在他们办公室，很静。我认识的一个秘书（她是专门录入极端机密的管理层考核信息的）对我说，'有个新来的头儿你应该见见'，她就把我带到了一个我不认识的人的办公室：杰克·韦尔奇的办公室。"

韦尔奇也没有听过说温伯格，所以他问道："你有什么事？"温伯格只好承认道："其实我也没有什么特别的事。"然后他问韦尔奇在通用电气的职责。韦尔奇微笑着做了一个讽刺性的表情，意思是你在见大忙人之前起码也要做好功课。然后他说他在通用电气负责几个业务部，其中包括通用电气信用公司。温伯格问高盛能帮什么忙，韦尔奇又笑了，再次提到关于来之前应该做足功课并带着具体的文件以及建议和行动计划而来的重要性："你做功课了吗？"但是，无论如何温伯格认为："我们在个人层面上感觉还不错，而且接下来我知道，他说他希望有朝一日能成为通用电气的CEO，并且问我高盛能够如何帮助他在通用电气干得好。我们还谈论了其他事情，很快我们就相处得很融洽了。"

尽管开头是如此突兀，在接下来的数年间两人在很多方面都有了合作。比如，钢铁工业需要在铸造设备进行大量长期投资，但如果是租用设备，则国税局允许投资减税额的转让，这正好是通用电气信用的切入点。由于钢铁公司利润微薄，不能完全享受税收减免的好处，温伯格想出办法让通用电气信用购买设备，获得减税后再将设备租赁给钢铁企业。温伯格的总结是："很自然，每个人都很满意。"

温伯格做事投入和从不找借口的性格让他的很多朋友有时候在公开场合有时候在私底下逗他玩。当杰克·韦尔奇给他的朋友打电话向他透露关于通用电气的大消息时，对话的开头他用了让华尔街任何人都会极其想听到的热情语言："你个笨蛋，你个丑人，但是……你的运气还真好。"然后他继续讲：

---

① 温伯格就住在附近的小镇。

"我马上要进董事会会议室。当我出来的时候，我会是CEO——你和高盛会再次成为我们的主要投行。"温伯格当时不在办公室，他在中城的生命延续研究所等待作一系列的身体检查，正与后来成为摩根士丹利常务董事的罗伯特·鲍德温一起坐在等候区。罗伯特·鲍德温正在等待叫号去做检查。温伯格微笑着正要说不知道什么时候通用电气将离任的CEO会致电鲍德温，告诉他摩根士丹利不再是通用电气的主要投行了，工作人员出来告诉鲍德温该他检查了。

70年代后期，那些设备租赁安排让通用电气信用获得了通用电气报告赢利的约75%，使其成为整个通用电气的赚钱机器。"就在那几年，杰克和我越来越理解并尊重对方。"温伯格说。韦尔奇也回应道："我们成了好朋友并且常常见面。他是个非常杰出的人，我可以一整个星期都说他，我真是仰慕他。约翰很睿智、现实并且从不找借口，还有丰富的常识。他对于价值的嗅觉非常准确，而不需依靠那些别人坚持要的统计表格。他具有大法官的性格并且能够最好地代表高盛。让约翰与众不同的不是因为他能做交易，而是他对于如何才是对双方最正确的做法更感兴趣。"

尽管温伯格的大部分时间都是在外与客户在一起，但是他能够确保让公司最优秀的人为客户服务。他在高盛内部也扮演着重要角色。1990年《经济学人》杂志对温伯格的领导力大加赞赏："他以热情而又严肃的风格带领高盛进行着无与伦比的扩张，并在过去14年里获得更高的收益。他的谨慎让公司不从事过桥贷款业务，不使用公司资本进行并购，不购买垃圾债券。高盛的对手们往往都在这些业务上遭受打击。'我们很小心地看着我们的鸡蛋，因为那是我们的鸡蛋，也是我们唯一拥有的东西。'"

温伯格的个性坦诚而不加修饰，而且他能够很快地想起他人的姓名、生日和其他细节。他永远准备直接解决问题，而且几乎是本能地在复杂的形势当中辨认出对各方正确的东西。这种结合让他能够很快地解决大小问题并不断地获得客户和同事的满意，还能够消融高盛内部聪明、难以相处而且具有不同目标和看法的人之间的冲突。温伯格自我要求的任务是在两项经常冲突的事情之间找到和谐：团体协作和个人进取之间的和谐，而且是能够很快、有效、公平而且不带来不快地达到这个目的。

在公司内部，温伯格的方法非常直接和简单，但是很有效。他会站在反对派的立场上，压低声音并明确指出如何解决问题："我在明天中午前要为这件事作最后决定，所以你们都要认真考虑，你最想在我的最后决定中把什么东西包含进去，然后告诉我你最想要什么决定——你能接受的决定。尽量让你的决定公平一些，因为你的对手肯定也会给我他最好和最公平的最后决定。我会选择那些最符合这些标准的，然后就是它了。接下来我们各自回去工作。"

温伯格对高盛人员的影响力与他对新老客户的影响力是一致的。在海军里，他一直进取向上，但从来都不爱炫耀。他生活在高盛的核心价值观里，别人都喜欢他。"我是真的喜欢这里。"他很开放又很自然地解释道："你希望人们对自己和对公司都感觉良好。"他真诚而单纯的假设是如此自然，因此他也对别人提出同样的要求。他经常会说："人人都想别人对他好，我确实没有看到任何不这样做的原因。"但是，另外一方面，他也会很快打压感觉良好的个别人，他从他的经验得出："在他们升职以后，有些人确实成长了，而有些人则自我膨胀了。"

温伯格很直接。一次，一名年轻的合伙人带着建议书准备向管理委员会进行解说，他建议道："我希望你能有一个非常成功的会议，而我自己也想为你的成功作点贡献。所以就像我对所有人说的一样，我希望所有材料在上会48小时前都被讨论过，我自己会看，其他人也会。会议将以问题开场，而我会问第一个问题。"在从合伙人位置上退下来的10年里，温伯格还是一个很忙的人，他笑着说："我比在公司时拉的业务还多。"项目包括化学银行收购汉华银行和GCA与哥伦比亚医疗公司价值23亿美元的合并以及它们并入美国医院公司的交易。在75岁的高龄上，作为高盛的顾问，温伯格的收入得到很大提升：一份新的为期两年的合同，每年500万美元，之前的合同是每年200万美元。根据汉克·保尔森的一封信，如果温伯格的合同到期或者被终止，他还能收到500万美元。该合同一直存续到2006年8月7日，温伯格过世的那一天。

温伯格成功地处理公司的客户关系，也因此而闻名，但那并不是他最重要的事情。"约翰最大的骄傲不是重新建立和通用电气的关系，也不是能够和西德尼·温伯格一样得到很多公司客户，当然那些都是公司的主要客户。"他的兄弟吉姆说道，吉姆与他的关系很亲密，他对约翰的认识也比别人深刻。"这些和其他的成就都是外部的。"约翰担心的是高盛的文化，也就是美国的主流文化，很可能和其他国家的文化相冲突。他很高兴地看到他信赖的价值观和工作理念看起来是普遍适用的。

一名合伙人说出了大家的心声："他是高盛的灵魂。"

01 《货币崛起：金融如何影响世界历史》

The Ascent of Money

[英] 尼尔·弗格森 著

出版时间： 2009年6月

本书从一个全新的角度描述了货币的历史，让你知道金融演化进程背后发生的事情。透过作者的专业视角，许多为人熟知的历史事件被赋予新的意义。

02～05 《罗斯柴尔德家族》系列1～4

The House of Rothschild

[英] 尼尔·弗格森 著

出版时间：2009年9月

罗斯柴尔德家族最权威研究专家推出的经典巨著，让你了解真实的罗斯柴尔德。《纽约时报》年度畅销书，《商业周刊》年度十大畅销书之一。

06 《货币战争·债务篇》

The Great Depression of Debt

[美] 沃伦·布鲁瑟 著

出版时间：2009年11月

资产泡沫背后，隐藏的是更危险的债务泡沫。美元将会崩盘，更深层的经济冲击尚未来临，下一场货币战争即将展开……

07~08 《高盛帝国》（上）（下）

The Partnership: The Making of Goldman Sachs

[美] 查尔斯·埃利斯 著
出版时间：2010年1月

全球唯一一部全面讲述高盛百年崛起的企业传记。
揭开高盛集团的神秘面纱，娓娓细数公司多次突围求生由低谷勇攀高峰，更道出管理高层百年来领导公司冲锋的必胜绝招！

---

09 《沸腾的岁月》（珍藏版）

The Go-Go Years

[美] 约翰·布鲁克斯 著

这本关于20世纪60年代美国股市牛市的经典著作，为今天的投资者讲述了在整个20世纪60年代驱使股票价格上涨、把许多人变成百万富翁的人物、事件、市场因素和时代趋势的令人警醒的故事。

10 《伟大的博弈》（珍藏版）

The Great Game

[美] 约翰·S·戈登 著

本书生动地讲述了华尔街从一条普普通通的小街发展成为世界金融中心的传奇般的历史，展现了以华尔街为代表的美国资本市场在美国经济发展和腾飞过程中的巨大作用。

11 《华尔街战争》

The Battle for Wall Street

[美] 理查德·戈德堡 著

在作为全球金融中心的华尔街，卖方与买方这两大阵营一直在为争夺权力而展开战争。本书为读者详细介绍了这个变化的战场中正在发生的事情，特别是在权力转换背后的力量。

12 《投资银行揭密》

Investment Banks Explained

[美] 米歇尔·弗勒里尔特 著

资深投行从业者为你揭密投行的起源、关键金融产品的历史以及投行的业务，是一本了解投资银行的必读书。